Irse de casa

Carmen Martín Gaite

Irse de casa

EDITORIAL ANAGRAMA
BARCELONA

Portada:
Julio Vivas
Ilustración: «Thursday–Mending», © Katherine Ace, 1994

Pedró de la Creu, 58
08034 Barcelona

ISBN: 84-339-1078-7
Depósito Legal: B. 22030-1998

Printed in Spain

Liberduplex, S.L., Constitució, 19, 08014 Barcelona

Para Ángeles Solsona, mi fiel escudero
en la lucha contra los fantasmas

Toda la historia del Universo se halla implícita en una parte de él.

ALDOUS HUXLEY, *Contrapunto*

Un tapiz consta de tantos hilos que no puedo resignarme a seguir uno solo; mi enredo proviene de que una historia está hecha de muchas historias. Y no todas puedo contarlas.

CLARICE LISPECTOR, *Felicidad clandestina*

PÓRTICO CON RASCACIELOS

Durante la tercera semana de agosto, descargaron sobre Manhattan varias tormentas que, al cesar de golpe, volvían más imprevisto el sesgo de una tarde ya de por sí discutible. Solía ocurrir siempre a la misma hora, poco antes de ponerse el sol. Había unos instantes de silencio, mientras los transeúntes cerraban los paraguas, y algunos con gesto incrédulo se atrevían a mirar hacia arriba. Coronando las altas paredes que encajonaban sus mudanzas, aquella bóveda ficticia se rasgaba en charcos de claridad intempestiva, y salían de la nada a chapotear en ellos manadas de bisontes azules pariéndose unos a otros a ritmo de vértigo. Sus fauces despedían volutas de aliento rojo y entrecortado, nubes de orgasmo rotas contra el agudo filo de los edificios.

–Te lo dije, que antes de terminarnos el café dejaba de llover –comentó un chico moreno de pelo rizoso sentado junto a la cristalera en un restaurante de la Tercera Avenida–. ¿Te lo dije o no?

La adolescente de rasgos mulatos a quien iba dirigida la pregunta no contestó. Acababa de llegar de los servicios y se quedó apoyada en el respaldo de la silla que poco antes había abandonado. Llevaba una boina de perlé por la que asomaban dos trencitas, cazadora vaquera con muchos pins y minifalda. Calzaba botas cortas de tipo militar. No se sentó. Miraba la calle con desgana.

–¿Entonces qué? ¿Nos vamos?

–No, mujer, espera un poco. Todavía no me han traído la vuelta. Termínate el café.

Sobre la mesa, con mantel de papel, sujeto con pinzas en las esquinas, quedaba ese rastro ingrato y pringoso de las comidas rápidas. Ella se sentó, pero apartó la taza de café mediada.

–Es lo único que no trago, *brother,* tú sabes, el café de acá. Y mira que yo trago mandanga –concluyó riendo.

Hablaba en español como su compañero, pero con acento cubano. Vino el camarero, dejó unos dólares encima de un plato y se fue. Había poca gente en el local. Por la calle corrían regueros de agua que los autobuses salpicaban al pasar. Ella consultó su reloj de pulsera de tonos fluorescentes. El brazo del chico viajó rápidamente entre vasos y tazas para ocultar la esfera. Tenía una mano grande y morena, de uñas bien cuidadas.

–Regálame otro ratito, no seas tacaña.

–Llevamos juntos tres horas, chico.

–¿Se te ha hecho largo?

–Ni largo ni corto, el tiempo es como es. Pero si llego tarde al ensayo, se remonta mi hombre, ya te lo dije antes. Y ha sido boxeador. No pongas esa cara de telenovela.

–Es que todavía no me has dicho qué te parece mi proyecto. Me has oído como si no fuera contigo.

–Porque no va conmigo. Te has equivocado de chica, corazón.

–¡Eso no! –saltó él–. Tú eres la chica. Y si tuvieras ganas de volar más alto, no seguirías ni un día más en ese teatrucho. Aprovecharías las oportunidades.

Ella se echó a reír. Tenía los dientes muy blancos.

–Señorita –declamó luego, llevándose una mano al pecho–, hace veinticuatro horas aún no la conocía, pero lleva usted una estrella en la frente, no he podido dormir, créame. ¡Es ella!, me decía una y otra vez, ¡es la que necesito!; por cierto, ¿cómo se llama? Se mueve usted y mira como ella, para mí su nombre es ELLA, con lucecitas alrededor.

En los ojos de su compañero no se había encendido la chispa de risa que bailaba en aquella mirada incitante, sino el desconcierto ante el obstáculo propio de quien está acostumbrado a subyugar sin esfuerzo. Era un hombre realmente guapo. Entre treinta y cuarenta. Barba de dos días pero a propósito.

–Me llamo Florita, caballero, se lo dije anoche –continuó ella, cambiando ahora la voz a otra más meliflua–, y también que el dueño del local donde trabajo me protege, bueno, ya usted sabe, en todos los sentidos, y a mí me gusta que me proteja. Es sabroso Norberto, pero un Otelo. Si sabe que usted me ha tomado afición, ¡oh, cielos!, nos mataría.

–¡Basta! –se irritó él–. ¿Quieres escucharme un momento en serio?

–Lo serio me aburre, chico, pero escucharte no tengo más remedio, no paras de hablar tú, ni un entreacto dejas. A tu novia le debes traer la cabeza como un molino.

–No tengo novia, ni te he tomado afición a ti. Simplemente te estoy ofreciendo una historia preciosa. Si te la quieres llevar y echarle un vistazo, bien. Y si no, no me voy a poner de rodillas.

–No hace falta. Tengo buena memoria, y me la has contado no sé cuántas veces.

–Leída la entenderás mejor. Te la puedes quedar, está guardada en mi ordenador. No es la versión definitiva, ¿sabes? Llevo dos años trabajando en ello, y no paro de corregir, bueno, es la vida la que lo corrige.

Le estaba tendiendo una carpeta azul a través de la

mesa y ella la cogió tras una vacilación. Descolgó un bolso grande del respaldo de la silla.

–Mira, no sé ni cuándo lo voy a poder leer, parece gordo para un guión –dijo, mientras trataba de meter la carpeta dentro del bolso–. Y luego que, la verdad, no me apetece. Me suena todo a cuento chino.

–Pero ¿por qué? Dame razones, aunque sea en plan telegrama –exigió al notar que ella se encogía de hombros y suspiraba.

Al fin dijo de corrido, mientras iba disparando los dedos del pulgar al meñique:

–Una, andar por las nubes para mí y mi gente es un lujo. Dos, es la primera película que vas a dirigir. Tres, no tienes claro quién te la produce, aunque digas que eso es lo de menos. Cuatro, me has tomado afición, porque se nota, y buscas un pretexto para volver a verme. Cinco, y la más importante, la historia se basa en recuerdos de tu madre, ¿no?, una especie de monólogo interior, ¿qué pinto yo en ese guiso?

–Mucho: la mediadora entre el hoy y el ayer. Se trata de dos desarraigos idénticos, de alguien que no ha asumido Nueva York y va dejando la vida entre sus calles a medida que sabe cada vez más fijo que aquellas donde pasó su infancia se le vuelven un sueño surrealista. A ella le pediremos la voz en *off* de cuando habla sola, pero la cámara te irá siguiendo a ti...

–Un momento, que yo me entere –interrumpió Florita–, ¿quieres decir que tu madre habla sola?

En su mirada limpia no había censura, ni siquiera una excesiva curiosidad, pero él se sintió incómodo.

–Bueno, sí, algunas veces, pero eso qué más da.

–Oye, no, importa mucho. Lo primero, si está sola cuando habla, ¿tú cómo te enteras de que habla sola? Es que yo antes de entrar en el cabaret trabajé de *script,* ¿sabes?, y nos pedían que nos fijáramos siempre en las incongruencias. Tendrías que meter una especie de espía invisible o algo en ese comienzo.

–Pues no es mala idea –dijo él con rostro animado–. Igual me puedes ayudar a arreglar el texto. Déjame que apunte eso del espía.

–Y además, segunda cosa –siguió ella, mientras le veía tomar notas en un bloc–: la voz no va a querer prestarla tu madre; si habla sola será porque tiene secretos, todas las madres los tienen. Y nos cuentan una verdad a medias. Sabemos muy poco de nuestras madres.

–Exactamente, de eso se trata, aunque no quiero que se note.

–Pues se nota muchísimo, perdona.

–Bueno, como te decía –prosiguió él mientras guardaba el bloc–, esa voz de mujer madura que se oye en *off* funciona como una banda sonora, a veces interrumpida por otros ruidos, pero la cámara irá siguiendo tu figura por los suburbios de una ciudad rara que tratas de reconocer sin conseguirlo, exteriores en plan mutante, estética cubista, ¿has visto el cine del primer Buñuel?

–Sí –dijo ella levantándose, después de mirar nuevamente el reloj–. Pero no me gusta nada. ¡Qué tarde se me ha hecho! ¿Te vienes o te quedas? Ahora no llueve.

Echó a andar decidida, salió del local y hasta que se vio subiendo por la calle 39 no pareció mostrar el menor interés por averiguar si él la seguía. Estaba segura de que la seguía; finalmente notó que le pasaba un brazo por los hombros.

–Me gusta cómo hablas, Florita, y todo lo que no entiendo de ti. Es una pena que tengas tanta prisa –le oyó decir con una voz mansa, diferente.

Era la primera vez que la había llamado por su nombre y, aunque se sintió invadida por una súbita añoranza, no quería ceder a ese capcioso encanto de las despedidas. Se ha visto demasiado en el cine. Además, en este caso,

¿añoranza de qué? Apenas lo conocía. No habían mediado caricias. Y encima era un rollista de cuidado.

–Todo es una pena, chico –contestó sin mirarle ni aflojar su ritmo–. Pero hay demasiados charcos para ponerse a llorar, ya tú ves, se formaría una catarata.

Llegaron a Lexington y cruzaron corriendo a la acera de los impares. Un leve resplandor de poniente daba un aire de inverosimilitud a las figuras movedizas de ropas empapadas, las congelaba como salidas de un susto. El chico se apoyó contra la pared.

–Párate un momento aquí –sugirió–. Mira para arriba. ¿Ves lo que te decía anoche cuando el chaparrón en el Village contra la luz de los anuncios, que sólo duró tres minutos?

–¿Qué me decías? No me acuerdo, oye. Me has dicho tantas cosas desde anoche. Me mareo un poco mirando para arriba.

Estaban frente al Chrysler Building, cuyas escamas iban decreciendo hasta perderse de vista. En aquel momento la aguja del remate estaba inyectándole sangre a una nube anémica.

–Lo de la luz, las sorpresas que da la luz, ahora mismo me encantaría subirme en un helicóptero y filmar eso. Hay que andar alerta porque son instantes así los que sirven para tener una visión diferente de la realidad y conseguir otro enfoque. Instantes clave en que ella misma se hace añicos y nos despista. Ahí está: precisamente cuando parece que todo es mentira, puro montaje, es cuando tienes que ponerte en guardia y atreverte.

Florita había pelado un chicle y se lo había metido en la boca. Empezó a masticarlo.

–¿Atreverte a qué?

–A salirle al paso a la naturaleza y engañarla tú. Mira esa nube, por favor, ha aparecido de repente y ya le están saliendo flecos, se deshace, adiós. Es lo que quiero captar, lo súbito, lo que no se puede captar, ¿entiendes?

–Bueno, un poco, pero qué lío. Además, no vayas de listo. En *Smoke* ya sale eso.

Se despegaron de la pared. A él se le había puesto un gesto enfurruñado como siempre que le echaban un jarro de agua fría. Al fin y al cabo, chicas como aquélla las podía encontrar a cientos en Manhattan. Le daba rabia haberle insistido para que leyera el guión. Apretó el paso. Anduvieron un trecho uno junto a otro pero como dos desconocidos. No había refrescado. De los charcos subía un vaho sofocante. Ella empezó a silbar una especie de danzón. Lo hacía muy bien. Ante el portal de un edificio lujoso, él se detuvo.

–Yo me quedo aquí –dijo–. Igual me paso alguna otra noche a ver tu espectáculo. Aunque no creo. El guión tíralo si no te interesa.

–O.K. Allí viene mi autobús.

Se empinó para darle un beso y salió corriendo.

Nada más entrar de la calle, aquel vestíbulo con los ascensores al fondo tenía algo de extraño santuario. Vuelvo a entrar en el templo, se dijo con una sonrisa. Pero no consiguió que le sonara totalmente a burla. Le deslumbraba por los dibujos del suelo, las lámparas picudas y los adornos triangulares de mármol, bronce y espejo que disparaban su imaginación simultáneamente hacia el futuro y el pasado. En alas de aquella geometría dinámica del *art-déco,* le parecía volar rumbo al futuro en la piel de un americano de los años treinta que sueña con Europa, en la piel de su padre, por ejemplo, que ahora cumpliría ochenta si viviera, *back to future,* siempre el cine.

Se tropezó con una joven alta y de pelo corto que llevaba un blusón de colorines. Estaba embarazada.

–*Sorry* –dijo.

Pero al alzar los ojos hacia ella, vio que sonreía y le estaba interceptando el paso a propósito. Hizo ademán de sacar un revólver imaginario.

–¡Arriba las manos, Jeremy Drake! De nada te servirá acogerte a sagrado. El FBI te rodea.

–¡Santo cielo, si es María Drake! –repuso él, incorporándose inmediatamente a aquel juego que tanto los unía–. ¿De dónde sales?

–Del lugar del crimen, el mismo punto de peligro adonde acudes tú, insensato forastero. Se ve que has olvidado nuestra vieja máxima: «La ignorancia es muy atrevida», yo también la olvido a diario. Por cierto, ¿no estabas en Cape Code?

–He estado unas semanas, sí, pero a los parientes Drake no los aguanto. Se cobran el hospedaje como pirañas.

Hizo un gesto cordial con la mano para saludar a Antonio, un portorriqueño uniformado que los estaba observando complacido desde un mostrador con motivos florales y reloj empotrado. Entre el ir y venir de las demás figuras, ellos eran protagonistas evidentes de una historia distinta.

–Estaba hasta las narices. Me escapé hace tres días.

–¿Sin dejar ni una carta?

–Una para tía Jessica. ¿Cómo lo sabes? ¿Te ha llamado ella?

–No, simple asociación de ideas, mi querido Watson. Era de esperar.

–¿De esperar? No entiendo. ¿De qué te ríes?

–De cómo se están hoy enredando las cosas. Ahora te lo cuento. Pero dame un beso por lo menos.

Se abrazaron. Eran de la misma estatura. Ella respiró hondo con la cara hundida en el hombro de su chaqueta. Luego se apartó a mirarlo.

–Estás guapo, canalla, y muy moreno.

–Tú también. Pero te prefiero con el pelo largo y menos tripa. ¿Qué tal te encuentras?

–Hecha polvo. Por cierto, no me conviene estar de pie. Invítame a tomar un *bloody mary* en el Hyatt y nos contamos nuestras vidas. Yo es que de dinero ando fatal. ¿Tú?

–Si nadara en la abundancia, no habría aceptado la invitación a Cape Code.

Ella se echó a reír.

–O sea que habíamos venido a lo mismo –dijo–. Al amparo de doña Amparo.

–Más o menos. Y tú sin fruto, por lo que parece.

En el rostro de María se pintó una expresión entre maligna y misteriosa que a él le desazonó un poco. Las adivinanzas propuestas por su hermana siempre le hacían perder pie, aunque estaba acostumbrado a disimularlo.

–Pero no hay que rendirse, mujer, se la convence. Vuelve a subir conmigo y hacemos frente común. A veces funciona.

–No insistas, *my dear.* Proposición inviable.

–Qué le vamos a hacer. Veo que has reñido con ella.

Hubo un silencio, seguido de suspiro hondo, que podía traslucir preocupación. Al fin María dijo con cierta solemnidad:

–Peor, Jeremy Drake: se ha esfumado. Ésa es la cruda realidad. *The lady vanishes.*

–¿Qué dices? –preguntó él con voz alarmada–. ¿Dónde está mamá?

María se encogió de hombros.

–Ha dejado una carta, pero aclara poca cosa. Me gustaría compararla con la tuya a tía Jessica... Supongo que ésta lleva más jeroglífico. Y por favor, Jeremy, no me preguntes ya nada porque me estoy desmayando. Recógeme en tus robustos brazos.

Ante la mirada atónita de Antonio, el portero, María Drake cerró los ojos, se tambaleó, y cayó en brazos de su hermano, recién abiertos para recibirla. A Jeremy, responsabilizado de aquella carga, se le puso enseguida gesto de niño desvalido, miró alrededor y agradeció la llegada del portorriqueño, quien se apresuró a abandonar el mostrador y acudir solícito a echar una mano.

–¿Pero qué ha pasado con mi madre, Antonio? –le preguntó a media voz–. ¿Está enferma o algo? ¿Usted cuándo la ha visto por última vez?

–Ayer, cuando pidió una *limousine* y la ayudé a sacar las maletas. Serían las doce del mediodía. Enferma no creo. Simplemente, se ha ido de viaje.

María abrió los ojos al sentir una mano supletoria bajo su nuca.

–Antonio, por favor, no me destripe el cuento, que se lo quiero contar yo.

–O.K, señorita. Perdone, creí que había sufrido un síncope.

María se incorporó sonriendo.

–Qué va, hombre. Era una broma. Pero gracias. –Y luego, dirigiéndose a su hermano, mientras el portero se alejaba sonriendo–: Invítame a esa copa, anda. ¿A que me sigo desmayando bien?

–Sí –dijo él–. Perfecto. Ha servido la toma. ¡Corten!

Había recuperado por completo el aplomo. Cogió a su hermana por el codo y ella se dejaba llevar camino de los ascensores sin hacer preguntas. Vio que él se volvía y decía dirigiéndose a unos ayudantes imaginarios:

–Siguiente secuencia, en el apartamento de la señora Amparo M. Drake, piso treinta y uno, suban los focos por el montacargas.

–Pero ¿y eso? –le preguntó María casi al oído, como dando por supuesto que no estaban solos–. No sé cómo te aguantan, de verdad. El día menos pensado te quedas sin equipo.

–Ya están acostumbrados. Trabajamos siempre así, a lo que salta, y el guión se va cambiando al hilo de las situaciones imprevistas. ¿O concibes, dime la verdad, una situación más imprevista que la de esta tarde? –contestó él también a media voz, mientras la abrazaba por los hombros.

–Realmente, no –concedió ella–. Entre otras cosas, desde marzo no te veo. ¿Qué tal va tu película?

–En el aire, como siempre. Pero muy bien, ¿no lo estas viendo? De un equipo fantasma no se puede pedir más.

–Pues yo tengo unos líos... Ahora te cuento... Oye, ¿de verdad vamos arriba?

–Claro. ¿Se te ocurre un sitio mejor para estar un rato juntos y contarnos mentiras? Nada de Hyatt, yo hoy el cupo de bares lo tengo lleno, y el bolsillo vacío. Te preparo un cóctel, que mamá siempre tiene bien surtido el templo, y de paso me doy un baño de espuma. Mientras, tú descansas.

Sonrieron mirándose. Parecían dos enamorados.

–No es mala idea. ¿Y luego? –preguntó ella.

–Luego... lo que vaya saliendo. No hay que ajustarse a un diálogo previo. Prisa no tendrás.

–Bueno, sí y no.

–O sea que no.

Estaban llegando casi a los ascensores. Ella se detuvo.

–Espera, jefe –dijo–. La llave hay que pedirla en conserjería. Se la acababa de devolver yo a Antonio, va a pensar que estamos locos.

–Mujer, eso ya lo sabe. ¿Algún otro problema?

–Muchos, sí. Pero ninguno de resolución inmediata.

–Olvídalos, entonces. Conviene que la cámara nos pille relajados.

Querida María, de repente, antes de irme, me acuerdo que había quedado contigo mañana para salir a comprar la cuna del niño nuevo. (Por cierto, la de Caroline no sé por qué tuviste que regalarla, con lo bonita que era, antes de saber seguro si la decisión de no volver a quedarte embarazada era realmente firme o como las tuyas de siempre.) En fin, siento darte un plantón, no suele ser mi estilo. Te he llamado a New Jersey y no ha cogido nadie, ni siquiera teníais puesto el contestador. *Sorry*, María. No tengo tiempo de explicar nada. Y además, no me apetece. El caso es que por una vez no pienso en los demás, y me voy. Ha sido un impulso súbito.

Pero tranquila. Ni tengo un nuevo amante ni se trata de una fuga a la desesperada. Simplemente necesito una bocanada de olvido. No llames a Debra, porque ella no sabe nada. A principios de septiembre, que es cuando se reanuda la temporada, espero haber vuelto, así que no os preocupéis ninguno. De la operación quedé bien. Me veo un poco rara, pero guapa, y la hinchazón de los párpados ya apenas se nota.

Adiós, María. Cuídate, y no dejes las traducciones. Un beso a Caroline.

Te quiere, tu madre.

La carta estaba arrugada en el extremo de la cama turca donde María se había tumbado, y un cambio de postura de sus pies descalzos la desplazó e hizo caer al suelo. Jeremy, que venía en albornoz y con el pelo mojado atravesando el enorme *living*, se detuvo ante la puerta abierta del cuartito de costura y contempló la escena mientras un amago de sonrisa dulcificaba su rostro. En contraste con la estricta simetría de rombos y mármoles a que obedecían las demás estancias de aquel apartamento amplio y elegante donde ningún objeto desentonaba, el desorden y la aglomeración del cuartito lo convertían en recodo clandestino de subversión, en escondite y nido. No en vano aquella puerta negra con pomo de cristal se cerraba siempre que había un *party* o una reunión de trabajo, era ley aprendida de antiguo, y cuando mamá mandaba cerrar la puerta del cuartito para que no salieran ruidos ni olores de allí, estaba también cerrando la de su propia alma. Jeremy miró la máquina de coser, una Singer antigua, el maniquí, el enorme pupitre donde los hilos, retales, tijeras y cuadernos convivían armoniosamente, la lámpara de cristalitos, el retrato grande y feo de la abuela, ampliación de una fotografía en tonos sepia con marco dorado sobre terciopelo, los almohadones sobre los que descansaba ahora la cabeza de María. Y por último la carta recién caída al suelo.

En aquel ámbito de labores, juegos y adivinanzas habían estado divagando antes sobre el azar que los reunía allí y sobre otras cuestiones que se fueron desgajando del texto de la carta, un discurso fluido y quebrado al mismo tiempo. Siempre que estaban juntos –cosa que ya no era tan frecuente– se querían deslumbrar uno a otro pero también contemplarse idénticos en el espejo de un arroyo quieto, reflejados en el privilegio de dar la espalda al mundo. Mezclando en coctelera desdén, cinismo, audacia, ingenio y desenfreno, la tormenta artificial arreció sus relámpagos cada vez más lívidos, abocados a la agonía. Hasta que sobrevino el apagón, como era de esperar. Se aburrieron de interrumpirse tanto como de escucharse. Cuando el desafío a las leyes de la gravedad encuentra eco en alguien aquejado por la misma sed, la borrachera conjunta puede ser gloriosa, pero tiene mala resaca en general. María y Jeremy entraron en resaca y acusaron el cansancio repentino que los devolvía desnudos a sus obsesiones privadas, un lecho pedregoso que el otro no podía compartir. Ya les había pasado otras veces. Fue cuando Jeremy, en vista de que llevaban un rato callados y no parecían tener propósito inmediato alguno, dijo que iba a tomar un baño de espuma.

Ahora su hermana estaba de espaldas al hueco de la puerta, acurrucada sobre la cama turca. Tal vez dormía. Pero, en caso contrario, no mostraba el menor interés en darse por enterada del regreso de Jeremy. En el suelo, junto a la carta y un cenicero con colillas, tenía vacío el vaso donde él antes le trajo un cóctel preparado en la cocina. ¿Antes de qué? ¿De qué habían estado hablando? Empezó a palpar las paredes con los ojos, como buscando un rastro esfumado, y algunas frases colgaban aún del techo y reptaban incompletas por entre los cuadros, cortinas y bibelots, como enhebradas en telas de araña. También se desdibujaban mensajes más antiguos.

Jeremy se quedó inmóvil ante el miedo de que se le escapase la idea. Sería muy sugerente sacar en la película algo de esta índole, también difícil, claro. Y, sin embargo, lo estaba viendo. Del costurero subían fragmentos en espiral hasta el retrato de la abuela Ramona, letras de brillantitos se demoraban en sus orejas, bordeaban las comisuras de la boca, una O se le quedó incrustada en el labio inferior, a modo de *piercing,* no se le iba de allí, y él dijo a media voz: ¡Qué moderna era la abuela, a pesar del moño!, y se rió. Luego bajó los ojos del retrato al cuerpo inerte de María. Ningún eco. Era inútil intentar compartir con ella el nuevo descubrimiento.

María, aunque no dormida del todo, estaba soñando

con su niña de ocho años. La veía subida en un cerezo que había crecido en el cuartito de costura. Arrancaba los frutos y se estiraba desde una rama alta para pegarlos en un cuadro que iba pintando en la pared, era cubista, las cerezas despachurradas dejaban una marca de sangre y nube. Bájate, Caroline, que te vas a caer, dijo su madre. No te preocupes, ¿no ves que tiene alas?, le contestó la abuela Ramona, ella puede andar por las ramas de los árboles. A Caroline le gustaban mucho los *graffitti* de Nueva York, como a su padre, un pintor griego algo visionario y sin demasiado futuro del que María estaba separada. Pero la última vez que se vieron para arreglar los papeles del divorcio, la dejó embarazada por segunda vez y ahora las cosas se ponían difíciles. Hacía falta mucho dinero para todo, la juventud rebelde iba quedando lejos y quería mudarse de la casa de New Jersey porque odiaba a los vecinos que la miraban desde sus jardines escuálidos; también odiaba –o eso decía– convertirse en *yuppie,* y Caroline no dejaba de hacer preguntas. Preguntaba sobre todo si eran ricos o pobres. Algo de eso también salía en el sueño. Nosotros somos pobres –decía la abuela Ramona–. Tenemos nuestras manos y nuestro oficio, yo la aguja y tú el pincel, no te asuste trabajar. Yo me quiero quedar en este cuarto y pintarlo como un vagón de metro, decía Caroline, necesito que venga mi padre, él también es pobre, somos pintores y titiriteros, ponemos un andamio, ¿por qué no viene papá? María tuvo una brusca sacudida, encogió las piernas y se dio la vuelta. Seguía con los ojos cerrados, pero no tenía un gesto sereno.

Jeremy se agachó a recoger la carta de su madre y la desdobló suspirando. Seguro que cuando llamara a la agencia de viajes para reservar en secreto un billete secreto para cierto lugar secreto, habría cerrado los ojos y su rostro sería impenetrable como ahora el de María, todas las mujeres te excluyen cuando cierran los ojos, el mundo queda en sombras, y a él le daba miedo. La tentación de releer la carta e investigar a solas esas zonas de sombra se le antojaba una inmersión temeraria en aguas submarinas. Y, sin embargo, tenía que correr el riesgo.

De repente llamaron al telefonillo interior y se sobrecogió.

–Oye, ¿quién podrá ser?

Pero su hermana, por toda contestación, se cubrió los ojos con el antebrazo y musitó:

–Nosotros también somos pobres, en esta casa estamos de visita.

Entonces, Jeremy, con el corazón alborotado, cruzó corriendo el *living* y salió al vestíbulo. Se le había desabrochado el cinturón del albornoz y por debajo iba desnudo.

–*Allo?*

Era Antonio, el portero. Quería preguntar si tenían pensado quedarse a dormir en el piso o no. Que Mr. Jeremy disculpara la indiscreción, pero en caso de que se quedaran, él tendría que subir a buscar las llaves, porque a la mañana siguiente muy temprano venían los pintores a repasar el techo de la cocina, eran instrucciones de la señora. Su cabeza no para de maquinar, incluso cuando huye –pensó Jeremy–, no se le escapa ningún cabo. Y simultáneamente, por contraste, el proyecto de su película se convirtió en una pompa de jabón estrellada contra los adornos picudos del vestíbulo frío y ostentoso. Llovieron reflejos irisados.

–O.K., Antonio –dijo con una voz apagada–. No se preocupe. La llave se la bajamos nosotros. Nos pensamos ir enseguida.

–Era sólo para avisarle, compréndalo.

–Lo comprendo. Por cierto, ¿hace mucho rato que subimos?

–Una hora más o menos.

–Gracias, Antonio. Hasta luego.

Volvió despacio al cuartito de costura con la carta en la mano y se quedó de espaldas, absorto, junto a la ventana, la única del apartamento que tenía visillos. Allí enfrente seguía el Vertex, la aguja del Chrysler Building, sesenta metros de altura y casi treinta toneladas de peso. Cuando la izaron a la cima, el padre de Jeremy tenía doce años, y ya vivía en esta ciudad, 1930, fue una ascensión fulminante que apenas duró tres horas, hay recortes de periódico que yo he visto de niño, la aguja esmaltada de conos que encajan unos con otros no se parece a ninguna cima de los rascacielos de la misma época, es un compendio de los estilos que más amo y es mía también ella misma, porque nadie la ha mirado ni soñado con ella tanto como yo; los ojos de Jeremy brillaban al borde del llanto, ¡qué atrevimiento el de Van Alen!, y sobre todo qué época, ballets rusos, *art-déco* de París, expresionismo alemán, diseño utópico, habitaciones que parecen calles y calles que parecen cárceles, mi padre nació un año antes de que se estrenara *El gabinete del doctor Caligari* y cuando apareció *Metrópolis* tenía la edad de Caroline ahora, seguimos bebiendo de lo mismo, padre, es una pena que a ti, crecido al ritmo de los rascacielos, no te interesara el cine ni el arte, sólo hacer negocios. Suspiró. Todo tenía que ver con lo mismo, con aquella nostalgia enconada por plasmar en imágenes lo fugaz y lo eterno, por buscar la costura oculta que unifica lo diferente con lo similar. La aguja del Chrysler Building y la de la abuela Ramona habían cosido dos destinos, dos trayectorias desparejas. ¿Cuándo y por dónde empezó a romperse el tejido?

Abrió hacia arriba una de las hojas de la ventana y asomó el cuerpo. Ya no llovía ni había rastros de tormenta. El cielo se tendía como un toldo artificial para retener el vaho de los anuncios multicolores.

–Anochece otra vez sobre Lexington Avenue –susurró, mientras cerraba la ventana.

Y supo que su madre se le había perdido en ese viaje al que nunca le llevaría con ella. Dio la luz de la lámpara de pie y se puso a releer la carta.

Querida María, de repente, antes de irme...

Querida María. María, por favor... María, *darling*...

A María la espabiló el contacto de un cuerpo contra el suyo y el rumor de ciertas palabras cuyo sentido no alcanzaba a descifrar. Pero respondió al abrazo complacida. Jeremy ya se había despojado del albornoz y estaba en vaqueros con el torso desnudo. Olía a la colonia que usaba Ralph, el último amante de mamá, pobre Ralph. Había muerto de neumonía el invierno anterior.

–Mamá se contradice, ¿sabes, María?, si se ha ido donde pensamos, se contradice. O tal vez nos engaña.

Ella emitió un ruido nasal que podía tomarse como petición desganada de aclaraciones o simple incomprensión. Al fin consiguió abrir los ojos.

–¿Qué hora es? –preguntó mimosa.

–No sé, perla. Pero hay que irse, nos desahucian.

–¿Quién nos desahucia?

–¡Qué pregunta! La vida. Nos ha creado enfermos y nos pide conservar la mente sana para reflejar la enfermedad. Y encima hay que pagarle cada mes. Es nuestra arrendataria.

María bostezó.

–Perdona, no te sigo. Me estalla la cabeza y tengo ardor de estómago. El médico me ha prohibido fumar, beber y no me acuerdo qué más.

Jeremy la besó cerca de la oreja.
–¿No sería hablar con tu hermano?
–¡Por supuesto! Eso lo primero.
–Entonces, si sigues creyendo en el diablo, como sería tu obligación, ¡vaya noche de castigos que te espera!
María se sentó en la cama y buscó a tientas las sandalias.
–El castigo mayor es el de tener que recoger a Caroline en casa de una vecina chismosa y puritana, que para mayor inri a la niña le cae bien. Y eso sin contar con que tengo dieciocho dólares por toda fortuna. ¿Sigues sin poderme ayudar?
–No, *darling*. Las cosas han cambiado espectacularmente en el curso de los últimos diez minutos. Mira.
Jeremy, sonriente, se había sentado a estilo moruno a los pies de la cama turca y, tras desplazar el cenicero y el vaso, extendió sobre la moqueta entre su hermana y él varios montones de dólares arrugados que iba sacando de los bolsillos del pantalón vaquero. Ella se dejó caer también al suelo y se echó a reír a carcajadas. Hurgaba en los billetes, estrujándolos, cogiéndolos a puñados y volviendo a dejarlos caer; se había hecho de día en su cara. Parecía Caroline subida en el cerezo.
–¡Hurra, Jeremy! Es como en el cine. ¡No me lo puedo creer! ¿Cómo lo has conseguido?
–Simplemente enriqueciendo el guión. He estado dándole muchas vueltas mientras dormías. Como sabes, es una escena que se ha visto muchas veces en el cine, pero siempre después de atracar un banco. Me pareció atrevido sacarla de esos raíles. Toma, aquí salen otros dos de cien, ¡cómo me gusta verte contenta! Vamos a darnos prisa para no volver a caer en picado.
–¡No hay nadie como tú! –se exaltó ella, mientras le abrazaba de rodillas sobre los billetes arrugados–. Es un remate de tarde glorioso. Pero dime la verdad, ¿ha habido robo propiamente dicho?

–No, mujer, una exploración rápida y venial por dos armarios de ropa de invierno. Ya sabes que ella siempre se deja olvidado dinero en bolsillos de abrigos y chaquetas y también cuando cambia de bolso. De esas cremalleras interiores sale mucho. Pero, la verdad, el yacimiento más fructífero ha sido *El gran Gatsby,* me acordé de repente, la novela de Fitzgerald. Se me ha resistido un poco, hizo falta la escalera. La tiene en el estante más alto de la biblioteca.

–¡No me digas! ¿Sigue metiendo dinero allí dentro?

–Ya lo creo. ¡Menudo filón!

–¿Y lo has cogido todo?

–Quinientos, hay que ser comedidos. Tenía mil cien. Pero seguro que ni se acordará. Venga, vamos a repartir. Lo importante es que te guste la escena. ¿Verdad que no desentona?

–En absoluto. Es un *gag* genial.

–Me alegro de que sepas apreciarlo –dijo Jeremy, mientras contaban el dinero y lo iban apartando en montoncitos–. Siempre lo he dicho: no se atreven. Se creen originales, pero no se atreven. Elaboran los argumentos por ordenador, previo estudio de las expectativas de mercado, y no pueden evitar que el conjunto destile moralina trivial. En una escena como ésta, si se les hubiera ocurrido, acabaría llegando la policía.

–¡Ni la nombres! Vámonos volando.

–Sí, nos conviene. Pero no sólo por la policía. Aquí, en cuanto te descuidas, estalla una tormenta rara.

Se pusieron de pie. Habían tocado a seiscientos diez. De repente volvían a estar serios. Jeremy le alargó la carta para que la guardara con el dinero. Ella le vio ponerse la camisa y reparó en su gesto ensimismado.

–Oye, antes, cuando me desperté, decías algo de mamá, me parece.

Jeremy se encogió de hombros.

–No me acuerdo. Déjalo.

–Sí te acuerdas. Te acuerdas siempre de todo. ¿Qué decías?

–Bueno, que se engaña creyendo que va a encontrar una bocanada de olvido en el lugar adonde se dirige. O tal vez no se engaña, lo sabe. Es un viaje suicida.

–No sabemos dónde está, Jeremy, ¡qué testarudo eres! Siempre ha asegurado que allí no volvería, y ni siquiera a papá lo llevó nunca.

–Da igual. Ahora ha querido volver. Para qué, no lo sabemos ni puede que lo sepa ella misma. Pero ha vuelto allí. Hay un detalle pequeño aunque no despreciable. A ver si lo adivinas.

María se quedó pensativa.

–¿De tiempo o de espacio?

–De tiempo.

–Me doy por vencida.

–La semana que viene es su cumpleaños. ¿No te acordabas?

–No. ¡Es verdad! ¿Y crees que necesita revisar el pasado como la señora de tu película?

–Claro, está copiando mi argumento. Se lo he contado varias veces, en versiones distintas...

–Bueno, eso ya se supone, tratándose de ti –interrumpió María.

–Da lo mismo, ella entiende de qué va. No me ha querido financiar la película, pero la está copiando. En fin, gracias a eso servirá para algo, ¿no te parece?, porque sin salir de la cabeza se pudren los inventos.

Jeremy esperó la respuesta de su hermana con ojos implorantes, pero ella miró disimuladamente el reloj.

–A mí tampoco me quiere ya financiar nada. Dice que tenemos que aprender a arreglárnoslas solos. Y seguramente tiene razón. ¿Nos vamos?

–Cuando quieras.

–Espérame. Voy un momento al baño.

Cuando se quedó solo, Jeremy se acercó por última vez a mirar la calle. Ya era de noche por completo, y Lexington Avenue le pareció un decorado de cartón piedra. Le daba pereza bajar a transitarlo. Y de repente, al imaginar a su madre paseando por las calles de un lugar desconocido, se le cruzó Florita con su boina de perlé y sus respuestas descaradas y pensó en ella como en el fantasma más lejano de todos, una pura abstracción.

Le sobraban imágenes para su película. Pero le faltaba la fe de los demás.

Cuando Florita se bajó del autobús, anduvo un rato perdida por calles que no había visto nunca, pero tardó en darse cuenta. El laberinto de aquel texto raro que había venido leyendo a saltos, entre absorta y ansiosa de salida, la retenía aún como un mal sueño. La cámara iba siguiendo sus pasos vacilantes a través de edificios en ruinas, calles retorcidas, estaciones de tren sin servicio, hoteles vacíos, sombríos pasadizos. Y una voz de mujer llovía dentro de ella palabras que iban desplazando su propio pensamiento. Avanzó todavía bastante rato sin preguntarse por dónde iba, al ritmo de aquella lluvia incesante y queda del monólogo que parecía no empapar pero dejaba el cuerpo aterido.

El tropezón con un mendigo viejo, posiblemente borracho, que venía en dirección contraria la hizo reaccionar y salir de su aturdimiento; ya era casi de noche y se había bajado dos paradas después de la suya. Al caer en la cuenta, se irritó contra sí misma y se puso a hablar sola, entre dientes, mientras apretaba el paso con la sed de llegar a zonas más pobladas.

Tú estás demente, Florita, chica, se te voló el acuerdo, ha sido como un viaje de ácido, menos mal que ya pasó.

Reconoció una calle que desembocaba en el Soho. Un poco más allá, se miró en la cristalera de un café, por detrás de la cual había gente hablando. Y se sintió arropada por aquellos gestos que servían de telón de fondo a su silueta joven con la boina y las trencitas. Se puso a tararear una habanera antigua de su espectáculo donde se hablaba de una barca a la luz de la luna. Las calles se iban animando. Ni los balcones estaban rotos ni bajaban de ellos planeando paracaídas minúsculos con mensajes que se arrodillaba a leer con gesto casi religioso aquella mujer de la película, todo a cámara lenta, y con predominio de un decorado que tan pronto era interior como exterior. Se insistía mucho en eso. Podría parecer a ratos el pasillo de una casa de donde se han ido todos; el asfalto se muda en baldosines, los miradores en armarios, las farolas en percheros, y ella habla al vacío, nunca recibe contestación de nadie porque no hay nadie.

Florita, a quien desprenderse de la piel de aquella mujer había avivado su deseo de réplica, siguió hablando para sí misma: Y eso es lo malo, que no hay nadie, por ahí falla la cosa, sólo una tía andando o parándose o arrodillándose, páginas y páginas de lo mismo, no es normal, ¿cómo puede no tropezarse con nadie?, por las calles pasa gente, mucha o poca, pero pasa, a no ser que haya estallado la bomba atómica, y esa gente habla o empuja o está escondida y sale a dar un susto, o lo que sea, ahí ya no me meto. ¿Pero todo el rato la mujer sola?, ni Florita Moreno ni Gena Rowlands; no se resiste, por mucha expresión corporal que le echemos, que yo le bailo si quiere hasta un charlestón, pero que no, ya digo...

¿Quién le va a financiar semejante película? Está loco, es una historia sin pies ni cabeza, ni siquiera se puede llamar historia. Y lo raro es que el condenado engancha, igual que cuando explica las cosas más absurdas, tiene algo, ¿qué tiene? Eso es lo que no entiendo.

Le gustaba oír su propia voz, recuperarla, como sus movimientos libres y sensuales. Respiró con alivio. Ya estaba circulando por calles conocidas, llenas de tiendas y bares conocidos. Miró la hora; llegaba a tiempo para la función. Sus pasos se fueron haciendo más lentos y perezosos, estaba animado el barrio.

Gente –se dijo–, lo que hay que añadir a ese argumento es gente. Y descargarlo todo de obsesión. La vida no es así, chico, somos muchos. Gente que vaya contando también sus historias, aunque queden a medias, eso da igual, un choque de historias.

De pronto pensó que le gustaría discutirlo con él, no se pasaba mal hablando con él, pero le salió la vena práctica y se acordó de lo fríamente que se habían despedido. Bueno, la culpa la había tenido ella. Pero mejor así. Era un chico de los que traen problemas, eso seguro.

Ya le faltaban sólo dos manzanas para llegar al teatrito donde la noche anterior se habían conocido, habían cambiado luego unas palabras y Jeremy insistió para que se tomaran una copa juntos por el Village. Enseguida le empezó a hablar de la película y no paró hasta arrancarle una cita para la tarde siguiente. Florita había aceptado sobre todo porque andaba de pelea con Norberto, aunque a punto de hacer las paces. Norberto ahora estaría impaciente, y con ganas de bronca, pero a la noche se arreglaría todo, después de la función.

Al pasar junto a una papelera, sacó el guión con intención de tirarlo, pero algo la detuvo. Al fin y al cabo –meditó–, no lo he leído entero. Y se puede arreglar. No es que me piense meter a guionista, pero nunca se sabe. Igual luego lo siento.

Volvió a guardarlo en el bolso. En la primera página ponía: *La calle del Olvido (variaciones sobre un tema de J. D.)*.

UNO

Tal vez fuera domingo, pero era muy grato no sentirse en la obligación de comprobarlo ni de investigar el desacuerdo entre la hora que marcaba su Longines rodeado de brillantes diminutos y la luz que teñía de color melocotón un equipaje a medio deshacer. Tampoco se acoplaba con su respiración pausada y silenciosa aquella algarabía de pájaros que entraba en la habitación por alguna ranura invisible; no necesitaba buscarla, es esa grieta rara por donde fingen colarse de fuera cosas que ya estaban dentro y se quedaron allí a modo de detritus convertidos luego en una geografía de perfil familiar: los estremecimientos de un susto agazapado en las pesadillas, un luto o una pena de amor rememorados cuando ya no hacen daño, el miedo a parir, el miedo a no entender, el miedo a quedarse soltera y a ser blanco de risas. La conocía esa ranura, tal vez límite entre vísceras contiguas, era una vieja amiga aunque de dudosa localización, ella nunca sabía por qué había vuelto a abrirse ni se lo preguntaba, decía: Ya está aquí, y eso era todo, como ante una visita inevitable, un rato y luego se va. Y también había aprendido a olvidarla, a no contar con ella, igual que olvidamos los miembros del cuerpo hasta que nos avisan de que algo está funcionando mal; mientras no duelen no existen. Cosa del cuerpo era y bien honda en el bosque del cuerpo, a pesar de sentirla conectada muchas veces con hilos de teléfono, ventanas que no cierran, olores o canciones que irrumpen del exterior. Pero estaba dentro, dolía dentro, residuo tal vez de una labor de quirófano cuyos puntos no quedaron bien cosidos; ella por el quirófano había pasado muchas veces, pero no le gustaba hablar de médicos. Tanteó delicadamente con los dedos la zona escondida entre el pelo por detrás de la oreja, apenas se notaba ya la cicatriz; luego los mismos dedos se desplazaron en una caricia que subía del cuello hasta la comisura de los labios y se demoraba más tarde en las ojeras: hinchazón ya no tenía. Desde niña había aprendido a acariciarse sola, decían que era pecado, pero Olimpia no, con ella podía hablar de los placeres solitarios del cuerpo, los chicos también lo hacen, le decía. Y aparece alguna siesta antigua en que aprendían las dos juntas, entra la escena por la ventana con el piar de los pájaros, sin ningún asomo de remordimiento.

La luz era de tarde, cada vez estaba más segura, pero no tenemos prisa; se estiró y exploraba con las piernas el terreno amplio de la cama, *we are not in a hurry, my dear,* imaginaría que estaba haciendo el viaje con Ralph, vamos a quedarnos otro rato en la cama, ¿O.K.?, después te pones guapa; le obedecería, se pondría un traje bonito antes de salir a dar una vuelta por la ciudad, y se miraría al espejo detenidamente. Luego sin rumbo, donde los pasos me lleven. Suspiró. La verdad es que era un alivio no tenerle que enseñar la ciudad a Ralph, tan insaciable en sus preguntas, tan entusiasta, tan agotador, no hubiera podido tener ni diez minutos para ensimismarse, enseguida sus ojos fieles y celosos: *What are you thinking about?,* en nada, déjame, no estoy pensando en nada que te pueda explicar, es cosa del ruido que se cuela por esa ranura; a él le encantaba España, estuvieron juntos una vez en Madrid y otra en Barcelona, este viaje siempre quedaba demorado, convertido en promesa a largo plazo, y él no lo entendía, pobre Ralph, no le echaba de menos, pero esto era un homenaje a su memoria como la reciente operación estética, no dejes de ponerte siempre guapa, *you are so beautiful.*

Al llegar se había visto la cara cansada en un espejo largo de tres cuerpos, pero el sueño tenía que haberle sentado muy bien; llegó derrotada, todo le daba vueltas. Vengo a dormir. Bueno, no lo dijo así, simplemente sacó el pasaporte, lo dejó en recepción, pidió que no la avisaran, por favor, bajo ningún pretexto, y que le subieran fruta. No, tampoco para arreglarle el cuarto, para nada, gracias, necesito dormir.

Llevaba más de un día durmiendo con breves intervalos en una habitación desconocida donde nadie iba a localizarla, y el ancla de esa certeza la ayudaba a cerrar nuevamente los ojos y a regodearse en el peso de brazos y piernas sobre la sábana, en el ritmo de la respiración y el sopor atrasado que resucitaba clamando por más tiempo y más espacio para hacer presa en ellos, sopor dragón, sopor gacela, sopor tigre, tal vez fuera domingo, daba igual. Los nervios no se tensaban ante el fantasma de propósitos inmediatos. Y la música de una tristeza añadida por el piar de pájaros abstractos tampoco pertenecía a aquella hora ni venía de esos pájaros cuyo concierto podría tomarse como bienvenida, distendidos, atentos a un juego que van enriqueciendo con improvisaciones, entrenados como están de generación en generación a planear sobre torres y plazuelas, a perseguirse en rondas estridentes, cada vez más arriba, minúsculos ya. Como una bandada de mosquitos eran avistados por los ojos del adolescente provinciano que sueña con volar o con que le publiquen en el periódico local una poesía donde se evoca la inquietud contagiada por ese aleteo. Porque el amor es también eso: un aleteo inalcanzable.

Y ella notó que por ahí, por la ranura aquella de los pájaros altos que despiden al sol, se le metía la tristeza de las despedidas antiguas, cuando había que elegir entre irse o quedarse, entre decir que sí o que no, herencia que ya se convirtió en polvo, pelea resuelta. El pulso le latía ligeramente aprisa, no más que cuando se lee esa historia en un libro. ¿Me largo para no volver jamás o me dejo enamorar sin remedio por esta ciudad desdeñosa que pretende humillarme, lo más mío del mundo, y me decido a escalar sus murallas a riesgo de morir en el empeño? Y era sobre todo a finales de verano, ante el anuncio de la nueva hibernación, cuando la cabeza avisaba de las celadas que tiende el amor y el corazón se hacía pedazos ante la incertidumbre de un porvenir encrespado. Y para navegarlo –como dijo su madre– sólo tienes, Amparo, un barco de papel.

Ella lo sabía bien, lo aprendió desde niña, que aquel barco tan audaz y tan frágil no aguantaba más peso que el suyo y el de su madre, no podían invitar a nadie a embarcarse con ellas.

DOS

–Ella era muy suya, ¿que por qué lo digo?, pues mira, Sole, por todo, desde cómo entraba a los sitios mirando al vacío a cómo rechazaba las invitaciones sin dar las gracias siquiera, que ya acabó por no invitarla nadie a ningún sitio, fíjate, lo hacíamos sobre todo por Olimpia, que la ponía por los cuernos de la luna, con ella sí se juntaba pero amigas íntimas tampoco, no era de hacerle confidencias a nadie, un ser superior, eso es lo que se creía, total porque tenía idiomas...

–Cuatro, guapa, cuatro idiomas, y todo a base de becas y de hincar los codos un mes detrás de otro en aquel chiscón con ventanucos de reja que parecía una cárcel, mientras la madre le daba sin tregua a la máquina de coser, yo le veo mucho mérito a estudiar con ese ruido y nunca quejarse.

–¿Quejarse? Todo lo contrario. Si es lo que te digo, que se las daba de princesa, ¡unas ínfulas!...

–Y fuerza de voluntad también, como la madre, ¿o no llegó la señora Ramona a vestir a mucha gente principal y a entrar en las mejores casas, viniendo como venía de un pueblo, sin marido y con la niña chica, que no las conocía nadie? Las dos lo mismo, pumba, catapumba, plas, hasta que se situaron.

–Porque eran tacañísimas, y no iban más que a lo suyo, a ahorrar para largarse, y la madre más despegada todavía, lista, eso sí, como un rayo, no daba puntada sin hilo...

–Yo eso en una modista, si quieres que te diga la verdad, lo veo bien. Podían aprender las boutiques de ahora, que todas las costuras se deshilachan y no hay botón que se sujete firme ni dos días. Además, no sé vosotras, pero yo de coser me he aburrido, ni un jaretón soy capaz de sacar ni de poner una cremallera...

–Es que poner cremalleras es dificilísimo, hija.

–Pues por eso, tengo toda la ropa hecha un desastre, ya hasta la arrugo y la pisoteo en el suelo cuando me entra la histeria, por eso, porque no tienes quien te ayude, a nuestras hijas no les hemos enseñado y las asistentas para qué te cuento, la que no está haciendo el bachillerato a distancia es porque se ha matriculado en una academia de inglés.

–¿Y qué pasa? Son otros tiempos. Yo veo lógico que la gente quiera medrar. Amparo y su madre se adelantaron a su tiempo. Eso es lo que nos escuece. Bueno, a mí no. Yo casi no las conocía, de oíros a vosotras.

–Pero que nunca se mudaran, no me digas, yo lo comentaba con Olimpia cuando no tenía la cabeza perdida como ahora, veinte años metidas en ese bajo, que no se cuela la luz ni en agosto, cincuenta metros cuadrados y un retrete con ducha. Y lo que te digo del orgullo de Amparo, a ver si no son ganas de faltar salir de aquella cueva con aires de artista de cine, cruzar la calle y meterse en el palacio de los Moret, como si nada, como si pisara por encima de una alfombra que le habían puesto para que se dignara entrar...

–Ah, claro, ya caigo, enfrente de casa de Olimpia vivían, estaba yo tratando de localizar el sitio, es donde antes estuvo la tienda de bicicletas, ¿no? Ahora tiene ahí un taller de decoración la nieta de Abel Bores.

–¿La nieta de Abel Bores? Será la hija, vaya despiste el tuyo, Sole. El chico es el que tiene dos niñas, pero no pasará de cinco años la mayor. Abel se casó bastante talludo, acuérdate, ya lo dábamos por el solterón eterno.

–No es un taller de decoración, es un anticuario, bueno, no sé. Creo que ha quedado precioso. Y muy moderno.

–Me extraña. Seguirá igual de oscuro; había que agachar la cabeza para entrar.

–Que no, Margarita, que lo han reformado mucho, todo lo quieres saber, parece otro el local, vinieron fotos en el periódico. El proyecto lo ha hecho Torres, ese arquitecto joven que se tiñe el pelo de rubio.

–Están poniendo muchas tiendas de objetos y ropa antigua por esa zona; yo no sé de qué viven.

–De qué van a vivir, de los turistas. ¿A que pone en casi todos los escaparates *We speak English?* Pues claro, porque los idiomas son muy necesarios, volvemos a lo mismo, y en nuestro tiempo igual, una renta a largo plazo, lo que pasa es que nuestros padres no tenían visión de futuro. Unas nociones de francés para poder cantar desafinando *Au clair de la lune mon ami Pierrot,* y eso era todo. Yo siempre tuve envidia de Amparo, no me importa decirlo, a los veinte años dominar cuatro idiomas, y hacer una prueba para las Naciones Unidas de Ginebra, y pasarla, a ver si no es mérito. Ahí es cuando se fueron. Lo que a ti te da rabia, Margarita...

–Mira, Feli, los idiomas vamos por el momento a dejarlos aparte, que estáis mezclando las churras con las merinas. Yo tengo un francés estupendo, he sido muy feliz y no echo de menos nada. Lo que me da rabia, por si lo quieres saber, y me la sigue dando, es tener que aguantar a Olimpia cuando dice que Amparo con zapato plano y un abrigo oscuro dado la vuelta por la madre era más elegante que todas nosotras juntas, una chica con aquella cara de hambre y menos carne que una llave. Pues como lo oyes, que se llevaba a los hombres de calle, que Abel Bores estaba loco por ella.

–¿Abel Bores?

–Ya ves, por ser Olimpia, no se lo discutimos, que le hemos aguantado siempre todo.

–Por cierto, ¿qué es de ella? ¿La veis alguna?

–Qué va. No la ve nadie. María Luisa la llama algunas veces. Pero generalmente ni se pone al teléfono, creo; todo el día encerrada leyendo, o no sé lo que hará. Dicen que de vez en cuando coge un huésped de fuera porque le espanta tratar con gente conocida...

–Sí, tuvo uno que era drogadicto y le robó las joyas. No dio parte siquiera. Por lo visto dijo: Así aprendo para otra vez, pero luego cogió también a una estudiante de California, tocaba el clarinete, claro que en ese caserón, como está ya ella sola de vecina, a nadie molesta.

–Una visionaria, ¡qué pena de cabeza!, a todos los Moret les faltó siempre algún tornillo. Me figuro que seguirá poniendo música de Brassens, Juliette Gréco y Charles Aznavour y leyendo *Bonjour tristesse*.

–Pues ha perdido el tren. El francés ya no interesa, quién nos lo iba a decir, ¿verdad?, los jóvenes lo ven como una extravagancia, en cambio si suena una canción inglesa y no pones los ojos en blanco, te tachan de su agenda, eso entró con los Beatles.

–¡Mujer, los Beatles, dónde va la fecha!

–Pues no sé, yo lo digo por mis nietos. A veces finjo entusiasmo, pero no entendiendo las palabras, cómo te va a gustar, por lo visto la letra sí, las letras son muy buenas, dicen ellos.

–La letra desde luego es fundamental para que te llegue una canción y te emocione. Eso pasa también con la zarzuela.

–No compares, ahí no estoy de acuerdo. La música de

La del manojo de rosas es inmortal, aunque la oigas sin letra, y lo mismo *La verbena de la paloma,* y tantas...

–Por cierto, ha venido una compañía, actúan en el Astoria a partir de pasado mañana, lo trae el periódico. ¿Pensáis ir alguna? No sé qué tal serán.

–Ponte en lo peor. Se está deteriorando el género de la zarzuela. Aquí, a provincias, mandan una bazofia cada año más inmunda, no los conoce ni su padre, cantan fatal, y encima, ¡tan gordos!

–De todas maneras, yo cuando pongan *Luisa Fernanda* pienso ir, *Luisa Fernanda* no me la pierdo..., «para comprar a un hombre se necesita mucho dinero...». Es precioso.

–Y más todavía lo de «caballero del alto plumero, ¿dónde caminas tan pinturero?», y aquello del tonto que se creyó golondrina, ¿cómo era?, «hubo un tonto en un lugar...»; no me sale la música. Yo, desde luego, Sole, si la ponen voy contigo, sácame entrada.

–La zarzuela es de trogloditas, perdonad que os lo diga, ya ni a los extranjeros les gusta. «Hubo un tonto en un lugar que se creyó golondrina», ¿a quién se le ocurre?, estamos a tres años del dos mil; y con los cambios que va a haber en todo... Yo porque me encuentro ya mayor, que es lo que me da rabia, que si no..., muchas veces lo he pensado, me encantaría aprender inglés, pero a fondo. Otro gallo nos cantaría si hubiéramos estudiado idiomas a su tiempo.

–¡Qué pesadas estáis con los idiomas! No sé qué otro gallo nos iba a cantar.

–El de estar al tanto cuando venga el euro, Margarita, y esas cosas. A ver. Por lo menos nos enteraríamos mejor de lo que pasa. Tú es que eres muy cerrada. Oye, qué ricas están las tostadas esta tarde. Veo que ninguna las untáis con mantequilla, pásame tu platito, Feli. Yo lo siento, pero de la mantequilla no puedo prescindir, es un vicio, y cuidado que luego me pesa.

–Tampoco te obsesiones, mujer. Yo ahora estoy siguiendo un régimen que no prohíbe la mantequilla, ni la pasta, ni el vino en las comidas, ni las patatas; se están arrinconando las dietas de pasar hambre. Porque la ansiedad también da muchos gases. En ésta se trata de comer despacio.

–¿Y adelgazas?

–¡Qué va! No se adelgaza con ninguna. Yo el peso ya lo he subido al maletero. Que, por cierto, ¡la cantidad de trastos que se almacenan en un maletero, madre mía! A mí me entran sudores, coloco lo que sea a empujones y a cerrar.

–Así me caí yo de la escalera este invierno, porque me dio vértigo, pero no de la altura ni de nada, de puro asco, y hasta miedo, no sé, es como asomarse a una fosa con restos humanos.

–Hija, por Dios, qué truculenta te pones. Ya no queda té, vamos a pedir más, ¡Ricardo!, y más emparedados también, ¡Ricardo!, están mejores que el otro día.

Se acercó Ricardo, el camarero, ellas eran cuatro, todas peinadas parecido, y las voces tampoco se diferenciaban mucho. Desde la barra, aunque hubiera poca gente, como aquella tarde, no se distinguía mucho cuál de ellas estaba hablando, porque las conversaciones se superponían, quedaban inacabadas o rebotaban unas contra otras.

El local era amplio, con muchas cristaleras y sofás cómodos, aunque excesivamente bajos. Por una puerta comunicaba con la sala de bingo, por otra con la piscina, y por la otra con el hotel. El hotel llevaba cuatro años abierto en la zona del Ensanche, era el más lujoso y el más caro de toda la ciudad, cinco estrellas y fax en algunas habitaciones, se llamaba Excelsior. Venir a tomar el té o el aperitivo a la cafetería del Excelsior se había convertido en costumbre para algunas señoras de toda la vida, incluso las que seguían viviendo en el casco antiguo, que ya no eran tantas. A ésas las traía algún nieto en coche. A veces venían los maridos a buscarlas o se sentaban en una tertulia cerca. Pero muchas no tenían marido. O lo habían perdido o no lo habían tenido nunca. Separadas de esa edad había pocas, pero relataban las separaciones de los hijos con cierto morbo y como una aventura personal que exalta y agobia al mismo tiempo.

Ricardo, que era muy aficionado a las estadísticas mentales, las iba catalogando desde la barra, cuando no había mucho trabajo, a tenor de los datos que le suministraban. No siempre se aburría de mirarlas y de espiar sus gestos. Hoy aquel tema de la hija de la modista había salido a relucir porque alguien, al parecer, la encontró en Nueva York recientemente y vino contando que tenía una casa fabulosa de modas en la Quinta Avenida. Habían dejado de hablar de ella, pero volvería a aparecer. Acababan de dar las siete. Quedaba mucha tarde. Y de las dietas adelgazantes tenían que terminar por aburrirse. La diseñadora de modas de la Quinta Avenida no era un personaje de los que pueden desaparecer durante muchas secuencias. A Ricardo todo lo que se relacionara con Nueva York le parecía apasionante y soñaba con ir allí a estudiar cine. Dominaba bastante bien el inglés y un poco el italiano, por eso había conseguido este trabajo en el Excelsior. Y ahora habían prometido ascenderle a maître. Pero sus sueños eran otros.

–No, a partir de cierta edad no se adelgaza con nada; un helado de limón que tomes se te va a la cadera. Es cosa de la edad, no sirven masajes ni sanatorios de reposo, enseguida vuelves a coger los mismos kilos o más en el mismo sitio. Acuérdate de los bocadillos de chorizo que nos metíamos entre pecho y espalda para merendar, media barra y sin quitarle la miga. Pues nada, cuarenta y dos de cintura como Audrey Hepburn. Es cosa de la edad. Te desencuadernas.

–Y chocolate. Pan con chocolate. A mí me encantaba. El pan bien untado de mantequilla y luego espolvoreado con Elgorriaga, operación manual, y caían las virutas de chocolate como copos de nieve. Yo tenía una navajita y la llevaba siempre para preparármelo en los recreos. Nacarada, regalo de mi padre, más mona; hace poco la perdí, con lo que la quería yo a esa navajita, me he llevado un disgusto...

–Seguro que te aparece en algún bolso, si no la buscas te aparece.

–Sí, habrá que confiar en la casualidad, porque el responsorio de San Antonio ya no da resultado, antes no me fallaba nunca, «si buscas milagros mira, peste y dolor desterrados»... Está perdiendo una hasta la fe, cuidado que era bonito...

–Pues los jóvenes de ahora, todo lo contrario. Mi nieta no prueba bocado, es anoréxica, ya ha recorrido no sé cuántos médicos pero no hay manera, depende de ella, dicen.

–Eso es que no comen porque no quieren, ¿verdad?

–Sí, una enfermedad nueva. Ya nos hemos cansado de divos y hemos acudido al ambulatorio. ¿Sabéis quién la está viendo ahora? Agustín Sánchez, el ex marido de Manuela Roca, que, por cierto, ya están divorciados, con papeles y todo. Tres años les dabas tú, Margarita, pues han durado menos.

–Claro, se veía venir. Boda más rara en mi vida la he visto.

–Ella está ahora ahí fuera, en la piscina, con un bañador de lunares, mira, desde aquí se la ve, viene mucho y siempre sola, sí, mujer, la que se levanta en este momento de la tumbona amarilla. Se va a tirar al agua, creo.

–¿Ésa es? Yo de lejos no veo nada sin gafas. Está más

gorda, me da la impresión. Pues no son horas tampoco de bañarse, con agosto de capa caída y cincuenta y tres tacos, que el tiempo no pasa sólo para una. He oído decir que él se ha portado genial.

–Yo a esa mujer no la entiendo. Parece como si le hubiera sentado mal que él se lo haya puesto todo tan fácil, sin discutir ni exigir nada, firmando donde le han dicho. La que se quería separar era ella, ¿no?, y lo ha logrado. ¿A qué viene ahora andar como alma en pena?

–¡Qué pregunta, mujer! A Manuela le gustan los contenciosos, como a su padre. Sin un contencioso, se aburre. Y si él no le ha dado pie para seguirle chinchando, no me digas más, estará hecha polvo.

–Se veía venir. Ese matrimonio era un disparate. Ocho años más joven el muchacho y tan poquita cosa, mal vestido, calvo prematuro, siempre pensando en la justicia social, yo no sé qué capricho le entró a Manuela.

–El capricho de las feas a los cincuenta años, hija, y que creyó que lo iba a dominar, pero de eso nada. Yo menos lo entiendo a él que a ella, la verdad, si no era braguetazo, como al principio parecía. Ha seguido siempre a su aire, sin aprovecharse de la influencia del suegro para poner una consulta lujosa, hacerse un nombre, no sé, meterse en el mundo de ellos; al contrario, más encogido se ha vuelto que antes, y vérselos juntos poco se los ha visto. A él todo le da igual. Por eso reñían.

–Perdona, los enfermos no le dan igual. ¿Va a ser mejor un médico porque pase una factura de traca y lleve ropa de Adolfo Domínguez? A mi nieta, desde luego, la está entendiendo mejor que ninguno.

–¿Come más?

–Mucho más no. Pero poco a poco. Yo tengo fe. Por lo menos es al único que Alicia sigue yendo a visitar por voluntad propia, allá al ambulatorio de las afueras, donde Cristo dio las tres voces. Pero tal como estaban las cosas, ya ha sido un paso. Eso sí, pone la condición de ir sola y luego no nos cuenta nada.

–¿Y él?

–Tampoco. A mi nuera se la llevan los demonios porque cuando telefonea para pedirle detalles parece que no le gusta, sólo dice que no la obliguemos a nada, ella en cuanto cuelga llora y me llama para contármelo, ¿cómo no la voy a obligar, si se está quedando en el chasis?, y Alicia la oye y se va dando un portazo, ¿ya estáis otra vez la yaya y tú con el responso, como si me hubiera muerto?, ¡me tenéis harta!, lo que son las almas, se les envenena algo por dentro, una niña tan mona, que parece un Botticelli. Pero como yo le digo a la madre, mujer, Trini, esos tratamientos son un poco de psicología y de paciencia, algo es algo que al doctor Sánchez no le haya cogido ojeriza, que se haya creado complicidad entre ellos, no lo vayas a estropear tú. ¡Qué le voy a decir! Se pasa el día colgada del teléfono, no puedo echar leña al fuego. Ella es mucho de teléfono, pero con mi hijo como si no, le dice que está ocupadísimo, que si necesita dinero, y le cuelga sin dejarla desahogarse, ya ves, si se piensa que va a unirles el problema de la hija, va aviada; pobre Trini, lo está pasando fatal, yo la comprendo.

–Claro, tu hijo con la otra haciéndose el sueco, cómo son los hombres, por Dios, se creen que todo se arregla con dinero, tanto feminismo para nada, la que acaba teniendo que cargar con los hijos es la madre, desde Juana la Loca hasta nuestros días, en eso no hay variación.

–Mujer, Juana la Loca a sus hijos poco caso les hizo, ¿o ni siquiera tuvo hijos?

–¡No iba a tener! El emperador Carlos V, si te parece poco...

–En la película de Aurora Bautista yo no me acuerdo que aparecieran hijos.

–¿Cómo te vas a acordar, si estábamos en primero de

bachillerato? Ahí es cuando se conoció a Fernando Rey, haciendo de Felipe el Hermoso.

–Si empezáis a sacar esas cuentas, yo me levanto y me voy, chica, te lo juro, no hay quien os aguante, vaya tarde que lleváis...

–En fin, pobre Trini, está pasando un Japón. Y eso que a mí no me caía bien cuando se casaron, ya os acordaréis, pero ahora no tengo más remedio que ponerme de su parte, ¡menudo calvario!

–¿Y qué madre no pasa algún calvario hoy en día? Que si no estudian, que si llegan tarde, que si las motos, que si piden dinero, que si no comen y, bueno, eso para no hablar de lo peor...

–A tu nieta la vi la otra tarde, sí, la rubita, se parece a la madre una barbaridad, y es verdad que la encontré muy desmejorada, no la conocía, bueno, ella a mí tampoco me conoció, me miró raro. Esperaba por lo menos una sonrisa, cuando le pregunté por la familia, o como está usted, qué menos, me quedé cortadísima, porque no dijo nada.

–Bueno, mujer, de esa educación elemental despídete, ¿en qué mundo vives? Nos miran como a cacatúas. Ahora son todos así...

–Pues Alicia a mis amigas las quiere. No te conocería. Tampoco te ha visto tanto, sólo cuando era más pequeña. Pero se olvidan, ven a tanta gente. ¿Y dónde la encontraste?

–Sentada en la glorieta que hay delante del Oriente, con otros amigos, ya eran más de la diez. Me paré a saludarla porque me pareció que me miraba muy fijo, que si no, hubiera pasado de largo. Buena soy yo para meterme donde no me llaman. Por cierto, hacen una especie de muralla circular con las motos y ellos están dentro, me llamó la atención, como atrincherados.

–Exactamente, tú lo has dicho. Atrincherados, así es como están, sólo les falta llevar metralleta. Desde que se pone el sol, hasta que Dios quiera, aunque meter a Dios en estas cosas no sirve más que para que se te atranque más todavía la máquina de pensar con preguntas que no hay quien las conteste. Dejados de la mano de Dios, pero Él ¿por qué los deja?, y están incómodos, porque son sillas de tijera. Cuanto más incómodos los sitios, más les gustan, oye. De vez en cuando se levanta alguno, cruza, pasa a los servicios o a pedir tabaco y vuelve. Así una noche detrás de otra.

–Y lo peor es dentro. Abajo tienen un sotanillo, donde por lo visto ya hacen de todo.

–Ese sitio es un nido de delincuencia. Lo que debían de hacer es cerrarlo.

Ricardo, que ya había tomado nota del pedido, volvió con la bandeja del té y los emparedados. Él conocía a la dueña del café Oriente, una francesa, habían estado a punto de poner el negocio a medias, pero él no consiguió el préstamo de sus padres, y ahora lo sentía, entraba el dinero a paletadas, sobre todo en verano, y encima era mucho más divertido que esto.

–¿Está todo bien o necesitan ustedes algo más?

–Todo muy bien, Ricardo, muchas gracias.

Le miraron marcharse con su pelo negro engominado y aquel aire de gigoló de lujo.

–A mí este chico me encanta –dijo la que ensalzaba las ventajas de saber idiomas.

Y se quedó mirándole con aire soñador. Ahora las chicas, incluso de buena familia, podían tener un romance con un camarero y no se les caían los anillos, menuda diferencia, ellas tuvieron que elegir en un cotarro mucho más cerrado. Algunas se quedaron solteras por esa razón, ella misma era un ejemplo.

–A mí lo que no me gusta es que lleve pendiente –sentenció tajante Margarita, mientras cogía de la bandeja un emparedado de caviar.

TRES

Una vez duchada, maquillada y vestida, se ha dado el visto bueno ante el espejo, pero nota ese peso raro de cuando no se tiene una meta precisa. Ha descorrido las cortinas, abre la ventana y rastrea algún olor sin encontrarlo. Hay un cielo de nubes impávidas, los pájaros circulan remontando sus crestas, titubeantes y asustados, como si quisieran alejarse de los efluvios de un insecticida; van a caer muertos.

Se ve un jardín y bloques de edificios distribuidos a diversos niveles y distancias, cuanto más cerca más irreales, quién sabe si importados de Hong Kong o fruto de un *collage*, atravesados de vez en cuando por calles quebradas, grúas rojas y retales de campo, talleres, desmontes, vertederos de chatarra, tejados sin rematar, excavadoras, alguna bandera. Todo esto debe de pillar por el barrio de casuchas que llevaba al cementerio; en aquellos caminos los novios de verano cortaban amapolas que lloraban pétalos rojos sobre su amor efímero. Vivía gente pobre por allí, gitanos sobre todo.

Pueden haber pasado muchos siglos inadvertidamente, quién sería capaz de asegurar que este hotel de cinco estrellas no tiene por cimiento las torres de una vieja catedral; todo aquello que abarca ahora la vista desde un despertar anacrónico puede estar superpuesto sobre los escombros de lo que ya tal vez nunca podrá volver a verse más que retratado en postales color sepia y azul. Los ojos recelosos recorren el conjunto en busca de alguna referencia que desmienta esa suposición, aletean extraviados, se alzan en súplica. Hoy las nubes tampoco son de fiar, tan quietas, más de piedra parecen que de aire.

Si bajo esos edificios altos y planos que Amparo no es capaz de incorporar a su geografía interior, la ciudad antigua yaciera sumergida, solamente algún arqueólogo experto podría desenterrarla y rescatar de las celdillas empotradas en lo más hondo a una serie de momias también irreconocibles, seres a los que el aluvión del cambio pilló desprevenidos, como en Pompeya, cuando invocaban al sueño o se disponían a tomar un cuenco de caldo; de sus nombres ya no queda rastro y menos todavía de lo que pudieran estarse diciendo unos a otros o recordando a solas en el momento de la mutación, que si enterró murallas, iglesias y palacios, ¿cómo iba a respetar las palabras e imágenes que a cada uno le servían de abrigo y le hospedaban en un siempre falaz?

Vuelve a entrar en la habitación. La maleta abierta ha acentuado el revoltijo de su contenido y muchas prendas se desbordan, cuelgan mangas y correas de bolso, hay hondonadas en el centro, huella de las manos que hurgaron hace poco en él, las mismas que ahora recogen de la moqueta un camisón color marfil sin mancha ni propósito. Esta pista sobre un pasado reciente, si bien tranquilizadora, desemboca en dilema para la mujer calzada y vestida con elegancia que duda entre ponerse a deshacer el equipaje o abandonar una habitación donde lleva encerrada tantas horas y largarse a explorar lo de fuera, lo que haya, aunque sea para perderse. Se ha detenido junto a la maleta, podría por lo menos intentar volver a cerrarla, que seguramente será difícil, porque todas las cosas en cuanto se revuelven abultan mucho más, mejor sacar algunas. No, mira, a medias no, o la deshaces a conciencia o déjalo todo como está, además no empieces a escudarte en la maleta, huye del tacto de lo conocido, sabes muy bien que la ciudad es otra, que han pasado más de cuarenta años, ¿y qué?, hay que afrontar los cambios, si no ya me dirás qué haces tú aquí ni qué sentido tiene tu viaje.

Ha echado a andar despacito hacia la puerta, ¿qué sentido tiene?; esa pregunta se niega a admitirla a pesar de ser ella misma quien la hace y la oye, un vicio antiguo, se lo pegó Olimpia. Olimpia decía que era muy divertido hablar una sola, y hasta inventar a alguien que te contesta. ¿Lo seguirá haciendo? ¿Seguirá viviendo Olimpia siquiera? Pero esas preguntas también las rechaza, escucha un portazo interior, qué más da, no me importa, no he venido a desenterrar fantasmas. Pues entonces, dime, ¿a qué has venido? Ante las preguntas que incomodan o desnudan demasiado se eriza inmediatamente a la defensiva; en la cara tal vez no se le note, pero Jeremy se lo ha notado muchas veces, será un gesto invisible, no lo dudo, pero resuena como un portazo, mamá, y dejas pilladas las verdades en la puerta, plaf, no se hable más de eso, y lo malo es que te quedas pillada tú también, te lo pegas por dentro de ti misma el portazo. Suspira. A los Drake no ha salido, condenado Jeremy, qué talento tan especial para enterarse de lo más oculto, aunque eso, como decía su padre, no cotiza en Wall Street. Pero pensar en Jeremy es como ponerse a deshacer la maleta, algo que no ayuda a salir del cuarto.

A qué he venido, da igual, forma parte de la aventura el irme enterando de los motivos, caso de que los haya. Desde luego de trabajo no son, ni de vacación programada con otro para intentar hacerle la respiración artificial a un placer apagado. Estoy aquí, y he venido yo sola, ¿no es bastante?, yo soy yo, la que he ido siendo a través de los años, unas veces me he dado cuenta de cómo cambiaba y otras no, se acumulan los estratos de miedo y de amor propio, de ilusión y de desafío, de engaño y desengaño, de ira; y esa que veo vestida por Gucci contiene también a la que lloraba sin saber por qué encerrada en un retrete con ventanuco al patio, temerosa de que la oyera su madre y le dijera: Pero si has sido tú, Amparo, la que has movido Roma con Santiago para irnos, y anoche mismo decías que se acabó la pesadilla, que esta ciudad ojalá la sepultaran y no quedara piedra sobre piedra, yo estaba bien aquí, ¿qué te pasa ahora?, vamos, hija, ya ha venido el camión de la mudanza. Y esa del traje vaporoso de Gucci dice: ¡Plaf, se acabó!, porque no quiere hurgar –nunca ha querido– en el motivo de aquellas lágrimas tan ácidas cayéndole por la cara como regueros de fuego, cuando se despidió de la ciudad que más amaba y mejor conocía, la que menos la quiso y la conoció a ella. Sacude la cabeza y resuena el portazo interior, ahora yo tampoco te conozco a ti –dice–, mano a mano hemos quedado, como en el tango, un desconocimiento frente a otro.

No va usted a conocer aquello. Ya se lo habían advertido alguna vez, de las pocas en que un informante anónimo y casual resultó ser también paisano suyo, y ella se vio metida a la fuerza en una conversación que le desagradaba. Está todo cambiadísimo, cuando vuelva por allí ya verá, seguro que no lo conoce. Unos con orgullo lo decían, otros con pesadumbre, y casi siempre con el afán de incluirla en noticias que ella escuchaba esquiva o indiferente. Yo casi no tuve tratos con nadie, viví muy pocos años allí y hace más de cuarenta, fíjese, no, no dejé familia, ya le he dicho. A través de estos informes esporádicos, Amparo sentía lo ocurrido en su ciudad como un corrimiento de tierras que desplazaba sus recuerdos al tiempo que derribaba árboles, dejaba con el brazo en cabestrillo a gentes y balcones y resquebrajaba fachadas, una mutilación de la que prefería no enterarse, pero que nunca dejó de producirle cierta mezcla de angustia y curiosidad, como ante las catástrofes de las que no está uno tan seguro de haber salido indemne.

¿Cuarenta años? Pues no va usted a conocer aquello, tendrá que pedir un plano. Es lo que le decían. Y que ya casi nadie vivía ni invertía dinero en el casco viejo. Que todas las tiendas buenas, los médicos, los hoteles, los bufetes de abogado, los cines y la industria en general se habían trasladado a la parte del Ensanche. Ah, y dos estadios: uno de deportes ya acabado y otro de música, que lo estaban haciendo. El dinero corría hacia el Ensanche. Ella misma había elegido un hotel del Ensanche para su alojamiento, como si quisiera mirar los toros desde el burladero antes de lanzarse a la arena.

Le han dado una de las suites del último piso. Camina desganada y se asoma a la otra habitación, que todavía no ha visto. Un tresillo, televisión, una mesa escritorio, nevera y servicio de fax. No tiene terraza y la vista es un poco distinta porque hace ángulo con el dormitorio. Da a naciente. Se acerca al ventanal, sigue sin reconocer nada de lo que ve. Echa el aliento contra el cristal y marca una A mayúscula que enseguida se desvanece. Luego vuelve sobre sus pasos.

Por debajo de la puerta han metido el periódico local. Se acerca recelosa y se agacha a recogerlo, lo despliega. Vaya, menos mal, la cabecera es la misma. Retrocede unos pasos y se sienta en la cama. ¿Menos mal por qué?, reconocer el título del diario y el formato de las letras que lo enuncian ha trasladado al estómago el malestar inconcreto que sentía, también debe ser que tengo hambre –dice–, llevo muchas horas sin comer nada. Nota que se marea un poco, ¿no será un pretexto?, mira el teléfono. Pedir algo por teléfono para quedarse a comerlo sola en esta habitación lujosa e impersonal mientras las nubes se van quedando yertas y los pájaros se esconden equivale a convertirse en un ser abstracto, en el personaje de la película de Jeremy, y me asusta ser así, aunque también me asuste salir, piensa sin dejar de mirar el teléfono ni soltar el periódico de la mano. El teléfono es color crema, muy plano, digital, en una de sus teclas hay una especie de asterisco y al lado dice en dos líneas paralelas, rodeadas de trazo amarillo: «Memoria-Desvío.» Tal vez ahí está el dilema, elegir entre dejar entrar a la memoria o desviarla. Está un poco incómoda sentada en la cama, pero tampoco se quiere arrugar el vestido si va a salir; lo que desde luego descarta con bastante energía es la tentación de volver a tumbarse.

De pronto, mientras hojea distraída el periódico como para ahuyentar el leve mareo tal vez imaginario, aparece en su rostro distraído una estela de luz que lo embellece. Descorre la cremallera del bolso y saca de una funda de carey las gafas de leer, se las pone, luego alarga el brazo y enciende la lámpara de la mesilla, porque la luz que entraba por el ventanal ha disminuido. Ahora se ha puesto cómoda, dobla la almohada y se apoya, sube los pies a la cama, le da igual arrugarse. Son las páginas de Cultura y Sociedad. En uno de los titulares dice: «Don Abel Bores acaba de regresar de la Argentina, donde ha impartido un seminario sobre Bataille.» Los comentarios ocupan media página y viene él retratado. Amparo recorre por encima los detalles de un éxito magnificado con adjetivación esdrújula por el cronista local, y se detiene en cambio atentamente en la contemplación de la foto, de medio perfil, detrás de una mesa con libros y agua mineral, diciendo algo. Le han sorprendido diciendo algo, aunque también se adivina cierta pose en el gesto, con las gafas en la mano y la mano a la altura de la boca que pronuncia una «o» posiblemente, la «o» de osadía, de obcecación, de olvido, una «o» embalsamada para la foto. No parece haber perdido mucho pelo, ni tampoco engordado. Bigote no lleva. El rostro enjuto y bien rasurado presenta dos arrugas verticales, aquella que ya se le inició desde joven junto a la comisura de los labios y otra paralela a ella, mucho más profunda, como la marca de una cicatriz; los párpados levemente entrecerrados destilan amargura y humor sobre la mirada, ofreciendo y negando al mismo tiempo. Todo el encanto de Abel se concentraba, como la concisión de su desencanto prematuro, en el modo de entornar los ojos. Y él lo sabía, era coqueto, siempre lo supo.

Se levanta. Dice: Creo que podría reconocerte, si te encuentro por la calle, ojalá te ocurriera a ti lo mismo, y de repente nota que la comezón se despeja, que ha encontrado un motivo fulminante para salir. No a buscarlo, sino a pasear por la misma ciudad donde él aún vive y por la que puede apetecerle salir a pasear, si no es hoy mañana o al otro, ya es aliciente bastante, las aventuras nunca tienen un final preconcebido, incluyen la posibilidad de naufragar o de volver con las manos vacías. El viaje de Amparo ha cobrado sentido, se ha convertido en una aventura. Ya no le duele el estómago.

Guarda las gafas, se alisa el vestido frente al espejo de tres cuerpos, sonríe, se mira los zapatos italianos carísimos, la cintura sin michelines, no representa ni cincuenta años, unos cuarenta y ocho, una mujer de cuarenta y ocho era vieja en sus tiempos, ahora no. Levanta un poco la ceja izquierda. No sé si te acuerdas de mí –dice–, ¿me invitas a dar un paseo en tu Vespa por las afueras?, y está reconociendo a la hija de la modista de la calle del Olvido, que tantas veces ensayó esa frase y nunca fue capaz de decirla.

Es curioso, uno a sí mismo siempre se reconoce por los ojos, porque en ellos es donde anida ese miedo a dejarse de reconocer, a haber perdido algún eslabón de la propia herencia, el miedo es lo que une el yo de ahora con los de antes, un ansia de pesquisa que imprime al rostro la expresión más incondicional, como una lucecita al fondo de la pupila. Amparo se ve guapa y joven y al mismo tiempo lee en ella misma lo que está pensando y el deseo voraz de pensarlo en voz alta teniendo a Abel enfrente.

En el ascensor de bajada, al que ha llegado con pasos ágiles por un pasillo silencioso y desierto, se dedica de reojo una última inspección. Su cuerpo es vertical, invulnerable, porque Abel ha reaparecido. No es una sensación nueva. ¿Dónde te habías metido tantos días? Siempre resultaba extraordinario volverlo a encontrar. A los otros chicos no, ellos estaban siempre por ahí, como cosa natural, se contaba con ellos (Son de hoja perenne, dijo una vez Olimpia), pero lo de Abel Bores era un sobresalto, era como verlo siempre por primera vez. Se hace el interesante, comentaban a coro sus enamoradas. Pero simplemente lo era.

Deja la llave en recepción y recoge su pasaporte. Ahora el conserje le está preguntando si descansó bien, si necesita que le arreglen la habitación.

–Da igual, déjelo para mañana –contesta distraída–. Por favor, ¿queda lejos el centro?

–Un poco. ¿Necesita que le pida un taxi?

–No sé. ¿Cómo de lejos?

–Unos dos kilómetros. Según adónde vaya, claro, eso depende. Si quiere le puedo dejar un plano.

–Se lo agradecería.

–No faltaba más.

Cuatro señoras que salen de la cafetería se la quedan mirando mientras habla de espaldas con el conserje y se inclina para seguir los círculos rojos del bolígrafo señalando en el plano determinadas zonas. Se fijan sobre todo en los zapatos, a juego con el bolso y el cinturón.

–¡Qué mujer más elegante! ¿Habéis visto? Debe de ser extranjera.

CUATRO

A mediados de agosto, Manuela Roca empezó a notar con desolación que por las mañanas al despertarse –cada día más temprano, dicho sea de paso– no recordaba tener ningún pleito pendiente ni se sentía agraviada por nadie, certeza que se iba convirtiendo en hormiguillo y le impedía volver a cerrar los ojos. Aquella urgencia por marcar un número de teléfono o enhebrar en su mente un discurso cuidadosamente amarrado en todos sus puntos reivindicativos para cortar la retirada al presunto oponente había dado paso a una paz que propiamente no lo era, porque mientras prefiguraba con los ojos fijos en el techo de su cuarto el mapa sin relieve de un nuevo día a transitar, lo único que conseguía sacudir su acidia era imaginar que estaba enfadada.

No sólo no tenía motivos para estarlo, por mucho que los rebuscara, sino que rehuía con creciente impaciencia a las personas que se habían puesto de su parte y ahora la felicitaban por la conclusión tan afortunada de sus pasados sinsabores.

–Yo lo que no entiendo, la verdad, Manuela, y papá tampoco, bueno, no lo entendemos ninguno, es por qué no te vienes de una vez con nosotros, pensamos quedarnos hasta mediados de septiembre y está haciendo un tiempo de fábula –le decía su hermana Rosa, que la telefoneaba a diario desde la casa de la playa–. Tienes tu habitación preparada; anoche, cuando la chica mayor de Fabi, que ha invitado a una amiga suya a pasar unos días, le pidió permiso a papá para alojarla allí, no veas cómo se remontó papá, ¡ése es el cuarto de la tía Manuela!, pero casi gritando, hasta flores nuevas te pone Sebastiana cada dos días...

–Por favor, Rosi, ni que fuera un muerto. Dile a papá...

–Mira, yo a papá ya no le digo nada, porque se le está agotando la paciencia, que te da una semana, ha dicho, lo tienes enfadadísimo, y ya sabes cómo se pone papá cuando se desborda, que no se libra nadie de la inundación, bueno, como tú, qué te voy a contar si sois los dos iguales, por eso mismo se toma tus cosas tan a pecho.

El tono de Rosa era el típico de los hermanos pequeños cuando tienen que mediar en un conflicto, ya sea por encargo o por voluntad propia, veinte años la separaban de Manuela, tenía treinta y tres, era insegura, dulce, conciliadora. Cuando intercalaba una opinión que pudiera parecer ofensiva, necesitaba rebajarla con algún comentario más amable, había salido en todo a la madre a la que apenas conoció.

–Total, que podíamos estar a gustísimo, y sin saber por qué ni por qué no, nos estás amargando de rebote el verano a toda la familia. Yo te defiendo, te lo aseguro, siempre he pensado que a la gente hay que dejarla a su aire, y hasta me atrevo a decírselo a papá, déjala a su aire, necesitará estar sola, qué sabemos del alma de los demás, ya sabes cómo es él, apenas escucha, sigue con lo suyo. Pero en algunas cosas tiene razón, perdona que te lo diga, Manuela, a él lo que más le sulfura de tu actitud es lo que tiene de intempestiva, vamos, que no nos la esperábamos nadie, claro que, como yo le dije el otro día, tampoco nos esperábamos que se casara con Agustín, y él entonces pegó un puñetazo a la mesa, ¡Pero de ése ya se ha divorciado, ¿no?, borrón y cuenta nueva!, ya sabes que nunca ha vuelto a llamarlo por su nombre; se lo está tomando todo por la tremenda. Más que tú, que eso es lo que a mí me extraña.

Manuela cerraba los ojos y tragaba saliva, invadida por una conformidad inusitada en su temperamento. Los argumentos que cimentaban el enfado paterno, cuya transmisión por parte de Rosa incluía en algunos tramos una imitación bastante certera de la voz airada de don José Manuel, se convertían en el plato más indigesto del diario menú telefónico. No por lo que esa narración tuviera de repetitiva, que a Manuela, todo lo contrario, las innovaciones en un discurso previsible siempre la habían inquietado y puesto sobre aviso, sino por la impotencia de compartir aquella ira admirable y tan cargada de razón que rezumaba la transcripción de su hermana, sentirla empapando su piel como un sudor frío. Mientras escuchaba la voz de Rosa a través del hilo telefónico y la interrumpía de vez en cuando con frases bien poco convincentes incluso para ella misma, se imaginaba los macizos de hortensias del jardín, el correteo de los sobrinos entrando y saliendo por el porche, el nombre de alguno de ellos gritado desde el piso de arriba, el olor del mar cercano llegando a rachas para mezclarse con el de un guiso de Sebastiana escapando por la ventana abierta de la cocina, el ruido de las diferentes motos y coches al arrancar, «Yo a comer no vengo, *ciao*», una música de rock duro, una sillita de niño plegada contra el tronco de un árbol, senderos. Y se imaginaba, sobre todo, a sí misma ofreciendo el brazo a su padre mientras paseaban por esos senderos conocidos en busca de un lugar aislado donde desahogar su indignación conjunta.

Siempre se habían llevado de maravilla el implacable

fiscal de la Audiencia, a quien la jubilación no había atemperado los rigores de carácter, y su hija mayor, que terminó la carrera de Derecho justo cuando Rosa cumplía dos años, y que habría llegado a abrir bufete si un cáncer de matriz no se hubiera llevado a la madre pocos meses después. De un primer matrimonio, que se recordaba en la ciudad borrosamente porque duró poco, había tenido un hijo, Andrés, en la actualidad abogado del Estado, con fama de antipático y que se llevaba pasablemente bien con los descendientes de la segunda hornada. Aquella primera esposa también murió de parto, lo que valió al biviudo el sobrenombre de Barba Azul, porque además siempre le quedaba una sombra en las mejillas, por mucho que se las rasurase. Después del cabeza de familia y de su primogénito Andrés, la máxima autoridad en el clan Roca había sido siempre Manuela. Es para mí más que una hija, mucho más –solía comentar don José Manuel en las tertulias del Casino–, particularmente desde que faltó la pobre Concha, Manuela es el sostén de todos, no habríamos sabido qué hacer en la familia sin ella, a los hermanos los ha traído tiesos como una vela, Concha, que en gloria esté, era mucho más blanda, ni una desviación les consiente, y en cuanto a mí, no puede haber colaboración más estrecha, se lo consulto todo. Aquel idilio tan sólo se había visto quebrado por la aparición anacrónica de cierto doctor Sánchez del Olmo, especializado en jóvenes conflictivos, a quien ella conoció a través de sus actividades benéficas de Cáritas, y del que nadie había oído hablar. Considerar aquella irrupción como accidente leve e intentar tenazmente desprestigiar al causante del futuro desastre ante una mujer obsesiva y al borde de los cincuenta años, fueron dos errores, uno de apreciación y otro de táctica, que el señor Roca nunca había dejado de reprocharse y a los que culpaba de su envejecimiento fulminante. Había perdido la confianza en sí mismo.

En la ensoñación alimentada por Manuela, mientras escuchaba con los ojos cerrados la perorata de su hermana, destacaban los tramos en que ese padre envejecido se desprendía del brazo que le servía de apoyo, como si quisiera alejarse de un rostro borroso para investigar en él el grado de incondicionalidad con que se adhería a sus opiniones. Genio y figura hasta la sepultura. El acaloramiento de don José Manuel, cuando hacía uno de esos altos en el paseo y, a riesgo de perder el equilibrio, esgrimía el bastón contra el fantasma de una hija que había perdido la aguja de marear, provocaba la envidia de Manuela, ansiosa e incapaz al mismo tiempo de echar leña a aquel fuego donde ardía el pelele de su propia efigie. Y se concentraba esforzadamente en la tarea mental de desdoblarse en dos Manuelas: la acusadora y la acusada. Es imbécil, papá, tienes razón, completamente imbécil. Durante los tres años que duró ese nefasto matrimonio, acuérdate de lo que nos decía: que una de las cosas que se le hacían más cuesta arriba eran los veranos, no poderlos pasar aquí con nosotros, a sus anchas, que, por cierto, al tal Agustín nunca se supo si este sitio no le gustaba o no le gustábamos nosotros como familia o si sería verdad y no un pretexto que a partir de junio y julio es cuando hace más falta arrimar el hombro en el ambulatorio, tampoco vamos a decir que sea mentira, porque los enfermos del seguro son pobres, cogen más infecciones, y por mucho que nos moleste están ahí, papá, desprotegidos, eso yo lo he visto con mis propios ojos cuando colaboré como enfermera, en vacaciones la mayoría de los médicos se va, se vuelven egoístas, Agustín es un caso aparte, claro que, y en eso estoy contigo, ¿por qué se empeña en ser siempre un caso aparte?, y también pienso que puede ser soberbia creer que está hecho de otro barro y vestido con otro sayal, como si sobrevolara a sus semejantes, aunque no estoy segura tampoco de que sea soberbia en estado puro, en él todos los sentimientos se dan mezclados, por eso no se le entiende y te incita a quererlo dominar, en fin, es una discusión que ya hemos tenido muchas veces y nunca nos lleva a nada. Pero bueno, a lo que voy, si ella venía unos días aquí sola porque a él no le importaba ni se lo prohibía, es natural que se sintiera incómoda, en parte porque le pudiera echar de menos, a pesar de que no lo comprendamos, y luego porque no deja de ser raro, no se casa una mujer para eso, papá, y menos después de haberse puesto el mundo por montera a sus años, ya ves, lo comentaba la gente, por mucho que lo digan a tus espaldas te acabas enterando, y ella se enteraría también, ¿y para eso tanto follón y tanto que era el hombre de su vida, ni un triste veraneo juntos?, y sufriría, pues como no iba a sufrir, con lo apegada que ha sido siempre a la familia Manuela, tener que dividirse en dos frentes y mintiendo en los dos, por lo menos en este mentía, en el otro no sabemos, una semana con cuentagotas y adiós, que si por lo menos se la hubiera visto disfrutar, pero no, vivía en vilo por el qué dirán, raro que él la llamara alguna vez, ya te acuerdas, escribirle nunca y mucho menos venirla a buscar, me tengo que ir porque Agustín me necesita, no sé a quién engañaba, ni a sí misma siquiera, lo más probable. Pero por fin se le cayó la venda a la pobre señorita, como dijo Sebastiana en Navidades cuando se enteró, más vale tarde que nunca. Por eso te digo, abundando en lo que dices tú, que lo que no se entiende es lo de ahora, ¿qué impedimento tiene ahora Manuela para venir a pasarse un verano a lo grande aquí con todos, que la recibiríamos en palmitas, después de un divorcio tan deseado? Pues sí, estoy de acuerdo, papá, puede que no lo deseara tanto ni estuviera tan harta como decía, pero entonces doblemente imbécil, ¿no?, es para cogerla y darle de bofetadas, ya era lo que nos faltaba por sospechar, que esté echando de menos a ese marido tan impresentable, pero sin querer lo piensas, claro, son tan tontos los pretextos que pone para no venir..., ¿tú crees que se seguirán viendo?

Abría los ojos porque empezaba a marearse. Resultaba un ejercicio tan delicado como agotador ser juez y parte. Pero lo peor es que seguía sin estar enfadada. Recorría con mirada aletargada los objetos de la habitación, comprendía que tenía que contestarle algo a su hermana, te agradezco que tú por lo menos me comprendas, Rosi, ya sabes que os quiero mucho, estoy a gusto, te lo aseguro, y hace una temperatura deliciosa también aquí, pues sí, aunque te parezca raro, quedan cosas pendientes con Agustín, por ejemplo, todavía no se ha llevado su ropa, bueno, eso de que no corre prisa es relativo... ¿Cómo dices?

Y aquella mañana surgió la cuestión candente:

–Pues mira, Manuela, si no quieres no me contestes, pero te lo pregunto como hermana, ¿os habéis vuelto a ver Agustín y tú?

Hubo un silencio que, aunque breve, a Rosa le dio mala espina. Se reconocen, y más entre personas de la misma familia, esas treguas que suelen aprovecharse para maquillar la verdad. Y el que esté libre de pecado, que tire la primera piedra.

–Bueno, verlo todavía no lo he visto, he dejado recado en casa de su hermana, vive con ella, creo que ya te lo dije, es incomprensible que le apetezca estar allí, que no se le mueva el alma a buscarse un piso, es tan dejado, yo podría ayudarle...

–No le habrás llamado para decirle eso, a ti qué te importa cómo viva o deje de vivir...

–¿A mí? A mí nada. Pero han quedado cosas por decir, explicaciones por dar, no se lo digas a papá, pero necesito que Agustín y yo hablemos sin traumas, civilizadamente, al fin y al cabo hemos vivido juntos tres años, hablar cara a cara, ¿entiendes?, de abogados estoy harta, Rosi... A papá le escribiré. No te apures. Un beso.

Rosa colgó el teléfono y se quedó aturdida mirando un abejorro que merodeaba en torno al marco de la ventana. Ha dicho que está harta de abogados, es para preocuparse, le debe de estar pasando algo a Manuela.

CINCO

–Oye, Agustín, a tu ex le está pasando algo raro –le dijo Társila a su hermano cuando entró en la cocina aquella mañana, ya duchado y vestido–. A mí me parece que muy bien no coordina.

Eran las ocho. Ella ya había desayunado y estaba recogiendo platos de la cena. No había dormido bien. Llevaba puestos unos rulos de plástico rosa. Encima del mármol de un aparador modesto, pero de buena madera, se veía la radio junto a un juego de tazas colgadas de ganchitos. Estaban dando las noticias. Agustín bajó el volumen y se sentó.

–¿Le llamas algo raro a que Manuela no coordine? –preguntó sonriendo–. Deja, Tarsi, ya me sirvo yo. Y no recojas nada, anda, por favor, siéntate. Tanto como te metías con madre por eso...

Társila se sentó. Había soñado con su madre y el corazón se le encogió sin saber por qué. Del argumento del sueño no se acordaba.

–Sí, tienes razón –dijo–. Con los años se pegan las manías...

Era delgada, de buena planta. Tenía una voz segura pero no autoritaria. Poco pecho. Cruzó los brazos sobre la mesa y suspiró complacida mirando a su hermano, que estaba untando de miel una tostada. Lo hacía con esmero y parsimonia, era tan real como la tostada, pero también simbólico, podría estarse horas así, posando para un cuadro hasta convertirse en cuadro él mismo, hombre atento a su desayuno. Casi todas las labores manuales, incluso las más consabidas, cobraban cierto cariz ritual, es cosa de los dedos, pensó Társila, de cómo tocan el objeto que sea esos dedos tan delgados y expertos, tan parecidos en el gesto a los de ella cuando intervenía diciendo: Déjame, hija, que lo haga yo. Cada día se parecen más tus manos a las de madre que en paz descanse, estuvo a punto de comentar Társila; pero se acordó de la otra conversación pendiente, cuyo vuelo sobre sus cabezas se sentía como un zumbido, y prefirió no espantarla. A Agustín para todo había que darle tiempo y ella sabía esperar, nunca le asaltaba con preguntas acuciantes. Plegarse a él era como ir subiendo un camino escabroso y empinado, pero el aire corría cada vez más limpio. Y se aprendía a pisar por lo difícil.

Lo que más admiraba de Agustín era su equilibrio, y su amor por la pausa. Ante las noticias que pudieran llegarle por sorpresa no se le traslucía ansiedad ni esa glotonería del que sólo come para seguir comiendo hasta que necesita vomitar lo que aún no ha digerido; él rechazaba la información compulsiva, solía decir: Bueno, espera un momento, tenía que hacerle sitio previamente a lo que iba a oír, darle cabida en un cuartito tal vez minúsculo pero con luz suficiente para explorar si el asunto era importante o idiota, en cuyo caso se desentendía.

A su hermana no le resultaba tan fácil diferenciar lo fundamental de lo accesorio. Era más nerviosa por naturaleza. Pero tenían un humor parecido.

Una vez habían estado hablando bastante a fondo de los argumentos banales y sacaron en consecuencia que la gente que los esgrime es la más desconsiderada y tirana a la hora de exigir atención. Se colaban por cualquier ranura los asuntos sin fuste, a codazos, ávidos de suplantar a las conversaciones interesantes, es difícil prescindir de ellos, dijo Társila, porque te ponen cerco y te enredan, no sé cómo haces tú, y su hermano le recetó indiferencia, tómense dos grageas antes de comida y cena, no hay contraindicaciones, le dijo que desentenderse de las necedades no era siquiera presentarles batalla ni dar un portazo que retumbara en todo el barrio, que bastaba con dejarlas amontonadas en esa especie de cuartito sin ventilación donde van a parar los trastos inútiles, apagar la luz, echar un desinfectante con olor a caramelo y se acabó; allí prosperan unas enredadas con otras y, muertas de aburrimiento, las cucarachas del chisme se van cuando vuelves a encender la luz, otras están patas arriba, si alguna queda viva, no era cucaracha. O sea –había resumido ella–, que tú pones cara de atender, pero estás pensando en otra cosa, ¿no es eso? Pues un poco sí, Tarsi, contra las cucarachas del chisme tenemos que armarnos de paciencia tanto los médicos como las peluqueras. La cabeza no nos la vamos a dejar invadir, me refiero a la parte iluminada de la cabeza, a la que da chispas, tenemos que tender a ampliarla, como has hecho tú con La Favorita, aunque sea aprovechando material de derribo; en eso consiste la supervivencia.

Társila regentaba La Favorita, peluquería situada en el casco antiguo y que heredaba tanto el título como una llamativa fachada de azulejos de cierta barbería de los años veinte, venida a menos con el auge progresivo de las maquinillas de afeitar eléctricas, hasta que se vio obligada al cierre. El verano anterior Társila había ampliado el negocio, incorporando un taller de zapatero remendón que se puso en venta tras la muerte del dueño, pero los azulejos no los quiso quitar. Representaban a dos señores, uno con bigote y otro no, sentados en sillones metálicos con asiento de rejilla y brazos negros. Un gran babero protegía la parte anterior de su cuerpo y tenían las espaldas flanqueadas por sendos profesionales de la navaja. Se miraban por encima del letrero, como extrañados de estar frente a frente sin conocerse, años y años llevaban quietos allí, disimulando su curiosidad, a punto de preguntarse: Oiga, ¿usted es de aquí o está de paso? Los extranjeros hacían fotografías de aquella fachada y había llegado a venir en alguna guía turística. Actualmente Társila, tras haber salido triunfante de muchas amenazas de derribo y batallas contra la expropiación, había decidido que de allí no la sacaba nadie más que con los pies por delante. Había aumentado su clientela, cada día más selecta después de la reforma, porque puso también cabinas de masaje y aumentó a cinco el número de empleadas a su cargo. Eran más impuestos, pero había que arriesgarse, el presupuesto se nivelaba reduciendo gastos personales y fomentando el ahorro. Agustín la ayudaba con el ejemplo de su sobriedad y ahora, además, con la aportación de otro sueldo.

La vivienda, aunque con entrada independiente, comunicaba con la peluquería y tenía dos dormitorios, cocina con despensa, cuarto de baño y un saloncito. Daba a un patio interior amplio con galerías altas, tiestos y bastante ruido de vecinos. A Agustín no le molestaba el ruido de los vecinos y además paraba poco allí. De momento su hermana le había admitido sin hacer preguntas, y no se le pasaba por la cabeza hacer otros planes. Mejor dicho, aplazaba la decisión.

Társila notó que Agustín, tras los primeros sorbos a su café con leche, levantaba los ojos y se la quedaba mirando. Era la señal tácita de que ya había despejado su mente para dar cabida a aquel comentario inicial, lanzado a manera de globo sonda.

–A ver, ¿qué me querías contar de Manuela? Por cierto, no la llames mi ex, si no te importa. Me habías prometido desengancharte de las revistas del corazón.

Ella se echó a reír.

–Estoy en ello, doctor. Pero de vez en cuando, compréndalo, necesito dar una calada... Bueno, pues la llamaré Manuela. Y te contesto a lo que has dicho: coordinar no sé si coordina más o menos que antes, lo que desde luego veo como novedad es que esté tan amable conmigo. Ayer me llamó dos veces y a la segunda la tuve que cortar, porque es que no cuelga ni a tiros, perdona, Manuela, le dije, pero tengo la peluquería a tope, y que se alegraba muchísimo de que me fuera bien con tantos negocios como están cerrando, en fin, versallesca, Tarsi para arriba, Tarsi para abajo, fíjate, cuándo me ha llamado ella por el diminutivo; si me ha hecho siempre el mismo caso que a un perro en misa. Por eso digo que si le pasará algo; te lo iba a comentar anoche, pero me quedé frita; llegaste tarde, ¿no?

Agustín se sirvió más café, trató de ocultar un bostezo y miró la hora.

–Sí, un poco. Me dejé caer por el Oriente, tengo una paciente joven que va por allí, y quería conocer los sitios por donde se mueve. Pero vamos a ver, ¿te explicó Manuela aproximadamente lo que quería? Digo «aproximadamente» porque «exactamente» sería mucho pedir.

–Bueno, está más claro que el agua que lo que quiere es verte. Se lo nota un ciego. Para qué, ya no me preguntes. Quiere verte y punto.

Ahora sus ojos estaban pendientes con cierta alarma de los de él, que no respondieron a su requerimiento. Dobló cuidadosamente la servilleta, se levantó y abrió la nevera.

–Vaya por Dios –suspiró–. En fin, ya se le irá pasando. Manuela presenta un cuadro de convalecencia caprichosa. Tú no te alteres por eso.

Prefería estar de espaldas para que su hermana no le notara que le estaba ocultando algo. Si le contaba que a Manuela ya la había visto tres veces después del divorcio, que ella había llegado a presentarse en el ambulatorio para consultarle unas palpitaciones imaginarias, que se encontraba con su coche por los recodos más inesperados y que, en una palabra, no sabía cómo quitársela de encima, Társila, arrebatada por un ataque de cariño fraterno, quebraría su discreción habitual y acabarían colándose sin remedio algunas cucarachas del chisme por las ranuras del discurso. Era imposible imaginar siquiera que el nombre de Manuela Roca no saliera a relucir más de una vez en boca de algunas clientas de La Favorita.

–¿Qué buscas?

–Miraba a ver si tenías algún zumo, noto la boca muy seca.

–En el túrmix ha quedado un poco de naranja, ahí, junto al fregadero. Si quieres, te hago más.

–No, tengo de sobra.

Se lo sirvió en un vaso pequeño y se lo bebió de un trago.

–Se me ha hecho un poco tarde, guapa, tengo que irme.

–Pues nada, que se te dé bien el día. Por cierto, anoche sonó el teléfono, ya estaba yo medio dormida y no me levanté. ¿Pusiste el contestador al llegar?

–No, no se me ocurrió.

–Pues ponlo ahora, sería algún enfermo. A mí a esas horas no me llama nadie.

Agustín se acercó a su hermana y le dio un beso en la frente.

–De acuerdo. Adiós, Tarsi. Que se te dé bien el día a ti también.

Al pasar por el saloncito para recoger su cartera, vio un guiñoteo rojo en el contestador. Apretó la tecla de lectura y enseguida reconoció la voz de Olimpia Moret, que sonaba incoherente y angustiada. Era uno de sus mensajes de S.O.S, siempre empezaba igual: alta madrugada, marejada fuerte, rumbo al caos; tenía problemas de insomnio y de ciclotimia, tan pronto se enorgullecía de su encierro como lo abominaba. Quiero matar a mi fantasma –decía–, aunque yo misma quede dañada, ¿te acuerdas del hombre que perdió su sombra?, pues eso, ven enseguida a verme, no sé cómo se llamaban aquellas pastillas azules tipo bolita que me recetaste, daban euforia y también sueño, debo tenerlas por ahí pero no las encuentro, además...

Se cortó el mensaje, pero había otro a continuación donde proseguía la marejada fuerte, derivando a consideraciones acerca del tiempo y de lo inadvertidamente que transcurre cuando se es feliz. La tristeza de la juventud, Agustín, es luminosa, y declararse un bicho raro no resulta grotesco, me gustaría estar triste de aquella manera; me he aburrido de discutir conmigo misma, es darse cabezazos contra la pared, *help,* Agustín, además de las pastillas, necesito otro bicho raro en casa, búscamelo, tú conoces a mucha gente, echo de menos a la californiana, si lo encuentras, dile que incluso estoy dispuesta a pagarlo, sólo le pediría que me fuera a algún recado y de vez en cuando que leyéramos a dúo alguna comedia o los diálogos de Platón, lo prefiero culto, me encuentro fatal, Agustín, me falla el logos, tengo ganas de morirme. Ven.

Agustín miró la hora, se sentó en el brazo de la butaca y marcó un número. No contestó nadie, pero no se alarmó. Olimpia el teléfono no lo cogía nunca. Decidió ir a verla por la tarde a última hora. Las noches para ella eran lo peor.

Cuando salió al patio, algunos vecinos bajaban de las galerías rumbo a su trabajo. Serios o soñolientos, cada cual arrastrando atada a los pies la bola de una preocupación, pero se lanzaban a la calle. Los problemas de los ociosos son de otra índole.

Társila oyó la puerta de la calle al cerrarse, pero no se movió. Se había quedado triste, como cuando a un niño le dejan fuera de una fiesta. Se empezó a quitar los rulos despacio y los fue metiendo en un bolsillo del delantal. Luego se dirigió a su dormitorio, se sentó en la cama y empezó a alborotarse distraídamente el pelo con los dedos, cuya presión incidía de preferencia en las sienes. Con ganas o sin ellas, tenía que presentar un buen aspecto ante su clientela, pero la cabeza la tenía puesta en los enigmas de su hermano, una novela que sólo se le permitía leer a medias. A las señoras de la peluquería les había oído hablar del Oriente y sabía que era un bar de muy mala fama. O tal vez, simplemente moderno. Pero ¿era moderno su hermano? Tal vez sí, ¡lo conocía tan poco! Se trasladó al tocador para maquillarse, tenía mal color, color de pereza y autocompasión, un lujo que no podía permitirse. Seguía sin acordarse de qué le había pasado aquella noche en los sitios por los que anduvo con su madre, el paisaje tampoco lo localizaba, seguro que se trataba de aventuras protagonizadas por otro, ya sabes que a mí nunca me pasa nada, madre, que he nacido para mirar. Junto a los tarros de crema y a las facturas sujetas con una pinza sobre el mármol verdoso del tocador, había un retrato de la boda de los padres. El padre, que murió pronto, había sido cajista de imprenta. La madre modista. Entró con quince años de aprendiza en el taller de Ramona Miranda, a quien Tarsi no había llegado a conocer nunca pero que se convirtió con los años en una especie de mito para ella y su hermano. Porque cuando esa antigua jefa de la madre se marchó al extranjero con su hija y llegaron a hacer mucha fortuna, le había mandado a Társila del Olmo, ya viuda, una cantidad importante de dinero para costear la carrera de medicina de su hijo. En fin, siempre historias laterales en las que no intervengo, pensó Tarsi. Y mientras se aplicaba la crema sobre el rostro con un ligero masaje, se dio cuenta de que tenía lágrimas en los ojos.

Estaba tan distraída que no oyó la llavecita en la puerta, y le sobrecogió una voz a sus espaldas.

–¿Se puede?

Se volvió asustada.

–Ay, hija, por Dios, qué susto me has dado. ¿Pasa algo?

Era Pepa, su empleada más antigua. La miraba perpleja, de pie en el quicio de la puerta. Siempre llegaba antes que ninguna.

–Bueno, Társila, perdona. Pasa que son más de las nueve y media y no has abierto la peluquería. Como es la primera vez que ocurre, he entrado a ver si estabas mala o algo. ¿Estás llorando?

–No, se me ha metido una mota en el ojo y no me la logro sacar. Pasa por la salita y vete abriendo. Es que he dormido muy mal esta noche, ¿sabes?, un cólico. Pero enseguida salgo. A las diez tenemos la limpieza de cutis de la señora de Arenas.

SEIS

–Tampoco es tanto lo que hay, si quiere lo vamos quitando y lo que no deseche lo meto bien dobladito con un poco de naftalina en el arca del vestíbulo, que allí hay sitio de sobra, hasta que decida usted lo que sea.

–No sé qué decirte, Rufina. ¿A ti qué te parece?

–A mí, si quiere que le diga la verdad, me parece que aquí mucho no estorba. ¿O es que tiene pensado dedicar esta parte del armario a algo especial?

–Pues no. No se trata de eso.

Rufina se la quedó mirando con una mezcla de sorpresa y hastío. ¿De qué se trataba, entonces? Llevaban un rato las dos paradas delante del armario abierto haciendo consideraciones insustanciales y sin desembocadura sobre el destino de aquellas prendas masculinas agrupadas en la parte derecha. Había también alguna corbata y dos pares de zapatos casi sin estrenar. Rufina no recordaba habérselos visto puestos nunca al doctor. Solía usar calzado de deporte. De hoy no pasa, Rufina, que nos metamos a fondo con la ropa de don Agustín. Llevaba tres días diciéndoselo, pero sin la autoridad característica de aquella voz un poco hombruna cuando daba órdenes; ahora parecía más bien que pedía consejo o apoyo. No era ni su sombra. La vio sentarse en una butaquita del dormitorio y quedarse mirando el armario abierto, como ida, mientras se mordisqueaba una uña. Todavía no se había quitado la bata y sobre la mesita estaba la bandeja con los restos del desayuno. Los churros se los había comido todos. Está engordando, pensó Rufina. Una de las puertas del armario tenía espejo por dentro y la visión de lo reflejado, además de dotar a la escena de cierta irrealidad, invertía los papeles del reparto. Resultaba evidente que la voz cantante de aquella representación (perteneciente sin duda al género teatral del absurdo) le tocaba llevarla a la chica recia y de sólida pantorrilla con uniforme azul entallado que estaba situada de pie en primer término, crecida ante el empeño de sustituir a la actriz principal que ha sufrido un síncope. Rufina se miró de reojo y se vio bien plantada, un rictus de descaro en la boca, capaz de cualquier réplica, en contraste con aquella figura evanescente del fondo que presentaba síntomas de extenuación. Y se volvió con desparpajo.

–Perdone, señorita, pero no la entiendo. ¿Don Agustín va a venir a buscar la ropa o no? Porque usted el otro día dijo que igual se la daba a Cáritas, y si tiene ese propósito, yo misma le quito el cuidado y me encargo de aliviarle el armario, que conozco a mucha gente a quien le vendrían bien tantos jerséis, trajes y zapatos nuevecitos. A mi chico mismamente, que calza un cuarenta y no es muy alto, bueno usted lo conoce, de la talla del doctor más o menos, él mismo me dio una vez, ¿se acuerda?, aquella chaqueta de mezclilla que le está a Felipe que ni pintada, lo digo también por lo que comentó usted el otro día, de que en cuanto resolviéramos lo de la ropa me podía tomar las vacaciones y se iba usted a la playa, yo necesito saberlo, compréndalo, Felipe está pendiente, lleva todo el mes diciéndole al dueño del taller... Pero por favor, señorita, no llore.

La actriz secundaria, abrumada ante el peso de tanta

responsabilidad y cada vez más hundida en la consideración de su descenso de categoría, había apoyado el codo en el brazo de la butaca y se tapaba la frente con la mano. Se sentía incapaz de pronunciar ninguna frase rotunda para salir mínimamente airosa de un papel que la empujaba sin remedio a hacerle confidencias a la criada. En comedias de Lope de Vega, Tirso y Moreto se ha visto, y en algún entremés de Cervantes como *La cueva de Salamanca,* pero se trata de una complicidad basada siempre en las ganas de divertirse de la señora, y ella no tenía ningunas; el teatro clásico español lo conocía bien y el recuerdo súbito de aquellas malcasadas rebeldes y marisabidillas acentuaba su desazón. Ellas nunca lloraban, inventaban tretas para esquivar la vigilancia paterna o marital, escribían cartas, burlaban a varios enamorados, se disfrazaban de hombre, y si llegaba el turno de las lágrimas fingidas, en cuanto el amante despechado hacía mutis, eran sustituidas por una risa triunfal, compartida al unísono por la criada encubridora. ¡Qué envidia sentía de repente por aquellas Cristinicas, Dianas y Fenisas, tan atrevidas, tan ágiles! Y, para mayor inri, ella ni siquiera conocía el motivo de su desdicha, no era un ataque de celos, ni una pasión rota en el auge de su plenitud, ni esa vaga apetencia de otra cosa que aqueja a las heroínas de ciertos poemas, la princesa está triste, ¿qué tendrá la princesa?, añorantes del amor que llegará en caballo con alas; se acurrucó en la butaca, avergonzada de tanto encogimiento y sinrazón, las suyas eran lágrimas de ceniza.

Rufina se acercó unos pasos, pero sin abandonarse a la piedad que solía despertarle el llanto ajeno. De su ama no le daba ninguna pena. Se quedó de pie, con los brazos cruzados. Qué vidas más raras las de los ricos.

–¿Pero por qué llora? Igual echa usted de menos al doctor.

Manuela Roca se encogió de hombros. Luego sacó

un pañuelo del bolsillo de la bata y se sonó ruidosamente.

–No me entiendo yo misma, Rufina. Me da pereza irme con mi familia a la playa, ya ves, con lo bonito que es aquello y la alegría de cuidar el jardín y ver a toda la familia junta, tantos sobrinos, amigos que llegan y otros que se marchan, pues nada, no me apetece, ni siquiera pensando en mi padre, en lo que reviviría si me ve llegar, que por lo visto anda muy deprimido el pobre, qué le voy a hacer, no tengo ganas de verlos, ni de dejarme cuidar, ni de fingir que estoy contenta, ni de intervenir en sus conversaciones; me parece que no voy a tener nada de que hablar con ellos. ¿Tú lo entiendes?

–Pues sí, verde y con asas. Eso es que echa usted de menos al doctor –sentenció Rufina–. Y a mí no me extraña, tenía muy buen trato y se hacía querer. Y si me permite que sea sincera, más llano que su familia, dónde va a parar, menos apresto, a él le daba corte don José Manuel, se notaba. Otra cosa distinta, y en eso no me meto, es que no congeniaran ustedes y que hayan tomado la decisión que han tomado, para estar a disgusto buena gana, y mayormente pudiendo pagar a abogados de los que lo arreglan todo en un mes, pero yo siento que se fuera, la verdad, conmigo se llevaba muy bien.

Manuela había dejado de llorar, pero seguía mirando los restos del desayuno con ese gesto reconcentrado y obtuso de quien no está pensando realmente en nada, pero sí apretando las cuerdas que lo mantienen atado e inmóvil; del asunto del armario parecía haberse olvidado por completo.

–De todas maneras, señorita, tiene que reaccionar –continuó Rufina–, al fin y al cabo tampoco ha pasado nada del otro mundo. Lo primero y principal es que usted quería esa solución, ¿no?; segundo que él no da la lata, que no sabe usted lo que tiene con que no le haya dado por poner chinitas separados y todo, y luego que nos lo tenemos que meter en la cabeza, la vida es así hoy en día, usar y tirar, quemar etapas, en amores y en todo, usted que compra el *Hola* ya lo sabe, da igual ser famoso que normal, nada dura para siempre, y si vas a mirar, mejor, menos aburrido. Porque también la eternidad ni en el cielo debe de haber quien la aguante. Yo se lo digo a Felipe, mientras dura vida y dulzura, déjate de planes, pero a él no le gusta que sea tan moderna, está empeñado en casarse, ahora quiere que vayamos al pueblo de sus padres para que los conozca yo. En fin, ya veremos, los hombres mucho te quiero, te adoro y te compro un loro, y luego, en cuanto te tienen segura, ahí te quedas, mundo amargo. Claro que su caso es distinto, la que ha pedido el divorcio ha sido usted, o sea que le ha dejado usted, a él, ¿sí o no?, vamos, lo digo para entendernos, porque parece al revés...

Manuela, cada vez más humillada ante la comparación mental de aquella situación con el diálogo picante mantenido entre ama y criada en las comedias de Lope, contestó con un «pues sí...» tan amortiguado e incoloro que daba por clausurada aquella digresión sobre el abandono, sus ventajas y sus inconvenientes. Rufina lo comprendió al vuelo. Se oyeron dar las diez en el reloj de la sala que estaba dentro de un fanal y tenía dos pastorcitas doradas. Todos los lunes se le daba cuerda.

–En fin –dijo en un tono más práctico–, usted dirá qué hacemos con la ropa. ¿El problema cuál es? ¿Que don Agustín no la quiere?

–No sé. Dice que le da igual. A mí me hubiera gustado que viniera por aquí a llevarse también algún grabado, libros, unos cuantos muebles; en una palabra lo que se le antoje, Rufina, pero no se le antoja nada. No tiene apego a las cosas, y cada día menos.

–Pues déjelo. Mejor para usted, que le gusta guardar todo.

–Además, por ahora no tiene casa, como yo le digo, pero la pondrás algún día, y cuanto antes te decidas, mejor, ¿no?, me encantaría ayudarle a buscar un pisito y darle sugerencias para decorarlo, le podía quedar monísimo, yo conozco sus gustos, pero no quiere, que no me preocupe, que no tiene ganas de tener más roces conmigo, que prefiere que quedemos amigos, ¿pero cómo vamos a quedar amigos si no nos vemos?, y él dice: Pues precisamente por eso, de ahí no lo sacas, parece como si no quisiera deberme ningún favor, y de casado era igual, cada uno a lo suyo y el gato a ratones, por lo visto es un refrán que decía su madre, que ropa ya se ha llevado la que necesita, que esté tranquila y me cuide yo, que él ya se apaña, en fin, se ha ido con su hermana, supongo que será provisional, no sé si ella le alquila una habitación o qué.

–No se la alquila –saltó Rufina–, qué se la va a alquilar; esas tacañerías no se dan en hermanos como ellos, que siempre han sido uña y carne, ella es muy amiga de mi tía Chelo, que tiene una mercería enfrente de La Favorita, se conocen de siempre, dice que Tarsi es todo corazón, yo antes iba alguna vez por allí a teñirme, ahora ya no porque ha subido los precios. Se ha montado en otro plan. Y con cabinas de masaje.

A Manuela Roca, de repente, se le encendió un ascua de alarma entre las cenizas de su abatimiento. Era caer muy bajo estar ventilando con una criada, que decididamente no era como las de Lope de Vega, asuntos llamados a propagarse por vía de su tía Chelo hacia terrenos pantanosos. Pero el ascua aquella se apagó, sofocada por una necesidad más acuciante: la de seguir sincerándose con alguien, aunque sólo fuera a medias. Estaba harta del zumbido solitario de aquel moscardón que le daba vueltas por dentro de la cabeza, necesitaba abrirle alguna ventana que de paso diera vía libre a mutaciones del pensamiento anquilosado. Y prefería intentar poner letra a la música desafinada de sus obsesiones ante un testigo como Rufina, que había conocido y querido a Agustín, que ante aquella caterva de rostros hipócritas y compungidos que podían plantar dos besos sobre el suyo en la cafetería, el bingo o la piscina del Excelsior. Y sin embargo, tenía que confesárselo con desagrado, el qué dirán de esa gente le importaba muchísimo, aunque no los viera, aunque hubiera llegado a despreciarlos, en eso residía la contradicción: el moscardón eran ellos, lo que opinaran ellos.

–A mí me gustaría que pusiera un piso independiente, Rufina, me quedaría más tranquila...

–Pero más tranquila ¿por qué?, no lo entiendo.

–Pues no sé, su hermana será muy buena y le querrá mucho, no lo dudo, pero vivir allí, en la trastienda de una peluquería de señoras del casco antiguo, que da a un patio de vecindad, queda raro, desairado, parece como si yo no hubiera sabido hacer un hombre de él.

La actriz principal cerró el armario y volvió a tomar conciencia de su relevancia. Se sentía completamente dueña de la situación, harta de rodeos.

–Pero vamos a ver, doña Manuela, ¿desairado ante quién? ¿Ante los demás o ante usted misma? –inquirió en un tono de desafío.

Manuela Roca se puso de pie.

–Me estás haciendo una pregunta bastante impertinente, no sé si te das cuenta –dijo con una voz insegura donde volvían a vislumbrarse nubes lacrimosas.

–Sí, me doy cuenta –insistió la chica–. Y lo siento, pero estoy sacando la cara por el doctor, que alguien tendrá que defenderle aquí. Si es la gente la que cree que tenía usted la obligación de hacerle un hombre, a esa gente que le den bola, porque es como si no fuera un hombre don Agustín antes de conocerla a usted. Y además, perdone, pero la hombría de un señor qué tiene que ver con que viva en un sitio o en otro. A usted, doña Manuela, es que le encanta poner pisos, no me lo niegue, con todos sus hermanos cuando se han casado ha pasado igual, empieza con las sugerencias, que si una estantería aquí, que si un cuadro allá, que si las ventanas más grandes, que si ese tabique estorba, y luego hasta que no se convierte en maestro de obras no para, ya sabemos que entiende usted mucho de decoración, pero ellos igual prefieren elegir las cosas a su manera, aunque les quede más feo; cada cual tiene sus gustos. Y con el doctor, ídem de lienzo. De ahora en adelante atienda a lo que le guste hacer a usted, que para eso es libre y tiene dinero, y de donde él viva o de lo que haga olvídese, se lo digo por su bien, señorita, jolín, que la veo consumirse a lo tonto. Piense en usted y sanseacabó. Y los demás que digan misa.

Se detuvo en seco, extrañada ella misma de estarle hablando al ama en aquel tono. Pero su euforia se restableció casi enseguida al comprobar que la actriz secundaria no sólo no dirimía la cuestión con una réplica intimidatoria sino que parecía haber perdido completamente los papeles. Se había puesto a dar vueltas por la habitación a modo de oso enjaulado con la cabeza baja y la bata a medio abrochar, respiraba ruidosamente y se tomaba el pulso de vez en cuando. Bisbiseaba algo como para sí misma.

–Las palpitaciones, me vuelven las palpitaciones, no es ningún pretexto, te lo juro, bueno, palpitaciones de amor propio si quieres, da igual, pero las tengo, ya se me pasarán, respiraré hondo, todo se pasa en este mundo, todo, Agustín, hasta el amor propio...

De pronto se detuvo y se quedó mirando la habitación como si volviera en sí de una anestesia. Rufina había tirado una piedra a un charco revuelto y afloraban ciertas evidencias que hasta aquel momento ella nos se había parado a considerar: ni allí ni en toda la casa había un solo objeto que Agustín hubiera elegido o que revelara su presencia. El calor de esa presencia sólo podría atizarse mediante el esfuerzo por revivir algo de lo que dijo mientras cohabitó con ella, palabras que no guardaron más relación con los enseres domésticos que la de haber contorneado sus aristas a modo de polvillo dorado por la luz, brisa que agita los visillos o rachas de lluvia entrando a humedecer lo marchito, unas palabras que como quien oye llover escuchó Manuela tantas veces y ahora le pesaba no poderlas recordar, nunca les había permitido la entrada franca ni supo abandonarse a su ritmo; les opuso una muralla de consideraciones quejumbrosas y banales, y las palabras aquellas se esfumaron como mariposas furtivas, dejando por toda huella un leve temblor en la rama donde se habían posado. Agustín no se gozaba en salirse con la suya, no era testarudo, sermoneador o amigo de peleas de pacotilla, estaba acostumbrado a ver sufrir de verdad y le aburrían los falsos problemas, te quejas de los atolladeros en que tú misma te metes, Manuela, en todo ves un problema, ¿no será que te gusta buscarlos para meterlos en una caja con tapa de cristal y hacer colección? Qué cosas más raras se le ocurrían, y sin embargo fue lo que le llamó la atención de él cuando lo conoció, su amor por la metáfora. Bueno, sí, en realidad basta con fijarse bien para que aparezca un problema. Pero limitarse a coleccionarlos –dijo él– es una pura rutina, y ese fijarse bien que tú dices no es verdad, te fijas por encima, nunca analizas la raíz del problema cuando lo has encontrado, ni consientes que te lo discutan como tal, tampoco te preguntas, antes de coger el trabuco, si eres tú quien lo estás agrandando; y ella contestó aturdida pero revolviéndose bravía ante el certero golpe: ¿Qué trabuco? ¿Qué has querido decir? La escena que surgía del fondo del charco removido había tenido lugar en este mismo dormitorio, tal vez no hiciera tanto tiempo, ella se fue excitando. ¿Qué trabuco, di? ¿Qué trabuco?, repetía en tono belicoso, y él se encogió de hombros, era de las pocas personas que la dejaban sin argumentos, capaz de silencios cargados de mirada impasible, no se marchaba dando un portazo, la dejaba embistiendo a solas, repetitiva y estólida, con los círculos de ira enredados a los pies como reptiles de juguete, ¿qué trabuco?, nada, mujer, era una metáfora. Y Manuela, que necesitaba ardientemente al cabo de cualquier discusión saber quién había quedado encima, ante aquella lógica tan distinta de la suya se sentía en vilo, oscilando entre la indignación y el asombro, impotente para la sonrisa. Aquello del trabuco se le quedó grabado, como si hubiera sonado el disparo de verdad haciendo añicos la cristalería, los espejos y el fanal que protegía el reloj de las pastorcitas. Fue la primera noche que se marchó a dormir a casa de su hermana Rosi, le dijo: No consiento que te pases la vida atacándome, se acabó, Agustín, y cuando yo digo que se acabó es que se acabó, no aguanto más, me voy a separar de ti. Y él dijo: Como quieras, pero suelta el trabuco. Podía haberse reído en ese momento, pero no lo hizo, reírse es una medicina tan fácil de tomar. Ahora no sabía contra quién volver el trabuco. Estaba descargado.

–¿Quiere un vaso de agua? –preguntó Rufina–. Siéntese un rato, si le dan palpitaciones.

Manuela la miró. Quería darle las gracias de alguna manera y se sorprendió de estarle sonriendo afectuosamente, sin esfuerzo.

–No, ya estoy mejor –dijo–. Más que palpitaciones es como si se me hicieran nudos por dentro. Perdona que te haya dado tanta lata con lo de los armarios, que en el fondo es un asunto que no me importa nada, es que me ofusco. Me ha venido muy bien hablar contigo, gracias por tu sinceridad. Y también por tu paciencia, Rufi, por tu paciencia sobre todo. Lo que tengo que hacer es salir de aquí, acabo de verlo claro. Las vacaciones te las puedes tomar esta misma tarde.

Rufina la observaba con una mezcla de recelo y pasmo.

–¿Cómo? ¿Se va por fin a la playa? Pues yo me alegro, le sentará bien.

–Probablemente. Sácame, por favor, la maleta de piel verde mientras me ducho. Se me ha hecho tarde y tengo que hacer muchas cosas esta mañana. Ah, y de la ropa de don Agustín coge lo que quieras. A él le gustará que la aproveche tu novio.

Se miraron. Los ojos de Manuela destilaban envidia y melancolía. Pero estaban secos y parecían haber revivido.

–¿De verdad? Muchas gracias, va a estar guapísimo con esa ropa, bueno, al doctor también le sentaba bien, lo que pasa es que apenas se la ponía. No he querido decir que el doctor no sea guapo.

Manuela, que ya había abierto la puerta del cuarto de baño, se volvió con la mano en el picaporte y, antes de hacer mutis, dijo con su voz empastada y grave de los mejores momentos:

–Guapo no es, pero ridículo tampoco.

Ya podía caer el telón. Había recuperado las riendas de actriz principal. Además Rufina acababa de borrarse. Aquella frase solemne e inesperada, pronunciada por Manuela con la cabeza alta, iba dirigida a su padre, a la silueta fantasmal de don José Manuel surgida al fondo del escenario repentinamente entre telones de niebla; ni ridículo ni servil, eso que se te meta bien en la cabeza, padre, era un telegrama de aviso, ¡ojo!, estoy marcando los límites de mi territorio, ¿entendido?, más vale tarde que nunca, quédate ahí y no avances más. Llego mañana. Stop.

SIETE

Guapo no era, pero ridículo tampoco. Al hacer a solas esta valoración, Manuela se desviaba de criterios familiares –que fueron los suyos– sobre el aspecto caricaturesco de algunas gentes y la puesta en cuestión de su estilo o su clase, vocablos esgrimidos por los Roca como desde un tribunal de limpieza de sangre, válgame Dios, ni que ellos descendieran de la pata del Cid, piojos resucitados, simple burguesía de toga que ha llegado a ser alguien a base de codos y de intrigas, residuo de los regidores y covachuelistas del siglo XVIII, como solía comentar Olimpia Moret, la única, por cierto, que sacó la cara por el marido de Manuela y respaldó públicamente su beneplácito con la asistencia a aquella boda tan discutida. Llegó tarde, con más rímel del habitual, mantilla blanca de blonda, la peineta torcida y algo trompa, la última vez que se la vio en una ceremonia; su presencia chocó muchísimo, aunque la habían invitado, porque ni a los entierros de parientes asistía ya nunca. Y conste que vengo sobre todo por el novio –dijo a los postres de pie, con una copa de champán en la mano y previa llamada de atención a los circunstantes mediante el tintineo de una cucharilla contra la superficie ondulada de una botella de anís–, y estoy brindando para desearle a Manuela que sepa comprender y apreciar en lo que vale el doctor Sánchez del Olmo, que es una eminencia y un hombre cabal. Hubo un silencio condescendiente y asombrado, roto casi enseguida por unos aplausos tibios y el ¡vivan los novios! agudo de una niña vestida de organdí. Pero don José Manuel se mordió con rabia el labio superior y a duras penas fue capaz de mantenerse en silencio. A Olimpia Moret, hija del marqués de San Hermenegildo, nadie podía, ni empeñándose, achacarle falta de «clase», pero sus extravagancias rayaban en lo inadmisible. Y lo peor era que por vías sinuosas pero expeditas acababa de bendecir la decisión disparatada de Manuela, atreviéndose a aconsejarle, por si fuera poco, que agradeciera al cielo su suerte. ¡Lo que hay que oír!

El hecho de que a Agustín le trajera sin cuidado que el señor Roca le incluyera mentalmente en sus sarcasmos y le considerara no sólo insignificante sino además ridículo, le absolvía gloriosamente de la ridiculez, neutralizada además por la elegancia de negarse en redondo a comentar ese tema con Manuela y a emitir juicios de valor sobre su suegro. Ella tardó en entender que aquel no respirar por la herida del doctorcito, como algunos le llamaban, no respondía a un resentimiento disimulado sino a que no existía tal herida.

–Ya sabemos que en lo tocante a escalafón de méritos él tiene sus puntos de vista particulares, Manuela, que no son los míos. Obedece a nociones de premio y castigo, que yo ni me planteo, son vicios de una educación jurídica, cada cual tiene la suya, qué le vamos a hacer, déjalo, no vive con nosotros ni vamos a cambiarlo a su edad, a mí no me ofende, por si te interesa saberlo, así que no pierdas el tiempo defendiéndole ante mí, ni a mí ante él, caso de que lo hagas. Simplemente somos diferentes. Y él es tu padre.

Por estas comparaciones con el padre empezó a abrirse la brecha desde los primeros días del matrimonio, sin olvidar las noches, ya que tardó en consumarse y se consumó mal. Pero ni siquiera apelando a esos fracasos, sobre los que pasaba después del divorcio como gato por brasas, avergonzada de haberlos aducido como materia de pleito, podía recordar Manuela una sola ocasión en que Agustín apareciera rodeado de los atributos del ridículo, más aplicables a los melindres, torpezas y cerrazón derivados de su propia frigidez.

Cuando estaba en primero de carrera, tuvo relaciones con un opositor a notarías que en casa no caía mal, pero que a ella casi enseguida empezó a parecerle ridículo y empalagoso, además le sudaban un poco las manos. Fue de esos noviazgos que la familia consiente sin alarma y que aunque sólo duren año y medio se hacen larguísimos, casi eternos, sobre todo si van pasando los años, no te pareces en nada a Brigitte Bardot y luego tu padre se queda viudo y lo que sigue es una especie de matrimonio con él. La referencia perenne a aquel Adolfo, que siempre estaba empeñado en besarla en el cine y en los parques al atardecer, se convirtió en una isla desierta de vegetación inventada adonde se podía llegar algunas noches tras haberle tomado las lecciones a un hermano poco aplicado, haber reñido a la cocinera o haber sido consultada por don José Manuel sobre cierto pleito difícil. Y en aquella isla languidecía un Adolfo Calderón cada día más borroso y más inalterable al mismo tiempo porque luego se fue de notario a una cabeza de partido y había muerto de tifus sin que se le conocieran otras novias.

La gente decía que se había arrimado a Manuela porque le gustaba emparentar con una familia de reconocida tradición jurídica, pero también decían luego, pasados los años, Manuela tuvo un novio formal y lo dejó, fue ella quien lo dejó, no tenían más remedio que reconocérselo. Y eso, en provincias, prestigia a una mujer.

En todas estas cosas, aunque a saltos, iba pensando Manuela Roca al volante de su Ford Fiesta, mientras circulaba sin rumbo fijo por la ciudad y sus alrededores aquella tarde de agosto, ensimismada y atónita, como secuela de la conversación doméstica que tantos argumentos inamovibles había puesto patas arriba; algunos eran muebles que pesaban mucho, aparadores y armarios pegados siempre a la misma pared, y ahora había que limpiar la porquería que dejaron detrás al ser desplazados.

A principios de verano, Valeria, su sobrina predilecta, le regaló un ensayo sobre la memoria, que te va a venir muy bien –le dijo– para ejercitar el *thinking,* tía, que lo tienes un poco oxidado, y ella lo había ido leyendo a ratos en la piscina del Excelsior. Algo se le quedó, aunque no estaba muy segura de estarse enterando bien. Pero la compañía de aquel libro la hacía sentirse menos vulgar, incluso interesante en su reciente soledad de divorciada, especialmente cuando lo dejaba abierto sobre la tumbona junto al neceser con las cremas y se iba a dar un chapuzón. Era de los de leer un poco y hacer una pausa, porque no tenía puntos y aparte. Traducido del inglés. Decía que las mujeres son más dadas a la ceremonia, y el acto de recordar para ellas, cuando ponen atención, es casi un acto religioso, un camino de perfección para entender la propia identidad. Exigir a la memoria que se enfrente con lo desagradable ayuda a esclarecer qué decisiones se tomaron libremente y cuáles bajo esclavitud, sin olvidar que esa esclavitud puede fomentarla la protagonista misma que hace memoria por culpa de la habitual sumisión femenina a las medias verdades. Y Manuela pensó: Este libro le gustaría a Agustín porque es de los liosos, pero si me lo leyera él no estaría atendiendo. Sacó en consecuencia que recordar bien era procurar no salir a la fuerza favorecida en la foto y darse pistas para no repetir errores. También decía que las cosas que ocurren a lo largo de una jornada las miramos o intervenimos en ellas maquinalmente, sin darnos cuenta de cómo se van uniendo, de cuál vino primero y cuál después, o sea olvidando las pausas intercaladas, por eso las imágenes quedan descosidas al final de ese día, y ya no digamos cuando al cabo de los años se presenta alguna desfigurada en el recuerdo, descolocada totalmente y apretamos para meterla en el sitio que no era, como una pieza de puzzle equivocada, así queda luego de chapucera la reconstrucción.

La radio local había dicho que estaba cambiando el tiempo y que iba a llover, pero Manuela llevaba las ventanillas abiertas y le gustaba saborear aquel primer anticipo de otoño, que le provocaba cierta nostalgia de olores y tactos infantiles, aunque también un miedo raro que combatía apretando el acelerador. La tranquilizaba mucho conducir, se notaba espabilada, extrañada de comprobar que ahora entendía el ensayo sobre la memoria mucho mejor que cuando lo había leído. Debía de ser porque se lo iba aplicando, enriqueciéndolo con notas a pie de página sobre su pasado y también sobre las escenas y personas de un presente que luego sería pasado. No quiero que se me conviertan en imágenes descosidas –pensó a eso de las seis de la tarde–, vamos a ver, ¿qué he hecho desde que Rufina me bajó la maleta al garaje, me despedí de ella y le dije que lo dejara todo bien cerrado, que yo por casa no iba a volver? ¿Con quién he cruzado la palabra?

Primero había llevado el coche a revisión, a un taller del casco antiguo donde la conocían. Y mientras se lo tenían listo, una hora más o menos –le dijeron–, se metió por callejas y pasó delante de La Favorita; estaba dudando si entrar o no para darle un beso a Tarsi, pero dirimió la cuestión Margarita Arce, que salía de allí con el pelo ahuecado y duro de laca. No pudo evitar que la viera, aunque trató de escabullirse, y, al percatarse de que la otra lo había notado, contestó con deliberada sequedad a sus efusiones y a sus preguntas indiscretas. Era una de las señoras más cotillas de la ciudad, que cómo no había salido de veraneo, que si seguía tratando con su ex, que la encontraba estupenda y (con marcado retintín) que si iba a arreglarse el pelo en La Favorita, no, no, voy con prisa a recoger el coche que me lo tienen en revisión, perdóname pero tengo que dejarte, tú siempre tan activa, te encuentro fenomenal, Manuela, fenomenal, y lo bien que te tiras de cabeza a la piscina, que siempre que vamos a tomar el té al Excelsior lo comentamos, menuda liberación lo tuyo, ¿no? De aquella conversación no le quedó más que un rastro de falsedad y desagrado, no quería acordarse, y sin embargo se acordaba, le daba rabia que Margarita hubiera notado que se sentía violenta, imaginar cómo comentaría luego aquel encuentro con gente muy relacionada toda ella con la familia Roca; pero después, cuando salió de aquel atolladero de callejuelas a paso vivo y se vio en la Alameda, que a aquellas horas no iba nadie, se puso a considerar, sentada en un banco, que lo que más le reconcomía las tripas era no haberle dicho: Métete en tus asuntos, bruja, y a Agustín ni lo nombres. Y por ahí le vinieron los recuerdos de la boda y de lo que había dicho Olimpia Moret a los postres del banquete. Sentada en aquel banco de la Alameda se le saltaron algunas lágrimas, que se secó rápidamente. Luego se fue serenando, pero había vuelto a vislumbrar aquel charco hondo del que iba a serle difícil salir, trató de acordarse de las palabras de Rufina, le iba a costar, no sabía qué hacer con su vida, ésa era la verdad, ¡qué sincera Rufi, y qué buena!, a la vuelta le subiría el sueldo. Reemprendió su paseo.

¿Habló con alguien más en ese rato? Ah, bueno, hablar no, pero se encontró con Abel Bores, lo vio de lejos, sentado en un chiringuito, a la sombra del magnolio grande, y según se iba acercando pensaba si le saludaría o no. Había sido profesor suyo en primero de Letras, carrera que Manuela empezó antes de decidirse por Derecho, daba filosofía y enamoraba a las alumnas. Tenía una taza de café vacía encima del velador, sujetando con ella los periódicos, porque se había levantado aire, enfrascado en la lectura de un libro. Manuela dedujo que debía de llevar bastante rato allí. Pasó despacio por delante de él, balanceando el bolso, pero no se atrevió a saludarle porque él no levantó los ojos. No estaba segura de si no la había visto o había fingido no verla. A sus pies, entre sol y sombra, dormitaba un perro blanco con manchas negras.

Luego se le ocurrió entrar en el Museo Municipal, que estaba vacío como una iglesia. Se quedó bastante rato delante de un cuadro que representaba un enjambre de individuos subidos en las ramas de un árbol frondoso, mientras dos leñadores serraban el tronco del árbol, y ellos tan tranquilos allí arriba, bebiendo y riéndose, alguno con un laúd. Cuando empezaron a ser amigos, Agustín la había llevado a ver aquel cuadro y le extrañó que no lo conociera, viviendo desde siempre en la ciudad. Es bueno desarrollar la curiosidad por lo que tenemos cerca –le dijo–, como hacer gimnasia para que no se atrofien los músculos. Mirando lo que hay fuera es como se aprende. Porque muchas veces lo que hay fuera lo llevamos dentro también, y no lo sabíamos.

Manuela cerró los ojos pensando en aquello, tratando de recordar la voz de Agustín cuando lo dijo, el vestido que llevaba puesto ella; y luego los abrió con susto e incluso ahogando un grito, porque notó una presencia a su lado, un olor a colonia de flores. Era una señora muy elegante y muy guapa, probablemente extranjera, que estaba mirando el mismo cuadro y también con mucha atención. Llevaba un traje de lino color canela, de chaqueta y pantalón, y un pañuelo largo en los mismos tonos y algo de azul. Se disculpó de haberla asustado. Es que como por aquí no viene nunca nadie, dijo Manuela. Y se sentó en un banquito circular que había en medio de la sala. La señora se acercó. Se ha quedado usted muy pálida. ¿Se encuentra bien? Sí, gracias, es que estaba pensando antes que ese árbol de la vida lo llevamos por dentro, y nos están serrando el tronco y no nos damos cuenta. Me asusté porque estaba pensando eso. La otra sonrió, dijo: No me extraña, y se despidieron como desde lejos, deseándose mutuamente buenos días.

Después de recoger el coche en el taller, la volvió a ver fugazmente cuando aparcó delante de Correos para poner un telegrama a su familia; prefería avisar por telegrama, así se sentía más obligada a no volverse atrás, y de hablar por teléfono con Rosi estaba harta. Pero sin concretar mucho, dándose un margen de libertad. «Llego mañana. Stop. Besos. Manuela.» No decía hora ni si iba en coche o en tren, se quedarían algo preocupados, pues bueno, que se preocuparan, ella tenía cincuenta y tres años y podía hacer lo que le diera la gana, ya era hora de empezar a romper dependencias, iba a ser un aprendizaje difícil, eso ya lo sabía.

Al salir de Correos, la señora del museo estaba parada junto a uno de los leones dorados, cuya boca abierta era buzón, y le acariciaba la melena con gesto pensativo. Se sonrieron.

–¿Qué tal va el dolor de árbol? –preguntó la señora.

–Mejor, se me ha pasado bastante.

Manuela vio que sacaba de una bolsa de ante una cámara fotográfica muy pequeñita y se la tendía.

–¿Le molestaría hacerme una foto? –le preguntó–. No hay más que mirar por el cuadrado y apretar el botoncito rojo de la derecha. Es muy fácil.

Se abrazó a la cabeza del león, sonrió y Manuela le hizo la foto. Al devolverle la cámara le preguntó que si era de por allí.

–No. Soy de Nueva York.

–Pues no se le nota nada de acento.

–Bueno, es que mis padres eran españoles.

–Ya. Pues nada, hasta dentro de un rato, que volveremos a encontrarnos, si Dios no lo remedia –dijo Manuela sonriendo.

Esta vez se estrecharon la mano al despedirse.

A partir de entonces, Manuela se alejó de la ciudad y siguió conduciendo al azar, con las ventanillas abiertas, oyendo música de Brahms y de Vivaldi, sus dos compositores favoritos. Atravesaba pueblos que, si había visto alguna vez, no recordaba en absoluto ni de nombre. En uno de ellos entró con idea de buscar algún bar, porque tenía hambre. Encontró uno en la plaza y aparcó el coche allí, junto al Ayuntamiento, que tenía un reloj parado. Las nubes se habían enmarañado y soplaba un aire caliente que arrastraba en remolinos papeles y colillas sobre el empedrado. En el bar le dijeron que ya no servían comidas, porque eran las seis, a Manuela le chocó que fuera tan tarde y entonces es cuando empezó a hacer el examen de conciencia de su tiempo reciente, para que no se le quedaran perdidos en la bruma los acontecimientos azarosos que la habían llevado a ese bar tal vez remoto donde unos hombres jugaban al dominó, y ella se tomaba un botellín de cerveza con un pincho de tortilla bastante seca, mientras se daba cuenta de que se le estaba yendo, a ratos casi por completo, el moscardón de las obsesiones.

Sonrió acordándose de Valeria, pensaba ponerle una postal desde donde fuera dándole las gracias por el libro. Valeria, hija de su hermano Andrés, era una de las primeras chicas de su generación que se largó de casa a los diecisiete años, determinada a no volver a pedirle un duro a su familia, porque no los aguantaba. Había vivido un par de años en Ibiza. Ahora, con treinta, era una periodista atrevida y brillante, en perpetua huida de la mediocridad. Dirigía un programa muy famoso en la radio local y también llevaba con otros jóvenes una revista de poesía, *Tamiz,* editada con mucho esmero y destacada en los suplementos culturales de Madrid y Barcelona. Con su padre mantenía unas relaciones que ni siquiera podían motejarse de turbulentas, de puro escasas. Una vez que Manuela quiso meterse a mediadora porque habían tenido bronca e intentó apelar a los lazos de sangre para sonsacarle si quería a su padre o no, Valeria la miró de frente y dijo con serenidad sobrecogedora: Ni le quiero ni le dejo de querer. Sencillamente, tía Manuela, polos opuestos. Vivía con un chico sin casarse, a él no se le conocía oficio ni beneficio y en la familia se comentaba con escándalo que lo mantenía ella. A Manuela en tiempos también le había escandalizado muchísimo, luego ya menos, y en aquel momento, mientras pedía un bocadillo de chorizo, casi nada.

Ni el pincho de tortilla ni el chorizo le cayeron bien y además seguía con hambre. Se levantó, pagó en la barra y preguntó si tenían bicarbonato. Entró en el baño, que estaba bastante asqueroso, y luego siguió camino hacia ninguna parte.

La tormenta le pilló a eso de las siete y media, por una carretera vecinal que no había transitado nunca. Empezó a caer una lluvia furiosa que pronto se convirtió en granizo y le costaba trabajo avanzar porque iba un poco cuesta arriba y al limpiaparabrisas no le daba tiempo a limpiar el cristal. Además el pedrisco rebotaba sobre el techo del coche haciendo mucho ruido. Me tirotean desde el cielo –pensó encogida– y yo aquí sola. Pero siguió, no se podía parar. A lo lejos se veía un pueblo al abrigo de una montaña coronada por ruinas de castillo. En aquel pueblo, más miserable aún que el anterior, se refugió de la tormenta, que duró bastante. Desde una especie de caramelería, donde también vendían tabaco y revistas, vio cómo iban amainando los relámpagos y se pintaba sobre el campo el arco iris. Entonces se dio cuenta del susto que había pasado.

Regresó a la ciudad a eso de las nueve. Allí parecía que no había llovido. Enfiló hacia el arrabal donde estaba situado el ambulatorio de Agustín. Quería sonreírle, despedirse de él sonriendo. Simplemente eso, decirle: Me voy unos días, que seas feliz, yo me encuentro bien. Gracias por todo.

Pero cuando llegó allí, y estaba aparcando el coche, vio que Agustín venía andando por la otra acera, en dirección a la ciudad. Ya había anochecido, pero aún quedaban algunos claros naranja entre unas nubes aterciopeladas y densas, color ratón. No iba solo, sino acompañado por un chico delgado, moreno, muy guapo. No la vieron. Iban charlando animadamente. Llevaban sendos cucuruchos de cerezas y de vez en cuando Agustín sacaba una, se la metía en la boca y se paraba. El otro hacía lo mismo. ¿Sería algún enfermo?

Manuela bajó la ventanilla para llamarlo, pero la voz no le salía. No fue capaz. Se arrodilló en el asiento, y los vio desaparecer, cada vez más pequeños, apenas iluminados por el precario resplandor de las farolas recién encendidas.

Mejor, mucho mejor –se dijo–. Las cosas cuando se rematan, se rematan y se acabó.

Volvió a poner música de Brahms. Agustín había desaparecido. Pero de la tarde quedaba algo. Por ejemplo la intriga por saber cómo se llamaría la señora del museo. Y quien sería aquel chico que iba comiendo cerezas con el doctor Sánchez.

Dormiría en un parador de carretera. Se sentía muy cansada.

Cuando arrancó el coche, le temblaban las manos y estaba llorando.

OCHO

Se conocieron a la puerta de una frutería pequeña, no lejos del ambulatorio, crecida como por casualidad en una de aquellas callejas difíciles de identificar que parecen aumentar de un día para otro sus ramificaciones y acaban saliendo al campo en una atolondrada escapatoria de sí mismas, a medida que el arrabal se desintegra. Cerraba tarde, o tal vez nunca, se llamaba La Gruta, un nombre acertado aunque transcrito en letras desiguales. La entrada era angosta, sin rastro de puerta ni cierre metálico, un pasillo entre cajones apilados en la calle; y tampoco dentro cabían con holgura más de dos clientes, porque una nevera de helados Frigo, un aparador oscuro sobre cuyo mármol se apoyaba la balanza, la dueña llamativamente obesa y un oso polar de cartón plano tamaño persona, ocupaban casi todo el espacio que dejaban libre las estanterías de fruta.

A veces la dueña, que se desplazaba con parsimonia y gestos ampulosos, resoplando levemente, tropezaba con el oso y éste se tambaleaba sobre su soporte trasero. Siempre en medio, Cachazudo, no sé cómo te aguanto, refunfuñaba. Agustín le calculó cuarenta y cinco años, problemas cardiovasculares y alrededor de ciento veinte kilos. Estaba atendiendo a una viejecita color pergamino que obstruía la entrada, mientras mantenía en voz baja y quejumbrosa una retahíla inconexa a propósito del poder milagroso de las brevas, tal vez las brevas le evocasen alguna escena de juventud esfumada incluso para ella misma y ardua de repescar, el esfuerzo de trepar hacia el fruto, olores de verano, el fulgor de otros ojos. El tono, sin embargo, era de cuento triste, pronunciaba la palabra «breva» con mimo reverencial y decía: ¡Ay señor, ¿dónde estaré yo?, qué vida ésta!, con tal carga de sentimiento que Agustín le preguntó si se encontraba bien y le buscó el pulso en la muñeca huesuda. La mujer le miró sin contestar nada, con ojos velados por un jirón de susto.

–¡Qué le va a pasar! Es que ella es así, maúlla por todo –aclaró desde el interior de la gruta la descomunal vendedora–. Y además es sorda.

A la vieja le caían gotas de sudor, porque aunque venía en bata y zapatillas, se abrigaba con un chaquetón de astracán despeluchado, herencia sin duda de mejores tiempos, tachonado de calvas. Liberó su mano de la de Agustín y se le agarró al brazo unos instantes. ¿A quién imaginará estarse acercando?, pensó él; y sintió un conocido escalofrío, el que sopla desde las fronteras de la demencia.

–Sabían más dulces –la oyó decir–, luego pierden virtud, se les va el misterio, ay señor, qué martirio, se me olvidan las cosas, ya no sé cómo era..., da pena comerlas, hijo.

Dentro, de espaldas, la vendedora iba sustituyendo en la balanza una breva mayor por otra más chica, no le daba el peso exacto, repetía la operación. Se volvió y dijo a gritos:

–En un cuarto de kilo te entran cuatro, Pastora, pero te pongo cinco, hala, una de propina, ¿me oyes? ¡Cinco!... ¿Y ustedes qué querían? ¿Vienen juntos?

Hasta ese momento, Agustín no se había fijado en el

chico que estaba en la calle a su lado, esperando también. Se miraron fugazmente. Era alto, moreno, de ojos claros y pelo crecido. Llevaba vaqueros, cazadora negra y un rollo de carteles bajo el brazo.

–No, no venimos juntos –se adelantó a decir–. Y yo quiero medio kilo de cerezas.

–Bueno, bueno, joven, sin agobiar. Estoy yo sola para todo, aquí con prisas no se despacha.

–Ya veo, ya... –dijo el chico.

Se apoyó contra la pared, encendió un pitillo y se quedó mirando a lo lejos, hacia aquel ocaso de teatro romántico que se despeñaba entre paredes de adobe, al fondo de una callejuela en cuesta. Agustín casualmente también quería cerezas, pero se mantuvo a la espera. Posiblemente aquello iba para largo, y el otro acababa de establecer que quien daba la vez era él. Le miró con cierta curiosidad, pero aletargada. Había sido un día malo, de esos en que el enfermo te pilla bajo de defensas y te contagia. Respiró hondo, se notaba el alivio de la tormenta recién descargada y sin embargo el bochorno se le había quedado por dentro, como un engrudo que le encolaba fantasmas en las paredes sin nombre donde se acumula la desidia, necesitaba barrer tanta porquería, la cosa venía de atrás, llevaba días necesitando una limpieza de fondos, pero no tenía gana, es peligroso, aparecen gérmenes que uno preferiría ignorar que están ahí; tenía ganas de irse lejos, de no pensar, pensar le daba miedo. Igual se metía en un cine.

El miedo se lo contagiaban los enfermos, eso ya lo sabía, lo supo desde que eligió aquella carrera, desde que entró por primera vez en un depósito de cadáveres, así que procuraba tomar precauciones. Pero las precauciones, igual que las píldoras anticonceptivas, no funcionan siempre, alguna vez se baja la guardia, te cansas de pasarte la vida al acecho de algo que más tarde o más temprano ha de llegar si Dios no lo remedia, y no hay noticias de que ningún Mahoma ni Jehová ni Buda ni Shiva ni Visnú haya puesto remedio al trance de la muerte. El virus que segregaban los enfermos remitía, claro, en última instancia, a la idea de muerte, y el antídoto consistía en disimular esa raíz, en olvidarla incluso cuando era posible, que no siempre lo era. Solamente aislando la enfermedad como un fenómeno concreto, huérfano de turbadores parentescos, había manera de ponerse a trabajar eficazmente sobre cada cuadro de síntomas. Y así se criaba la fe, metiéndose a desbrozar sin miedo el bosque del miedo. Pero muchas veces la moral falla, como edificio vulnerable que es, expuesto a los estragos de la intemperie; y, al solo pensamiento de que se lo puede comer la maleza, se agiganta la maleza. Agustín se enteraba enseguida de quién había venido de buena fe a buscar y seguir el camino en cuesta de la curación, quién a engañarse bebiendo cualquier sorbo de agua con anís y quién (tras la primera mueca que sólo un inexperto tomaría por sonrisa) determinado a no admitir fármacos ni palabra que no suministraran una dosis supletoria de lastre para hundirse aún más en la tiniebla, como esas nubes que emborronan la esperanza naciente de cualquier claridad.

Y si los propios miedos, como le había ocurrido a Agustín ese día, no podían resistir la tentación de salir a bailar abrazados con los del enfermo, la fusión podía convertirse en aquelarre, todo se ponía patas arriba.

Hoy había sido un día de patas arriba desde que amaneció, desde que Tarsi le preguntó a la hora del desayuno: Ayer llegaste un poco tarde, ¿no?; y él no fue capaz de mantenerle la mirada y contestar: Sí, y vine borracho, ni en sueños se imaginaba diciendo eso ante unos ojos admirativos e incondicionales que con el tiempo tanto se iban pareciendo a los de la madre, desplegando las mismas hebras sutiles de araña fiscalizadora, y se avergonzó de pensar que con Manuela eso nunca lo había sentido porque le daba igual, porque eran de otra raza y él desde el primer día de matrimonio sintió la suya indomable y superior. Tenía que buscarse un agujero para vivir solo, para esconderse de todo el mundo; aquella silenciosa y olvidada coacción familiar encendida de improviso durante el desayuno como una brasa color guinda sobre el helado del reciente insomnio, ponía de relieve sin paliativos la faz escondida de sus medias verdades, y era un factor de riesgo. Y cuando Adela, la enfermera del ambulatorio, le sonrió con dulzura y le saludó con el habitual buenos días tenga usted, doctor Sánchez, estuvo a punto de confesarle que no iban a ser buenos días, que no lo podían ser, a punto de pedirle una tregua para enderezar todo lo que traía por dentro patas arriba antes de ponerse a desempeñar el arrogante cometido de arreglar maquinarias ajenas, ganas de decirle que por favor avisaran al suplente, mire usted, aquí tengo el número de su teléfono móvil, que llamaran al doctor Marín, porque el doctor Sánchez traía el letrero de *out of service* como los ascensores rotos. ¿Y por qué? ¿Había tenido algún cólico, algún problema familiar? Pues en cierta manera sí, Adela, pero eso son consecuencias. El doctor Sánchez –aunque esto fuera también otra consecuencia– se había pasado muchísimo de copas en el bar Oriente la noche anterior, había probado así mismo otras sustancias y otros roces, había dicho cosas ridículas de las que sólo se acordaba a medias, tal vez había llorado sobre el hombro de alguien y había entendido también a medias que la vida en torno era un mar tumultuoso que lindaba con la muerte y derribaba los precarios diques que se prescriben desde un laboratorio, y luego, tras entrar en su casa haciendo eses y a pasos de ladrón, rebullendo en la cama con los ojos abiertos mientras oía dar las horas, los cuartos y las medias en el reloj de una plaza lejana, no paraba de preguntarse con qué cara ni en nombre de qué se arrogaba él la pretensión de curar a nadie.

La viejecita se marchó calle abajo con esguinces de lagartija, envuelta en su gastado chaquetón, mientras acariciaba el paquete de brevas, hasta que la distancia apagó sus sutiles quejidos. Cualquier golpe imprevisto de viento podría hacerle dar con sus huesos en tierra. Ahora el muchacho de los ojos claros se había colado al interior y contemplaba entre asombrado y risueño el gran oso de cartón, sin dejar de vigilar tampoco las idas y venidas de la vendedora, que acarreaba cerezas a la balanza puñado tras puñado, como si disfrutara tardando. En uno de aquellos paseos se volvió hacia Agustín, que ocupaba la estrecha entrada, y le preguntó qué iba a comprar él. Agustín aventó la imagen del bar Oriente y se metió en la gruta. Olía a humedad.

–También cerezas –dijo–, otro medio kilo.

–Pues entonces, si no les importa, pongo un kilo y lo reparto en dos cucuruchos, porque no vamos a andar contando cereza más cereza menos. Al fin vienen ustedes juntos, ¿no?

Agustín se encogió de hombros con gesto de cansancio y extravío; estaban bajo el mismo techo, eso sí, y había una cercanía mayor, buscó una pequeña franja de pared libre y se apoyó contra ella, a espaldas del oso. Desde allí veía el perfil del otro y notó que parecía divertirle aquella situación tan absurda.

–Bueno, digamos que nos unen las cerezas –concedió con un poco de guasa.

Tenía una voz muy bonita. Agustín apartó la vista. Unidos por las cerezas. No sabía si le gustaba o no que hubiera dicho aquello; significaba un pequeño obstáculo a su afán perentorio por esconderse, escapar de cualquier atadura y estar solo. Pero la frase daba pie a otros símiles y él la cabeza, desde la noche anterior, la tenía muy disparada. Que nos unen las cerezas o que nosotros mismos somos cerezas que se enganchan –pensó–, veo más adecuado expresarlo así. Cada uno de nosotros, hasta los que tanto presumimos de ir por libre, puede salir enganchado con quien menos se espera del canasto de la vida, basta con tirar sin querer de un cabo de miedo cercano al tuyo y ya la has liado, igual le pasaba a mi madre con los hilos del costurero, somos cerezas en un canasto. Miró a la mujer gorda. Vio balancearse en el aire durante unos instantes aquellos racimos de redondeles rojos enlazados por el rabo, trasladados al platillo de cobre a ritmo de minué, y abatió los párpados, se estaba mareando un poco. No es nada. Simple cansancio. Es que no llegué a pegar ojo ni diez minutos, y luego la consulta, y la tormenta. Del cuerpo no se puede tirar así. Tranquilo, ya se pasa. Todo se pasa.

Por dentro de los ojos, las cerezas hermanas que enseguida iban a separarse, se fragmentaban estallando en luces de color granate, sangre contra las paredes al ritmo de una música descoyuntada, la gente esnifaba coca y se metía mano en el sótano del bar Oriente. Él no sabía que tuviera un sótano, por allí andaba Alicia, su paciente anoréxica, había sido una excursión por terreno pantanoso, abrió los ojos, tal vez un sueño. ¿Y esto? ¿No era un sueño raro también esta gruta? Cuanto menos se duerme, más raro parece todo lo que ve uno cuando está despierto. Se despegó de la pared.

Acababa de darse cuenta, medio sonámbulo, de que había surgido, a la hora de pagar, un minúsculo problema relativo al cambio; y el chico de los ojos claros, para zanjar polémicas con la gorda, puso quince pesetas más y cogió ambos cucuruchos. Antes había estado hurgando en el monedero que Agustín, absorto, le tendía. Todo se había desarrollado en silencio, con gestos acoplados y armoniosos que parecían atenerse a un ensayo previo.

–Ahora echan ustedes sus cuentas en la calle –dijo la vendedora–; después de todo, entre amigos da igual. Y que además nos vamos a morir pobres lo mismo, yo siempre lo digo. Cuanto más ricos, más pobres. ¿Tengo razón o no?

–Pues sí –dijo Agustín, al tiempo que recogía su ración de fruta de manos del desconocido.

Y, de repente, ya habían salido los dos de la tienda y sin preguntarse ¿hacia dónde va usted? ni nada parecido, se estaban alejando de aquel barrio y enfilaban la calle ancha que lleva a la ciudad. Agustín ligeramente más adelantado, acaso a modo de capitán que sugiere la huida de alguna emboscada. Por eso no quería meterse en otra. Seguramente este muchacho –iba pensando– cruzará a la otra acera para tomar el autobús en la próxima parada, se largará con sus cerezas y yo me quedaré con las mías, ojalá. Y era verdad que por una parte lo deseaba porque, con lo enmarañadas que tenía las ideas, no le apetecía añadir a su cansancio el de verse obligado a conversar con un desconocido; pero por otra no, y ese «no», aunque de origen incierto, se iba volviendo rotundo, fomentado por el grato silencio que se fue instalando entre ambos y que, sin embargo, llegó a pesar un poco. Ahora ya no cabía duda alguna de que caminaban juntos, el chico a su izquierda, por dentro de la acera.

No era fácil que viviera por allí. Era una avenida destartalada donde sobrevivían, intercalados entre árboles frondosos de grueso tronco, cuarteles, conventos, palacios a medio derruir con las contraventanas cerradas, hospitales y algún viejo almacén. También se veían solares en cuyo interior crecían las ortigas entre restos de escaleras con barandilla herrumbrosa y se apreciaba la sombra ahumada de alguna fogata reciente como sarro adherido a las paredes de un hueco de muela.

Las cerezas estaban buenísimas. Dejaban un frescor

ascendente que se propagaba del paladar al cerebro y abría ventanas.

–Te debo quince pesetas –dijo Agustín.

–Da igual, nos vamos a morir pobres lo mismo –dijo el chico–. Qué escena, ¿verdad?, y luego la vieja del chaquetón de piel y el oso, ¿te diste cuenta de que la frutera hablaba con el oso?, yo no daba crédito, ya sé que decir kafkiano suena a tópico, pero era kafkiano, no se ven tiendas así normalmente, hay un cuento ahí, lo he visto claro.

Se acababan de encender las farolas altas y de tallo fino. Un diseño con pretensiones de moderno y de hacer ricos a un par de arquitectos municipales; daban una luz desvaída y naranja.

–Bueno, los cuentos brotan por todas partes –dijo Agustín–, lo que pasa es que algunos crecen bajo tierra, hay que escarbar y no siempre se tiene gana. Los mejores no son esos que se ven tan claros.

El chico se detuvo y se quedó mirándolo con cierta desorientación.

–¿Tú a la vieja la conocías? –preguntó.

–Yo no.

–Como le tomaste el pulso.

–Es que soy médico.

–¿Médico? ¿De verdad? No te pega nada. De todas maneras, en las ciudades pequeñas la vida marcha a otro ritmo, como entre un pasado que ya no gusta y un porvenir sin dibujar; se dan tipos alucinantes, vamos, que no los sitúas, yo no paro de tomar notas.

Agustín iba vestido con pantalones claros que se le habían quedado anchos y una sahariana vieja de manga corta a la que tenía mucho cariño y que Manuela le había intentado tirar varias veces. Calzaba zapatillas de deporte.

–¿Notas? –preguntó con cierta ironía–. ¿Y a mí en que grupo de tu fichero me has clasificado?

–¿A ti? De tío normal, que va tirando, sin trabajo fijo ni vivienda asequible. Yo de un médico como tú me fiaría seguro. Oye, por cierto –añadió, mientras miraba a ambos lados de la avenida–, ¿conoces algún bar por aquí cerca? No se ve un alma.

–Un poco más abajo, torciendo a la izquierda, ya entramos en zona de bares, bueno no tan poco, queda un buen trecho todavía. ¿Hacia dónde vas tú?

–Yo a ningún sitio especial. Pero me convenía dejar estos carteles en bares de extrarradio, es un encargo, ya he dejado diez, aunque si quieres que te diga la verdad a mí todo me parece extrarradio. Con lo bien que me suelo orientar, aquí me paso el día perdido. Oye, las cerezas estaban de droga dura. Me han sabido a poco.

Hizo una bola con el cucurucho y esperó a llegar a una papelera para tirarlo. Pasaban pocos coches. Saltó un gato por la tapia rota de un solar. Dentro se movían perezosamente bultos oscuros, tumbados o en cuclillas entre las ruinas y la mala hierba. A aquel sitio lo llamaban La Antesala, venía gente a pincharse, Agustín conocía a algunos. Apretó el paso.

–¿Y de qué van esos carteles? –preguntó–. ¿Propaganda subversiva?

–¿Qué dices? Ojalá. A mí me encantaría ser un subversivo, sueño con eso, pero hoy ya no hay subversión ni héroes ni nada. Son anuncios de zarzuela. Me he prestado a repartirlos por bares menos céntricos, donde todavía se puede conservar la afición al género chico, ¿no te parece?, se me ocurrió a mí, lo vengo haciendo por todas las provincias de la gira, y así de paso conozco los suburbios, se encuentra uno con gente increíble, bueno, como tú mismo. No hay nada como la periferia, también en Madrid, pero de Madrid me he aburrido.

A Agustín le empezaba a agobiar un poco aquel muchacho, más que nada porque hablaba muy deprisa y se iba perfilando en su discurso cierta tendencia hacia lo autobiográfico. Pero al mismo tiempo le despertaba ternura y eso le puso en guardia. Decidió no hacerle más preguntas y contestar lacónicamente a las que él le dirigiera, aunque eso resultó fácil porque era de los que hacen pocas preguntas.

Le oyó decir que no se planteaba el futuro, pero que había decidido encontrarle un sentido a la vida, que en Madrid no se le encontraba un sentido a la vida. Era técnico de luces y también había trabajado en la radio y como telefonista de una empresa. Madrid, dijo, era un albergue de ídolos rotos y de amores de alquiler. Este trabajo de la zarzuela le surgió por casualidad, caído del cielo, cuando estaba pasando una racha malísima, hasta un intento de suicidio había tenido; se lo proporcionó un amigo de su abuelo, y enseguida dijo que sí, que para lo que fuera, que si hacía falta alguna suplencia la podía hacer también porque tenía buena voz y una memoria de elefante, necesitaba poner tierra por medio y además qué manía tenemos con viajar al extranjero sin conocer antes España, que la vienen a ver todos los extranjeros, con los sitios tan fabulosos que tiene, aunque él de catedrales y castillos pasaba bastante, total que dijo que sí, y encima les resolvió una papeleta porque era urgente, no a todo el mundo le gusta pasarse un verano entero rodando por provincias y tratando a diario con gente bastante cutre, la verdad, un grupo de actores mediocres que ni se conocen mucho entre sí ni se llevan bien ni tienen ilusión, han querido llegar más alto y los años les pesan pero siguen en divo, algo bastante patético. Como todas las cosas cuando se ven de cerca, pensó Agustín. Pero no dijo nada, no tenía ganas de meterse en filosofías.

Estaban acercándose a una zona por la que ya circulaba más gente y de la que empezaban a surgir calles más iluminadas. El chico dijo que él vivía en una pensión cerca de la Catedral, siempre procuraba tomar alojamiento por su cuenta, y así evitaba roces y chismes, le habían tomado cariño, porque estaba dispuesto a ayudar en lo que fuera. Al principio sólo venía como electricista y técnico de sonido, pero ya llevaba tres semanas sacando adelante con bastante garbo una suplencia en *Luisa Fernanda,* el actor que hacía el papel de Aníbal había tenido un accidente grave de moto y lo habían llevado a Madrid al Gregorio Marañón, igual quedaba parapléjico.

–Cantar canto sólo en el coro, pero tengo una escena hablada de mucho lucimiento, salgo herido, con la cabeza vendada, y le echo mucha pasión a lo que digo, algunos periódicos han destacado mi actuación, en tierra de ciegos el tuerto es rey, pero me divierte salir en los periódicos, ahora igual resulta que para actor sirvo. Aníbal es un conspirador contra el trono de Isabel II. ¿Conoces *Luisa Fernanda*?

Agustín le dijo que la había visto alguna vez en vida de su madre, pero que no se acordaba de que salieran conspiradores, que aquella historia la tenía asociada más bien con unas señoritas ligeramente cursis que le pedían novio a San Antonio por ser un santo casamentero, mientras se defendían del sol bajo sombrillas de encaje.

–Claro –dijo el chico–, es que en las zarzuelas pasa eso, sólo se acuerda uno de lo más facilón.

Habían llegado a una plazoleta con árboles y una fuente en medio, donde había unos niños jugando.

–Oye –comentó–, la cantidad de plazuelas que hay en esta ciudad es alucinante, al principio creí que eran todas la misma, pero no, yo es que me fijo mucho en esas cosas, desde la ventana de mi pensión se ven tres.

Agustín dijo que estaba cansadísimo, que había tenido un día de trabajo muy duro y se sentó en un banco. Creyó que era una forma de estarse despidiendo, pero resultó equivocada la suposición, porque el zarzuelero se sentó a su lado y desplegó uno de los carteles. No eran grandes. Ya sólo le quedaban cuatro por repartir. Venían anunciados los títulos que se iban a dar en el teatro Astoria a partir del día siguiente: *La del manojo de rosas, La Dolorosa, Molinos de viento,* y por último *Luisa Fernanda.*

–Supongo que vendrás a verme, me encantaría. Te advierto que el argumento de *Luisa Fernanda* lleva bastante carga política, a mí, como comprenderás, de Isabel II no me importa nada, pero la situación me permite hacer una transferencia de mis sueños de rebeldía contra la sociedad de consumo, da pie, me veo allí en el escenario y sueño con un enjambre de balas silbando realmente sobre mi cabeza y me convierto en alguien, una sociedad sin héroes no puede ser creativa, «Señora, es temperamento, sangre, casta, a mí me dan un trabuco y un pretexto para reñir y ya está», avanzo hacia las candilejas y me identifico con ese Aníbal, me lo tomo totalmente a pecho, un pretexto, sí, morir por algo, es una escena preciosa, ha habido barricadas en la calle de Toledo y me sacan a rastras, me tambaleo un poco, imaginándome que me han herido de verdad, se me estremece la voz, porque creo que voy a morir por el arte mismo que se desvirtúa, por la falta de ideales, sería tan fantástico caer allí sobre las tablas con la sangre manando por la herida ante un público despierto, emocionado, y yo: Señores, ¿hay un médico en la sala?, cuando se lo digo a mis compañeros me miran como a un loco.

–Hombre –interrumpió Agustín–, un poco loco sí parece que estás.

–Es que me provocan, oye, son unos impresentables. ¿Tú crees que se puede hacer un trabajo que intenta dar recreo con una dosis cero de entusiasmo? No te digo cómo es Vidal, cómo es Luisa Fernanda y el caballero del alto plumero, y todos, cómo es viajar con ellos, comer con ellos, si lo piensas bien te da pena, no hablan más que de jubilación, y todo el día con chismes... Por cierto, mañana tenemos ensayo, me andarán buscando, todavía no sé ni dónde está el Astoria. Creo que tengo un plano por aquí... Ayúdame a orientarme.

Agustín levantó un poco la cabeza, que tenía inclinada mirándose los pies. Recogió el plano que el joven se sacaba del bolsillo, lo desplegó y cuando se disponía a situarse en él, sintió un leve mareo como antes en la frutería. Le parecía que estaba saliendo a flote de una ciudad sepultada por una inundación, y miró aquel papel con ojos de náufrago que pretende orientarse. Buscó un bolígrafo.

–Verás, estamos aquí –dijo, como si quisiera convencerse a sí mismo de que estaba en alguna parte.

Pero enseguida notó que el chico no le estaba haciendo caso. Por entre los triciclos y balones de los niños que jugaban en la plazuela, se desplazaba a paso lento una señora alta, a quien el zarzuelero se había quedado mirando fijamente, entre arrobado e incrédulo. Cruzó ante ellos y se encaminó hacia una callejuela de enfrente. Cuando ya estaba a punto de desaparecer, de espaldas, el chico se levantó impulsivamente.

–¿Pero será posible? –dijo–. Perdona un momento.

Dejó los carteles encima del banco a medio enrollar y salió casi corriendo en pos de aquella mujer, hasta alcanzarla. Agustín vio que le tocaba en el hombro, que ella se volvía, le estrechaba la mano y se quedaban hablando. No los podía oír, sólo le llegaban sus gestos y alguna palabra aislada. Se inclinó a recoger un cartel que se había caído al suelo. En un determinado momento, a una indicación del muchacho, la señora volvió la vista hacia donde estaba sentado él. Tal vez le hubiera preguntado que qué hacía por allí, y él le estuviera contestando: Pues nada, dando un paseo con un amigo, y por eso le señalaba. Tenía un aspecto impresionante la señora pero ya ni curiosidad le despertó. Todo le daba igual. Tenía la cabeza como un cajón atiborrado, no le cabían más imágenes, ni más historias, bastante tarea era ya de por sí doblar las que habían ido entrando de mala manera para que por lo menos cerrara el cajón. Estaba agotado. Y, sin embargo, volver a dormir a casa implicaba hablar con Tarsi, aunque fuera brevemente, hacer algún comentario acerca de aquel día y tal vez de la noche anterior. No se sentía capaz. De repente, se acordó del recado de Olimpia y pensó en su casa como en un oasis. Era grande y fresca, llena de cachivaches antiguos, con mucho pasillo y un par de cuartos de baño a cual más lujoso, alcobas con la cama siempre hecha con ropa limpia, unas sábanas de lino antiguo. Y muchos relojes. Ya otras veces se había quedado a dormir allí. Olimpia le quería mucho y, por muy loca que estuviera, siempre había sido capaz de entender mejor que nadie que la buena compañía consiste en compartir silencios, sin que el silencio ajeno nos agobie ni el nuestro sea para el otro como una ropa que tira por las costuras y no ajusta bien. Le diría: Vengo a refugiarme, Olimpia, hoy vengo a pedir asilo yo, no me preguntes nada.

Cuando volvió el chico, ya había tomado su decisión y sentía haberse quitado un peso de encima, aunque la mala conciencia de seguir aplazando problemas espinosos latiese aún con leves punzadas por debajo de la anestesia.

–Me tengo que ir, majo –le dijo, levantándose, antes de que el otro abriera la boca–. Me había olvidado de que anoche me dejó un aviso muy urgente una enferma. Si puedo, iré a ver *Luisa Fernanda.* Y por cierto, como todas las actrices de la compañía tengan la presencia de esa señora que acaba de hablar contigo, no sé de dónde sacas que son impresentables.

–No viene con la compañía. ¡Qué más quisiera yo! Es

una señora que viajaba en nuestro mismo tren el otro día, ella venía en primera, pero coincidimos en el bar y se pasó casi dos horas hablando conmigo. Una mujer supercculta, que ha corrido mundo, que habla varios idiomas, venía leyendo un libro de Salinger y por ahí empezó la conversación, yo estaba como en una nube. Me dejó una tarjeta, ella vive en Nueva York, regenta una casa de modas y tiene un hijo que se dedica a cosas de cine.

–¿Y a qué ha venido aquí?

–No te puedo decir. Pero debe de estar sola. ¡Qué suerte haberla vuelto a encontrar! Me ha dicho el nombre del hotel donde se aloja, y que vaya a verla si quiero alguna tarde, igual le gusto un poco, no sabes cómo huele, yo tiempo de ir a verla apenas voy a tener a partir de mañana, qué mujer, oye, de las que mezclan el misterio con la melancolía, es de novela.

Agustín sonrió.

–Bueno, pero no de novela de extrarradio. De todas maneras, la encuentro un poco mayor para ti. ¿No te parece?

–No te lo niego. Pero es que, ¿sabes?, a mí me van las mujeres mayores, ¿a ti?

A Agustín se le ensombreció el gesto.

–A mí no –dijo–. Bueno, tampoco sé muy bien lo que me va. En fin, chaval, hasta otro rato. Aquí nos estamos encontrando todo el día los mismos por las mismas calles. Yo me llamo Agustín –añadió tendiéndole la mano–. Agustín Sánchez.

–Yo Marcelo.

Agustín, antes de despedirse, sacó una tarjeta y se la dio.

–Mira, ahí tienes las señas del ambulatorio donde trabajo y el teléfono. Si te encuentras mal o algo... Estando solo nunca se sabe.

–Te lo agradezco de verdad, muchas veces me encuentro a la deriva. Dame un abrazo, hombre. Eres un tío cabal.

Se abrazaron.

–Pues nada, Marcelo, que te vaya bien. En el plano te he señalado con un círculo dónde está el teatro Astoria. Y por ahí, a la izquierda, encontrarás muchos bares.

NUEVE

–Las cosas a las que doy vueltas en la cabeza me pueden destruir, sobre todo cuando son muchas y se atascan; bueno, muchas son siempre, pero a veces circulan mejor, no se enfadan unas con otras, es cosa de la máquina, en cuanto se engancha sabe Dios qué ruedecita con algún fleco suelto, ya viene el atasco y se acabó, ¿quién lo arregla? Yo de maquinaria no entiendo. Vamos a ver, un poco de orden, ¿por dónde había empezado a pensar?, pero no aparece ningún cabo en la maraña, y acabo dando tijeretazos de ciego hasta que la esperanza de recuperar algo queda hecha trizas. ¿Y ya, qué vas a hacer? Desembarcar con boca seca de borracho, y arrancar a andar por la casa, aturullada, como buscando, como si se te hubiera olvidado un recado importante o tomar alguna medicina, te pones a abrir puertas y cajones agitada o recomendándote a ti misma serenidad. Tampoco lo veas como una catástrofe, dices. Abres armarios, la nevera, una ventana, y nada, ni rastro de nada, puro paisaje lunar. Y, por si fuera poco, una mala conciencia difusa resonando al fondo, en algo te habrás equivocado para verte aquí. Total, que te pones a echar cuentas del tiempo, y desde la nube rosa que parecía humo de eternidad hasta el tercer telediario han pasado una serie de horas empantanándose; por lo menos cuando fumaba podía contar las colillas y eso servía de referencia, pero ahora cuando se avería la máquina es puro revoltijo, un caleidoscopio de imágenes sin asidero, dando vueltas, regurgitando hacia el culo del miedo. Y lo raro es que, mientras tanto, no dejo de pensar.

–Pero ¿en qué? ¿A qué cosas les das vueltas?

–No sé si les doy vueltas o me las dan ellas a mí, más bien es eso, creo, tipo noria, y el que controla los mandos desde abajo sabemos que está loco, un personaje vestido de negro, pero en marcha no te vas a tirar..., se pasa mucho miedo, la verdad.

–Y el miedo, ¿a qué zona te afecta?

–Yo supongo que a la del bazo, que es lo que menos se sabe dónde está, me parece que es ahí donde da dentelladas el tiempo sin control, quiero decir cuando la mente se larga a otro sitio y le deja los mandos al loco ese de luto. A todo esto, el tiempo se mueve, ¿no?, te pongas como te pongas, por tierra, por aire, por mar, siempre sin hacer ruido porque es su condición, pero se mueve, ya lo creo, es él quien realmente se mueve. Alguien me dobla esquinas de la hoja del calendario recién arrancada, luego me la pone delante y hago una pajarita, tiro a la basura la de ayer, otro día, sin ton ni son.

–¿Cómo? ¿Ya se ha pasado otro día? ¿Sin celebrar nada? ¿Y qué remedio le podemos poner?

–Si vienes aquí, apoyas la cabeza en mi regazo y te quedas un rato largo con los ojos cerrados y sin decir nada, volverá a amanecer, se rebobinarán las hojas muertas y estaremos en los umbrales de un día muy atrás. Un día extraviado que los vientos empujan y nos traen.

–Tengo apoyada la cabeza en tu regazo.

–¿Qué dice? Oiga, yo a usted no le he dado pie ni confianzas; un respeto, por favor, ¿cómo se atreve?

–Te he oído hablar en voz alta, mirando hacia acá. Y

pareces tan sola, tan joven y tan ávida. Me atrajo tu voz, me estabas llamando.

–¿Joven yo? ¿Y usted quién es?

–Yo nadie. Pero tengo un barco.

Le gustaba hablar con el silencio, un vicio antiguo de niña rica, caprichosa y sedienta, imaginarse interlocutores voraces y estimulantes. Y trataba de alargar aquella fantasía mediante toda clase de artificios verbales hasta que se daba cuenta de que eran eso: viles trucos, y entonces se le pinchaba el globo. Cuando estaba en vena, duraba más la travesía, tardaba ella más en verle la trampa al experimento, en dejar de creérselo, pasa con todo, lo malo de los vicios es lo que tienen de repetición. Beber igual, y fumar lo mismo y ver la tele, cuesta mucho buscarle a cualquier actividad una punta de sorpresa. A veces, apenas insinuado el incentivo para una conversación capaz de sacarla de su rutina, se deshojaban los atavíos, se descascarillaban los rostros, las voces sonaban ahuecadas, a función de colegio, y el diálogo era burdo remedo de una película vista ya muchas veces. Y mala. Al llegar a ese punto, instintivamente, retrocedía por el túnel de los viejos alicientes, un pasadizo con olor a humedad y a cieno. Meterse por ahí era aventura suicida, lo peor.

–Es que como ya no bebo ni fumo...

–¿Y eso?

–Me sienta mal. Me ha convencido el médico, que además es un amigo del alma, mi amigo Agustín, sosito, no me enamora, pero no puedo vivir sin tenerlo a mano, es de los que convencen sin querer convencer, porque él no cree en nada, aunque la única que lo sabe soy yo, y él no sabe que lo sé. Lo tienes que sacar todo de ti misma, Olimpia, hasta cuando no tengas nada que sacar, eso me dice. Y que los místicos no tomaban droga.

–¡Qué médico más raro!

–¿Raro? ¿Y usted no es raro? ¡Vamos, que quién fue a

hablar! Total, que nada de excitantes artificiales, a palo seco me tengo que tragar la vida como los místicos, pero lo consigo mal. He dejado de subir hace ya mucho tiempo por aquella escala fulminante de las exploraciones repentinas, cada escalón un riesgo adornado de espejitos, y era maravilloso, cualquier compañía servía. E incluso no llevarla.

–¿Servía para qué?

–Para explorar con ganas el nuevo territorio, aventurarse, ya se lo he dicho a usted, ¿o no se lo he dicho todavía? Por cierto, ¿dónde le puedo localizar? ¿Con quién estoy hablando?

–Hablas contigo misma, cielo. Pero yo estoy aquí, al norte, no me busques por el sur. Y tengo un barco.

–¿Cómo sabe que le estaba buscando por el sur? Me sobrecoge su clarividencia.

–Conque te sobrecoge, ¿eh? ¿Y con qué tipo de sobrecogimiento? Anda, muñeca, háblame del sur.

En sus diálogos de duermevela, siempre había alguien que acababa llamándola muñeca y sentía un latigazo en la cintura; siendo muy niña su padre tuvo un chófer alto, displicente, con ojos verdes, fue el primer ser humano que despertó sus sentidos, se llamaba Sabino, a veces iba sentada en el Buick negro delante a su lado y soñaba que se habían escapado juntos de viaje, el silencio entre ellos se hacía espeso, un silencio a propósito –pensaba mirando de reojo su perfil–, se calla para que le huela; un día se enteró de que estaba recién casado, entró en la sala y lo vio de espaldas sentado en la penumbra, besando a una mujer que era la suya, habían venido a pedir que a Sabino le subieran el sueldo, él solo no se atrevía, al parecer, Olimpia se enteró luego, y estaban esperando un poco nerviosos a que el marqués los recibiera, ella entró y se quedó inmóvil, participando de aquel beso como una extranjera desplazada de su propia casa, la mujer era morena, de pelo corto, y Sabino dijo entre dientes: Tú no te preocupes, muñeca, algún día habrá justicia y nos revolcaremos desnudos encima de una alfombra como ésta, muñeca mía, Luly, ¡cómo me gustas! Y Olimpia se escondió detrás de una cortina y en adelante supo que su vida erótica había empezado a romper aguas aquella tarde, la misma, por cierto, en que Sabino quedó despedido de la casa, porque según dijo el padre durante la cena las pretensiones de aquel mecánico rayaban en la demencia, y encima la tal Lourdes azuzándole y con la blusa medio abierta, una desvergonzada, y Olimpia se echó a llorar, ¡yo quiero que vuelva Sabino!, se acostó sin cenar y tuvo fiebre, lo que quería es ser novia de un chófer que la llamara muñeca, sólo quería crecer para llegar a conseguir ese sueño. Hoy día las feministas se encrespan ante los piropos que reflejan la tendencia paternalista del hombre, ansioso de alicortar el vuelo de la mujer y reducirla a objeto, a niña desvalida, etcétera, etcétera, cuánto se ha perorado sobre esto desde *El segundo sexo,* y tienen razón, ella ya lo sabía. Siendo adolescente leyó *Casa de muñecas* de Ibsen y se rebeló contra el destino de aquella pobre Nora y de tantas Noras de carne y hueso que fue conociendo, porque lo mismo en los libros que en la vida real se encuentran a puñados ejemplos de un autoritarismo varonil cuyo cebo es el mimo capcioso; pues bueno, a pesar de todo –y ahí se incubaba una de las infinitas contradicciones de Olimpia–, aquella repugnancia convivía con el deseo de sentirse mirada como Sabino había mirado a su mujer en la penumbra de una sala que durante unos instantes les perteneció por completo, y seguía siendo suya porque la rescataron del tedio eterno; algunas veces al abrir la puerta aún persistían las llamaradas de aquel fuego extemporáneo, ahora casi nunca se entraba allí porque no venían visitas, pero entonces siguieron viniendo y ya daba igual, Sabino y Lourdes habían convertido en estatuas de piedra a aquellos desvanecidos visitantes, en seres advenedizos, nos tumbaremos desnudos sobre la alfombra, muñeca; en el cine en blanco y negro de los años cuarenta también se oía con frecuencia ese piropo, o nena, traducción de *baby,* que viene a ser lo mismo en cuanto a la intención de convertir en Noras a las esposas obedientes y enamoradas. Pero ella prefería muñeca. Suspiró. No había tenido suerte. Tal vez porque tanto en el vestir como en los ademanes cultivó deliberadamente una imagen que tiraba a algo masculina, el tipo de belleza que menos se llevaba en sus tiempos y que ahora hacía furor. Y comulgaba con los ideales comunistas por lo mismo, por su afán de llevar la contraria. Se casó tarde y como por cansancio. Nunca tuvo hijos. Damián, su difunto marido, aunque era más machista que nadie, nunca la había llamado muñeca.

En cuanto al sur... ¡qué petición tan provocativa! ¿Por dónde empezar a hablar del sur con un desconocido? Le pareció oportuno poner un poco de distancia en el tono de la respuesta, a ver dónde quiere llegar éste, no le voy a facilitar tanto las cosas. Tantearé el terreno.

–Para mí el sur es una entidad.

–Pedante no te pongas, por favor, cielo, que pierdes el encanto por completo. Te haré la pregunta de otra manera, y contesta sin pensarlo mucho. ¿Dónde está el sur para ti?

–Donde se pierde el norte, es lo que se me ocurre. Todo lo sensual rezuma sur, las islas griegas, Estambul, Marrakech, los mares del Sur, la punta de Tarifa, Cuba, Nápoles con sus mafiosos, Río de Janeiro, Nueva Orleans y los personajes desequilibrados de Tennessee Williams y Truman Capote, el sur es caos, también en el propio cuerpo, confusión, alboroto, mezcla; digo sur y se despliega en mayúsculas como una bandera que lo tapa todo, hasta el aire, sur escrito en letras de sangre sobre una sábana, nostalgia de lo nunca alcanzado, porque aunque estés en el sur quieres bajar más, hundirte sin brújula en parajes aún más inéditos y escabrosos, a riesgo de extravío, de perder el norte, el sur es una fiebre.

–Me excita oírte. Sigue divagando.

–Dame pie tú. ¿Qué quieres saber? Ansioso, que eres un ansioso...

–Ya me tuteas, ¡vaya! ¿Quién te enseñó a poner esa cara, di? ¿Desde cuando ansías perder el norte?

–Desde siempre. La nostalgia del sur es un redoble distante, apagado por otros ruidos más estridentes, una amenaza que se agazapa debajo de las sonrisas de cumplido, de las frases hechas, de los cambios continuos de disfraz. Lleva tanto tiempo y tanta bulla inútil disfrazarse con un esmero sin designio porque sí, porque hay que figurar, salir al escaparate, y luego volver de una fiesta que no lo era, que ni siquiera lo era, y tirar de cremalleras que nadie te ayuda con dedos temblorosos a descorrer, dejar caer el traje, los zapatos, el sostén, las lágrimas, tomarse un Alka-Seltzer y pensar, sobre todo, ¿con quién he hablado esta noche de algo parecido a la caricia picante de una aventura en el sur? Y flotan jirones de rostros en descomposición, mientras arrecia el dolor de cabeza, porque siempre se bebe, claro, en esos albergues de vacío, ¡qué náusea!, mejor sin almohada y los pies un poco en alto, pero ninguna palpitación se recompone, porque no las hubo, ni vuelves de un lugar que merezca ser recordado, aunque tardaste mucho, acuérdate, en elegir ese vestido y ese maquillaje y esos zapatos que ahora te estorban y te quitas con alivio. No ese alivio de respirar hondo y decir qué bien, ya estoy libre, porque no lo estás, sabes que acecha otra circunstancia parecida a la vuelta de la esquina, y que volverás a meter la pata y a sentirte infeliz, se trata de un alivio provisional y como desteñido que presagia a lo sumo una paz sin pulso, sordo marasmo por donde difícilmente podrán colarse brisas ni luz del sur. No sé por qué le cuento esto en presente, ya a fiestas no voy, apenas salgo, eché el ancla hace mucho. Por cierto, usted había empezado diciendo, o acabado tal vez, ya no me acuerdo, que tenía un barco, ¿verdad?

–Verdad no sé. Pero eso es lo que he dicho.

–Descríbamelo, se lo ruego, lo inconcreto empieza a fatigarme como una jaula de oro sin puertas, rompa con una descripción meticulosa y sobre todo que dure mucho, ya no saben ustedes los hombres hacer durar los preámbulos más que para defenderse y ganar tiempo. Porque doy por supuesto que es usted un hombre, claro.

–Tan seguro no estoy ni siquiera yo mismo. Pero aquí la que mandas eres tú, preciosa, así que de acuerdo, debo de ser un hombre. Además percibo cierta diferencia entre mi ritmo y el tuyo, entre tu forma de temor y la mía.

–¿Temor? ¿Quién ha manifestado aquí temor?

–El temor que merece ser temido nunca se manifiesta, mujer, de eso sabemos mucho la gente de mar, y de soledad también. Tememos al posible compañero de soledad tanto como lo deseamos, pero abrirle la puerta de nuestro camarote de buenas a primeras para confesarle que estamos temblando, ¿eso cuándo se ha visto? Te estoy contando algo que conoces de sobra, ¡cómo tiemblas, compañera!, no finjas más, confiesa que tienes miedo.

–Ahora sí, a despertar. Al mareo de tierra de todos los desembarcos. Porque lo barrunto. Todo lo que hemos hablado me parece un sueño.

–Lo es. En vivir de verdad apenas se encuentra una brizna de éxtasis tras largas caminatas por el yermo. No merece la pena sudar tanto si resulta que saltando esta raya entre el sol y la sombra ya estamos en el tren o en el barco que nos lleva al reino de la niebla. Por cierto, soy del norte, te lo dije, y siento desilusionarte pero mi barco no transita más que nieblas, también es niebla él mismo, por eso no te lo puedo describir. Dentro de unos instantes no lo veremos ni tú ni yo, se está esfumando como la sombra del padre de Hamlet...

Olimpia dijo con un hilo de voz: Pero tú no te esfumes, buscó un punto de apoyo para no caerse y notó que era el final, que lo único que predominaba, barriendo cualquier otra escapatoria, era la sensación de mareo. Ya estaba acostumbrada: el cuerpo, como remate a los excesos de imaginación, pasaba la factura, inútil ignorarlo. Y se puso a hablar ya a borbotones y completamente obsesionada de cómo se le presentaron los primeros síntomas de ese mal de tierra, respiración entrecortada, doble visión como si una nube se interpusiera entre ella y las cosas, tenía miedo de que pudiera ser un principio de cataratas, las piernas no la sostenían y necesitaba tumbarse, la tensión la tenía por los suelos, siete de máxima, el azúcar en cambio alto y una progresiva descalcificación; Agustín Sánchez, su médico, le había recetado unas pastillas que le rebajaban la exaltación procurando al mismo tiempo no deprimirla... Por cierto, son de dos colores, una amarilla y otra azul, y no me acuerdo de si las he tomado esta tarde; cuando Damián se puso malo me empezaron los mareos, fue una enfermedad tan larga, tres años de calvario, ¡qué mal enfermo hacía!, y negándose a ingresar en un hospital, como hacen en los países civilizados, que para eso estaba su mujer, para cuidarle, se vengó bien, ya no nos queríamos nada, no sé si nos quisimos alguna vez, yo enterraba mi rencor bajo pálidas sonrisas sólo alimentadas por el deseo de verlo morir pronto, pero me lo hizo sudar, ahí empezaron mis insomnios, leía novelas policiacas donde se envenena a un viejo o a un retrasado mental para heredarle, lo de la herencia a mí me daba igual, me sobra el dinero por mi casa, en fin, lo dejó todo contagiado de podredumbre, malos espíritus y olor a medicina, ¡qué mal me encuentro!, por favor, no te vayas, ¿dónde estás?

Oyó a lo lejos, con ese acento cavernoso de las funciones de teatro cuando se aleja un fantasma, la voz de antes desfigurada a través de una megafonía de baja calidad: Lo siento, muñeca, pero me aburro, adiós. Y era un adiós definitivo.

Claro, lógico, se había puesto a hablar como las señoras que van a merendar al Excelsior, todas con achaques o parientes que los padecen, todas con su arsenal a la espalda de hospitales, de médicos, de agonías, de lutos, de males de Parkinson, historias detalladas con encarnizado rigor, sin olvidar un nombre ni una fecha, sobre todo en las fechas eran implacables, para navegar entre los supervivientes había que dominar el escalafón de difuntos. Para entonces ya había muerto mi padre, eso fue en abril, antes de lo de Luisita, Damián le llevaba quince años a su hermana Carmela, quince, sí, hija, no me lo discutas, bueno, da lo mismo, al fin y al cabo ahora que crían malvas son de la misma edad, para los ojos el mejor con gran diferencia Vázquez Ochoa, hasta de Madrid vienen a consultarle, claro, mujer, vaya descubrimiento, y se trata de tú a tú con los divos, pues con mi cuñada, ya ves, no acertó. Todas más o menos contemporáneas suyas, habían ido juntas a bailes de noche, habían leído *Lo que el viento se llevó* con idéntico ardor, se la sabían de memoria, Escarlata O'Hara no era bella, pero los hombres no se daban cuenta hasta que ya estaban presos en su encanto, como les ocurría a los gemelos Tarletton, habían visto el mismo cine, y conoció a sus novios, igual que ellas al suyo. A Damián lo llamaban el soltero de oro, como a Abel Bores, porque no los lograba cazar ninguna chica fina, Abel mucho más guapo y más interesante, por supuesto, pero hay que ver las vueltas que da la vida, llegaron a emparentar los dos solteros de oro, aunque nunca fuera muy partidario el uno de otro, porque Abel se casó ya cuarentón con la hermana pequeña de Damián, Carmela, que en paz descanse también, murieron ella y el hermano con un año de diferencia, ¿un año?, mujer, un año no, dos por lo menos, pobre Carmela, con aquella mata tan divina de pelo y un cutis de marfil, no somos nadie, al final estaba ya muy desmejorada, hay tradición de cáncer en esa familia, cuántos inventarios luctuosos, cuánto R.I.P., ya tenemos más conocidos en el campo santo que por la calle, solía dictaminar Margarita Arce, la más sentenciosa del grupo; todas eran –año arriba o abajo– de la misma edad de Olimpia, las fechas son tercas como moscardones, de esa edad en que ya no es probable que nadie ni en sueños te vaya a llamar muñeca.

Inútil invocar al hombre del barco perdido entre nieblas, aparte de que no llegó a preguntarle su nombre, un fantasma sin nombre, se había desintegrado. Le dolían las cervicales y se le acababa de dormir un pie. Es falta de potasio, tomamos poco potasio. Pero bueno, lo había pasado bien, y la conversación duró bastante. Menos da una piedra, otras veces le salía peor.

Se trasladó a la alcoba y abrió el balcón. La calle estaba casi a oscuras porque la semana anterior unos gamberros habían apedreado la farola de enfrente, ella escribió una carta al periódico pero no la publicaron, estaban hartos de sus cartas al periódico, y ella más. Las escribía por aburrimiento.

Había refrescado y los árboles del jardín agigantaban sus ramas clamando a las estrellas tan arriba, tan lejos. Ya no quedaba más remedio que emprender la travesía de la noche real, enfrentarse al insomnio. Las pastillas seguía sin acordarse de si las había tomado o no.

Encendió la televisión. Daban una película de Al Pacino en color. La pilló mediada.

DIEZ

Társila del Olmo siempre tuvo una voz preciosa y buen oído, era escuchar una canción nueva por la radio y a la segunda vez se le quedaba con letra y todo, pero las modernas le aburrían porque tenían poco argumento. Su especialidad era la copla española y su ídolo Imperio Argentina, no ha vuelto a haber otra igual, decía. Le encantaba aquel lamento entre resignado y amargo de *Morena clara,* cuando la gitana se enamora del juez: «El día que nací yo / ¿qué planeta reinaría?, / por dondequiera que voy / ¡qué mala estrella me guía!»; todavía poco antes de morir y con el pelo completamente blanco la cantaba Társila con emoción adolescente y los ojos se le iban a la ventana mientras trajinaba en la cocina o planchaba sábanas, coser ya casi nunca porque tenía los ojos muy trabajados, veía mal para enhebrar la aguja y sus hijos no le dejaban coger encargos, aunque la gente se los seguía haciendo, bastantes agujas había enhebrado en su vida, bastantes piezas de tela de tamaños diferentes había juntado y las había vuelto a descoser metiendo la punta de la tijera, batas de casa, remiendos a una sábana, colchas de pedazos sobrantes, bajar jaretones, un traje para la muñeca, aquí mejor sacarle una pinza, se me ha quedado estrecha esta falda, visillos, cortinas, faldillas de terciopelo, disfraces de Carnaval; se miraba con pena los dedos deformados por la artrosis cuando a veces iniciaba maquinalmente el gesto de meter la aguja por una tela imaginaria, un garabato errabundo en el aire. «Estrella de plata, / la que más reluce, / ¿por qué me llevas por este calvario / llenito de cruces?», ¡qué sentimiento tenía aquella copla de enamorada entre rejas! Aunque a mí –decía como disculpándose– no me ha guiado ninguna mala estrella y si llamara calvario a mi vida me castigaría Dios, hombres tan cabales como Agustín que en gloria esté, podrá haber alguno, pero más imposible, ni más enamorado de su mujer, que para él no hubo otra, no veía más que por mis ojos, y al fin morirse a todos nos tiene que tocar; ahora os tengo a vosotros, que sois mi sostén y mi orgullo, claro que la vida va derrotando un poco, pero es su ley, aunque cueste reconocerlo, cuando eres joven piensas que a ti eso nunca te va a llegar, ves por delante un camino infinito, menuda era yo de soltera, como para que me vinieran con penas futuras ni amenazas del infierno, me reía. Entonces sí que cantaba, un cascabel, si me hubierais visto, chiquita pero pinturera, andando muy tiesa, y con gracia para espantar a los moscones, que pretendientes los tuve desde los doce años, ¡con qué alegría madrugaba para ir al trabajo!, mi bufanda cuando hacía frío, mi medio tacón, zapato plano nunca, y a buen ritmo, tipi-tapa, tipi-tapa, me resonaban los pasos por la calle, y siempre tarareando alguna canción, quince años tenía cuando entré de aprendiza con la señora Ramona, nunca me dolió trabajar. La libertad la lleva una por dentro.

Agustín, cada vez que enfilaba la calle del Olvido, imaginaba resonando detrás de los suyos aquellos pasos garbosos de la madre camino del taller que exhibió un día el rótulo «Ramona-Modas» encima de una puerta pequeña. Tarsi había encontrado hacía poco dentro de una caja de dulce de membrillo llena de carretes sin hilo y dedales oxidados una foto antigua y con dobleces donde se veía al fondo aquella fachada, y en primer término a la madre menuda con el pelo negro ondulado sonriendo entre la jefa y una niña delgada de trenzas; las tres contra la pared, y a la derecha una ventana enrejada con tiestos de geranios metidos en su aro.

Agustín tenía localizado de sobra el sitio, en la barriga que hacía la calle frente al jardín de los Moret, pero ni él ni su hermana lo habían llegado a conocer así sino como alquiler de bicicletas y venta de accesorios, luego pusieron una fontanería que duró mucho tiempo, y cuando el barrio empezó a decaer, el local pasó años cerrado con el letrero de «Se vende o alquila». Tenía una entrada muy incómoda, si no te agachabas te pegabas contra un dintel. Por primavera habían hecho bastante obra y lo acababan de inaugurar en julio, vino en la prensa porque el arquitecto era un joven de mucho futuro y fue capaz de convertir casi toda la pared en una cristalera convexa y levantar el dintel de la puerta, que por lo visto había sido difícil, en fin, le dieron bombo; era un negocio medio de antigüedades, medio de restauración de cuadros, muebles y objetos rotos de toda índole, habían tirado todos los tabiques de dentro, se llamaba Defectos Especiales, una de esas tiendas –pensó Agustín– que entusiasmarían a Manuela, seguro que ya ha venido a comprar algo. Se acordó de ella como de un ser muy absurdo pero dotado de un alma errante a la que no corresponde el cuerpo que le ha tocado, y tuvo la repentina revelación de que a él le pasaba igual, que tal vez habían intentado juntarse por eso. Sólo había esa tienda recién inaugurada, el estanco, una cacharrería y al final una especie de pub de mala pinta con luces de neón. La calle del Olvido era corta y hacía una ese, ya apenas vivía nadie, algunas casas antiguas estaban cerradas a cal y canto por problemas de herencia, otras apuntaladas y dos o tres las tuvieron que tirar; había letreros de inmobiliarias tapando los solares, pero no construían, enjuagues del Ayuntamiento –decía la gente–, empresas fantasma, a saber, tapaderas de otra cosa; los muros ruinosos estaban llenos de *grafitti,* predominaban los colores morado y naranja y una tendencia al dibujo picudo y a las frases obscenas o satánicas.

Agustín caminaba con aire cansino, esquivando los baches de la acera. Ya hacía años que hasta de nombre había cambiado la calle, llevaba ahora el de un alcalde anodino y rapaz a quien, como revancha, las fauces del Olvido engullirían pronto sin remedio. Olimpia se indignó y escribió al periódico una carta arrebatada y bastante poética, venía a decir que desmontar el olvido sin consultar a los ciudadanos entrañaba un atropello peligroso, era como cegarles una vía de respiración asistida, un afluente salutífero e imprescindible para complementar el caudal de la memoria, porque ¿quién puede tirar del pesado carro de los recuerdos sin un aliviadero por donde fluya el olvido? Es matar las defensas; y, además –añadía–, ¿con qué méritos para pasar a la posteridad contaba aquel Ferrán Trevijano, muy conocido en su casa a las horas de comer, un advenedizo pringado en la especulación del Ensanche? Le publicaron la carta con algunos cortes, pero no sirvió de nada, sólo consiguió que le regalaran la placa de esmalte azul con letras blancas en vez de tirarla a un vertedero, ahora todas las de la ciudad las estaban cambiando y poniéndolas de azulejos, pretexto para que se forrara cierto cuñado de un concejal, y encima una cursilería. En la ciudad no había tradición de azulejos.

La calle estaba desierta, a Agustín se le había hecho tarde hablando con Marcelo y tenía mucho sueño, casi ni de lo que habían hablado se acordaba. Cuando estaba llegando a la curva, oyó risas de gente joven y se detuvo al acecho. Un hombre y dos mujeres salían de Defectos Especiales, cuyas luces se acababan de apagar. Una de las chicas tiraba del cierre metálico y se ponía en cuclillas para asegurarlo abajo. Agustín retrocedió. La otra era Alicia, su paciente anoréxica, y estaba besando furiosamente al chico, un rubio musculoso, que acabó cogiéndola en brazos como si levantara una pluma. Agustín se arrimó a la pared y saltó dentro de un solar abandonado, no quería que le vieran. Había reconocido en el rubio a Pedro, aquel novio de Valeria Roca que traía alborotada a toda la familia, la noche anterior ya se lo encontró en el bar Oriente, amalgamado con toda aquella fauna inquietante, vino a él como la cosa más normal, con un cinismo cómplice y además –ahora se acordaba– le dio un sablazo. Simultáneamente le venía el recuerdo de una escena más remota, casi irreal: Manuela, de recién casados, había invitado a merendar a su sobrina predilecta para que Agustín la conociera, y ella tuvo la osadía de presentarse con su chico, aquí Pedro, aquí mis tíos, con la mayor naturalidad. El rubio apenas abrió la boca y cuando se fueron –que estuvieron poco–, Agustín lo achacó a timidez, a él no le parecía mal que la gente no hablara cuando no tenía nada que decir. Además tú, Manuela, también has estado tan tirante, a los pobres se los veía violentos. Es un maleducado, perdona, yo no lo había invitado a él, así que bien pudo poner algo de su parte, se traen unas flores, unos pasteles, se saca por lo menos algo de conversación, pero no, él pertenece al gremio de los mudos, y luego el descaro con que lo miraba todo, va de chulo, está claro, ¿qué oficio se le conoce, a ver? Y Agustín sacó la cara por el novio de Valeria, no estaba bien condenar a nadie de antemano, dale un margen de confianza, mujer, los jóvenes sin especializar lo tienen hoy muy crudo, se quieren, ¿no?, tu sobrina confía en él, pues ya acabará encontrando trabajo. Pero, al parecer, seguía sin encontrarlo, se lo dijo anoche cuando le dio el sablazo, y Agustín se sintió, sin saber por qué, víctima de un chantaje cuando sacaba la cartera, no lo había vuelto a ver desde aquella tarde de la merienda y le resultaba incómodo que se encontraran allí, así que recurrió a ese tema por hablar de algo, ¿a qué te dedicas ahora?, y el otro se echó a reír, a nada, tío Gus, y se vive de puta madre sin dar golpe, tomándoselo como un destino no hay chute mejor, te lo juro; le había llamado tío Gus, y ahora ligando con Alicia, en fin, a él qué más le daba. Pero Alicia existía para él como asunto pendiente lindando con el fracaso profesional, se había empantanado el curso de la mejoría y el doctor Sánchez no podía renunciar al intento de abrir aquella ostra que se le cerraba, no era de los que dejan un caso a medias, tenía que improvisar vías de acceso; precisamente para charlar con Alicia de forma distendida y sincera, sin agobios, había decidido dejarse caer por el café Oriente con aparente ingenuidad, pero al pensar en eso tropezaba con sus propios tropezones de la noche anterior, con aquel revoltijo de emociones opuestas que se le agolpaban en la garganta y le provocaban náusea, tenía miedo de haber perdido prestigio ante Alicia y más todavía de ponerse a recontar las certezas que se le habían tambaleado. Y a esa angustia se añadía la vergüenza actual de estarse agachando como un malhechor detrás de un muro que olía a inmundicia, ¿qué diría su madre si levantara la cabeza y lo viera allí? Pero lo peor no era su madre, que al fin ya había muerto; lo peor era Tarsi. No puedo seguir viviendo con Tarsi –pensó–, ya está bien de esconder la cabeza debajo del ala. Cada día que me quede me será más difícil irme, en eso tiene razón Manuela, claro que a ella qué le importa, pero tiene razón.

Los oyó pasar de largo, calle abajo, yo tengo la moto en la esquina, cabemos los tres, iba diciendo Pedro; pero la otra, a quien llamaron Rita, dijo que no, que ella se iba a pie, que tenía ganas de darse una vuelta sola.

Cuando se perdieron sus voces, Agustín se incorporó y a paso vivo, pegado a la pared, alcanzó la verja del jardín de los Moret, la empujó y se metió entre los árboles sombríos, camino de la entrada principal que tenía cuatro escalones de piedra y una barandilla rematada por cabezas de perro. Se detuvo y casi le entraron ganas de llorar, como el niño de los cuentos tradicionales, que tras vagar durante unas horas perdido por un bosque cuajado de peligros llega a un castillo encantado donde parecen existir habitantes, y lo mira y no se lo cree del todo, porque pertenece al reino de los prodigios.

El timbre sonaba flojo, Agustín ya lo sabía, por eso no se molestó en llamar. Miró hacia arriba y en toda la fachada de piedra gris sólo destacaba la luz azulada de una televisión, saliendo por el último balcón del segundo piso, que como además estaba abierto dejaba filtrarse algunas frases de la película, eran las voces de dos hombres discutiendo.

Agustín se apartó un poco, se puso las dos manos haciendo cuenco a los costados de la boca y llamó con voz potente:

–Olimpia. ¡Soy yo! ¡Olimpia!

Casi enseguida una figura angulosa se asomó al balcón envuelta en un camisón largo, y se inclinó como si quisiera explorar las sombras. Su actitud no revelaba el más leve temor, al contrario.

–¿Dónde estás? ¿Quién eres? –preguntaba con los ojos entornados y un deje de intriga–. No te veo. ¿Sigues teniendo un barco?

–Soy Agustín, Olimpia, Agustín Sánchez.

–¿Agustín?... ¡Ah, sí! ¿Qué pasa? ¿Te pasa algo? Un momento, que te tiro la llave.

La llave se la tiró atada a los cabos de un pañuelo blanco, y bajaba planeando como un paracaídas. Se quedó enganchada en la rama de un árbol, Agustín se empinó para rescatarla, pero era bajito y no llegaba. Se oyeron las risas de ella en el balcón.

–Espera que ya bajo a abrirte, porque no tengo escala de cuerda como las doncellas medievales.

A Agustín le alivió que Olimpia estuviera de tan buen humor, la esperó al borde de la escalera, mientras acariciaba las orejas de uno de los perros de piedra de la barandilla. Se sentía a salvo.

–Es que estaba bastante interesante la película –dijo ella cuando apareció–. Es de dos que van huidos. Pero los anuncios empiezan ahora.

–No sé por qué no te decides a poner portero automático, ¿no te sería más cómodo?

–Calla, calla, portero automático, ¡qué tontería! A mí lo cómodo no me va, lo tengo bien demostrado.

Con una escoba larga desengancharon el pañuelo del árbol y subieron juntos por las escaleras de mármol a las habitaciones de arriba. A Olimpia se la veía muy contenta de recibir una visita a aquellas horas y le preguntó si había cenado.

–No, pero no tengo ganas. Ni de hablar tampoco, sólo de dormir, en realidad venía por tu recado de anoche, pero...

–¿Qué recado? ¿Te dejé un recado? Estaría medio dormida, no me acuerdo...

–Pues por eso, mira, da igual, como ahora te pillo en buena fase y yo en cambio vengo hecho migas, lo que te pediría, Olimpia, es que me dejaras darme un baño y quedarme refugiado aquí, lo necesito mucho.

Olimpia le dijo que aquélla era su casa, que no faltaba más, y le señaló al fondo de un largo pasillo la habitación de su hermano Ramiro donde estaba la cama de matrimonio hecha de limpio, toallas de baño y en el armario pijamas de hombre, total para qué, si ellos las pocas veces que venían se alojaban en el Excelsior.

–Yo acabo de ver la película y luego entro a darte las buenas noches y a traerte una tila bien caliente con anís, la hago con flores amargas, ya sabes, nada de sobre, seguro que te sienta bien.

–Seguro, pero lo que mejor me sienta es haber llegado aquí, no sabes cómo te he echado de menos todo el día, no tengo una amiga mejor que tú.

Olimpia se esponjó como si le inyectaran suero en vena y miro a Agustín con una mezcla de ternura y sorpresa, nunca le había oído una voz tan desvalida, tan necesitada de cariño, pero no le preguntó nada.

–Si lo que no entiendo es por qué no te vienes a vivir conmigo ya de una puñetera vez, nos haríamos un favor mutuo, y total porque no somos parientes, ni novios, ni nada, ya ves tú qué más dará ni quién en su sano juicio, si no nos hubieran inculcado a tornillo el «esto sí», «esto no», podría darle importancia a esas minucias, el mundo está muy mal entendido, viciado por esa maldita ley de los parentescos obligatorios que no hay quien la destruya. Ya ves, Ramiro, si pudiera, volaría esto desde Madrid por explosivo con mando a distancia, lo convertiría todo en apartamentos, jardín incluido, y su hermana, que la pobre está loca, pues nada, a un manicomio, sin andarse con contemplaciones. Su parte el muy hijo de Satanás no me la quiere vender, no sé qué mira lleva, tener un pie puesto en lo que no usa, se lo aconsejarán mi cuñada o los chicos, yo qué sé. Di tú que el dinero no le hace falta, y eso me va salvando. Se ha metido en tantos negocios sucios que los billetes ya se le salen por los forros del alma, y no puede blanquearlo todo, imposible, algo tiene que esconder salpicado de diarrea, pero el día que lo descubran por el olor tampoco hay problema, saldrá a flote, tiene contactos en todas partes nuestro Al Capone, nunca será un preso de traje a rayas y bola, sino de esos que se defienden por televisión desde la trena, muy bien peinados, con su abogado al flanco como un hermano siamés, y enseguida los ves en las revistas de papel couché descansando en una playa tropical, reivindicando su inocencia. Pero, en fin, es mi hermano y qué le vamos a hacer, eso no tiene remedio.

–Sí –dijo Agustín con voz débil y sintiendo que los párpados se le caían–, la familia ata mucho.

Olimpia le pasó la mano por la cabeza, cuyo pelo empezaba a escasear. Se detuvieron. El pasillo allí se bifurcaba.

–Tú a tu aire, ya te he dicho. La puerta es aquella del fondo, y la luz la tienes entrando a la derecha. Supongo que te acordarás de otras veces. No te mareo más.

–Gracias, Olimpia.

–De nada, hijo. Hoy te cuido yo. Dentro de un rato vendré con la tila. En cuanto me entere de lo que les depara la suerte a Al Pacino y a un colega que hace un rato andaban en apuros. Voy a ver. Me parece que se están acabando los anuncios.

El final de la historia era confuso y los enigmas –de repertorio y más bien baratos– se resolvían con una ensalada de tiros procedentes de bandas rivales y alguna otra con la que no se había contado, porque se trataba de apoderarse de una recompensa que no había ido a parar a las manos cabales ni quedaba claro cuáles eran; salía al final un gordo con cara de árabe que parecía tener más derecho que nadie al maletín. Olimpia dejó de concentrarse y se enfadó, qué chapuza de guiones, cuánto añadido que sólo sirve de relleno, ya ni sé las veces que habremos visto a dos que van en un tren y en las estaciones hay orden de detenerlos y ellos se bajan antes con un peligro que ya ni nos lo parece, ruedan por la cuesta y, hala, ningún hueso roto; estos además iban esposados uno con otro, sabe Dios por qué, en fin, no vi el principio, que tal vez daba pistas, y ahora tampoco estoy atendiendo mucho.

Notaba cuándo no atendía en que no les iba advirtiendo a los protagonistas en voz alta que tuvieran cuidado, o bien dándoles sugerencias para que se arriesgaran todavía más, en cuyo caso se excitaba y rejuvenecía: dependía del humor.

En cuanto empezaron a pasar los títulos de crédito, apagó la televisión y fue a la cocina a preparar la tila. Calculó que habrían pasado unos veinte minutos y que Agustín ya estaría en la cama. De todas maneras, cuando llegó a la puerta cerrada del cuarto de Ramiro, cambió la bandeja a la mano izquierda y llamó con los nudillos de la derecha: ¿Se puede?, y sonreía comparándose mentalmente con una camarera de hotel fino. Nadie contestó y abrió la puerta despacito. Agustín se había quedado dormido encima de la cama, vestido y con la luz encendida. Solamente se había quitado los zapatos, que estaban en el suelo con los calcetines dentro. Olimpia depositó la bandeja encima de la mesilla. Una breve inspección en el cuarto de baño no proporcionaba más datos del paso del doctor por allí que la tapa del retrete levantada, los hombres nunca bajan la tapa del retrete. Pero no se había duchado.

Se acercó de puntillas, respiraba regularmente, con expresión de paz. Los pies los tenía muy bonitos, delgados y blancos, como los de un Cristo de marfil. Se los acarició levemente, y al ver que no rebullía, se inclinó para besárselos. Estaban muy limpios y no olían a sudor. Le cubrió el cuerpo con una manta, y antes de salir de la habitación se bebió unos sorbos de tila. Luego apagó las luces y cerró la puerta con cuidado.

–Me encantaría ser santa –dijo entre dientes–. Se lo deben pasar muy bien, a pesar de los pesares. De putería está una harta.

ONCE

Todo, en el centro de la ciudad, se estructuraba en torno a parques y al respiro obligatorio entre calles estrechas que necesitan un espacio para evitar la colisión. Así habían nacido las plazuelas, algunas tan exiguas como rincones por barrer, desparejadas, aparentemente inútiles, apenas con un arbolito o una fuente. Amparo no se acordaba de que hubiera tantísimas, parecían estar pidiendo perdón por su existencia y pasaban tan desapercibidas como difícil era encontrarlas luego si se buscaban. En una triangular que tenía dos banquitos enfrentados en el pico del fondo bajo un árbol como pintado en telón de teatro, solía antaño hacer ella un alto para repasar sus lecciones antes de entrar en la academia de idiomas, pero luego empezó a llegar más pronto y a quedarse más tiempo. Se traía una novela o se entregaba a su vicio dilecto, ardiente y oculto, imaginar cómo sería de mayor; total que aquellos ratos sueltos, al alargarse y menudear, se hicieron en parte costumbre y en parte refugio contra la costumbre, una pareja de contrarios de las que más ancla echan al fraguar. Se llamaba la plaza del Rincón. Y cuando ahora se volvió a topar con ella y la reconoció de inmediato, contuvo la respiración unos instantes y miró recelosa alrededor, como temiendo que alguien pudiera ser testigo de tan fundamental reencuentro. Pero no pasaba nadie. Llevaba dos mañanas viniendo tempranito a sentarse allí y seguía sin pasar casi nadie, o los que pasaban no la veían, en eso consistía la magia del lugar, la misma que la llevó de adolescente a elegirlo como escondite, tan inconfundible para ella como invisible para los demás; y recuperar esa sensación de privilegio vino a suponer el primer acontecimiento digno de reseña en su travesía del desierto: «He estado en la plazuela del Rincón y existe», anotó escuetamente por la noche en su agenda. Entendió, como entonces, que allí podía imaginarse en una especie de sala de espera o promontorio ignorado desde el cual lanzar el anzuelo hacia aguas más alborotadas e incursiones de mayor riesgo. Por la calle del Olvido aún no se había atrevido a rondar. Pero aquel sitio era tan suyo como el otro, con la ventaja de la clandestinidad. Nadie podía suponer que se refugiaba en esa plazuela tan insípida, ni su madre siquiera, a la que empezó a mentir para acudir allí como a la cita con un novio, se inventó unas horas extra de estudio en la academia Team, pero te cobrarán más, no, no, lo dijo con total convicción, no me cobran nada, bueno, hija, pues entonces aprovecha; por aquella brecha inocente ingresó Amparo Miranda sin darse cuenta en la feligresía de las medias verdades, aprendió a disimular lo extraordinario bajo la capa parda de lo anodino; allí en el repliegue más arrinconado de la ciudad, al abrigo de miradas indiscretas, cerraba los ojos para entregarse a sus fantasías de futuro, igual que estaba haciendo ahora para recuperarlas.

A veces, muy de tarde en tarde, se tiene la impresión de que también los lugares un día conocidos y olvidados luego acusan nuestra presencia cuando volvemos a visitarlos, y se establece una corriente de complicidad que avisa del entendimiento mutuo, las manos del viento se vuelven más largas y tenaces al rozarnos la piel, se oyen murmullos casi imperceptibles, la luz se tornasola, toma, te estoy devolviendo algo tuyo que guardaba, me lo diste a guardar, ¿te acuerdas?, y el lugar sabe que sí, nota que estamos dándole las gracias como a un amigo.

De esa índole fue el gozo de lady Drake al tomar asiento en uno de los banquitos del fondo de la plazuela, comprobar que estaba desierta y pensar que a nadie más que a ella le habría apetecido hacer un alto allí, en un sitio tan feo, una señora tan bien vestida. Me estaba esperando después de tantos años –pensó–, escondida como aquellos retales en el costurero atiborrado de mi madre, que siempre se resistió a tirar nada por sí acaso. ¿Ves como todas las cosas acaban sirviendo para algo y aparecen cuando más falta hacía? –solía decir cuando encontraba por fin aquel pedacito de cretona floreada–, pues fíjate, le planto un bolsillo con esto al roto de la falda azul, y lo que te digo, Ramona-Modas, así es como se inventa, hija, partiendo de lo que se tiene y de lo que te ofrece el azar y no saliendo en busca de lo exótico, que ello sólo se nos mete en casa. Nunca desaproveches nada de lo que tienes, todos los días hay que sacarle brillo a lo viejo para que parezca nuevo.

Amparo sonrió. En ese imperativo del remiendo convertido en adorno chocante se basaba la línea de las últimas colecciones otoño-invierno ideadas por ella y realizadas por Debra, que tanto éxito habían tenido. O sea, una estética de plazuela inesperada.

Desde aquel banquito recóndito, rodeada de palomas que zureaban a sus pies, echó las redes hacia el futuro y pescó una tienda lujosísima en una amplia avenida de Nueva York o Chicago, abandonó el libro sobre su regazo, *Gone with the Wind,* porque ella *Lo que el viento se llevó* ya lo podía leer en inglés, entornó los ojos de adolescente, los párpados le pesaban, ¡qué cosa tan rara salía enredada en su red!, tiró con fuerza para traer más cerca el tesoro arrebatado al mar del tiempo, tenía una consistencia de arrobas, cuadrado, sólido, con tres columnas verdes separando los amplios y fulgurantes escaparates, era imposible pasar por delante y no verlo, las bandadas de pececillos se escurrían por entre las mallas de la red y se convertían en peatones elegantes que se paraban delante de la puerta verde con grueso pomo de cristal, era casi tan grande como la de una iglesia, rematada por arco de medio punto, por alto que fuera nadie tendría que agacharse para entrar, y llevaba una placa con letras de oro «Miranda and Company Fashion», en la palabra *company* entraba cualquier posibilidad, me llamaré Miranda, un apellido transformado en nombre de novela. Y, de repente, un ruido cerca y un tacto que la asustó. Una paloma sucia, de ojos redondos y estúpidos, se había subido al banco y se frotaba las alas contra el brazo desnudo apoyado en el respaldo, no se movía, parecía una rata gorda, ¡quita, bicho!, y Amparo se levantó de un salto. ¿Qué hora podría ser? Se había quedado dormida, qué insensatez, no le convenía ceder al sueño y dejar sin centinela aquella guarida. Al principio no supo si era ella o aquella otra que leía *Gone with the Wind* la que se apresuraba hacia una bocacalle del fondo con pasos aturdidos. Hasta que se miró los pies, enfundados en delicadas sandalias de tafilete color hoja seca, y entonces sí, conforme, recuperados ya los puntos cardinales, un modelo de Prada de cuando viajó en junio a Milán por motivos de trabajo, estuvo a punto de regalárselas a María porque la entusiasmaron, pero luego pensó: Se lo facilito todo, ¿por qué no se espabilan ellos para conseguir las cosas por sus propios medios? A mí nadie me ayudó. Últimamente se le producían estos nudos por dentro ante el dilema de cómo tratar a los hijos, no sabía a quién pedir consejo desde que murió Ralph, el cual, precisamente por ser viudo con hijos mayores y mimados, tampoco entendía nada y se atenía a recetas de manual, total que se perfilaron María, Jeremy, los hijos de Ralph y los parientes Drake, mientras seguía andando voluptuosamente y disfrutaba contemplando la puntera de sus sandalias italianas; los pies servían de referencia infalible, lo que menos había cambiado de su cuerpo, excepto en el lujo que se permitía para adornarlos. Tal vez mejor volver al hotel y echarse un rato, había dormido mal, e imaginó con deleite la habitación ordenada por manos invisibles, oliendo a limpio.

Desde que llegó tenía el sueño cambiado, y este trastorno había contribuido a agudizar su falta de designio. Las horas en que estaba despierta eran horas boca abajo, sin timón. Había un momento breve pero intensamente feliz: el del despertar. Porque dentro del sueño, ya fuera largo o siesta a deshora, había existido indefectiblemente una evidencia de desorden o avería, y en aquellos argumentos confusos era ella la encargada de que las cosas volvieran a su cauce, así que cuando abría los ojos agradecía mucho que el desaguisado –doméstico, laboral o familiar– hubiera sido mentira y no tener que ponerse a repararlo, a dar órdenes o explicaciones, a atender por teléfono problemas en los que se sentía implicada, avisar a un médico, a un abogado o a un electricista, ir al banco, recordar señas y apellidos. ¿Y la agenda?, ¿dónde habré puesto la agenda? Nada, era un sueño, el estropicio se había arreglado solo y las clementes manos del olvido tendían un manto sobre él, ya no tengo que ocuparme de nada, puedo hacer lo que me dé la gana, ¡qué alivio! Ni siquiera conocía el nombre de las camareras que iban a limpiarle el baño, a recoger la bandeja del desayuno y a colgar su ropa cuando el cartelito de «No molesten» fuera sustituido por el de «Por favor, arreglen la habitación», la cual, efectivamente, no presentaría el menor síntoma de desorden a su regreso; las saludaba en el pasillo con su gesto impasible y lejano de lady Drake, buenos días señora, llevaban uniforme azul y se apartaban para dejarle paso junto a sus carritos con rimeros de sábanas y toallas recién planchadas.

A veces tenía ganas de pedirles perdón, de decirles que también a ella le había tocado vivir tiempos en los que los sueños son globos de colores que se escapan, que había trabajado cuesta arriba, dejándose la piel en el empeño, sonreírles, llamarlas por su nombre, pero ya había aprendido a desconfiar de ciertos arrechuchos de camaradería, simple disfraz de esa difusa mala conciencia que a veces acarrea el dinero gastado sin tasa, no, los sorbos de mala conciencia mejor tragárselos sin azúcar, como una purga, por favor, repongan el gel de baño, muchas gracias, y pasaba delante de ellas con gesto ausente, bajaba en el ascensor, se calaba las gafas de sol, ponía pie en la calle.

No tener ruta ni propósito ni prisa le parecía la almendra misma de la libertad. Y con esa sensación de ingravidez se lanzaba a navegar el nuevo día.

Pero la ilusión no tardaba en borrarse, como se borra nuestra imagen en el espejo en cuanto desaparecemos del marco que lo encierra. Buscaba la sombra de los edificios o el frescor de los parques, porque solía hacer calor, tomaba un café en lugar desconocido donde siempre había alguien que rellenaba una quiniela de fútbol, miraba a las mujeres que sacudían sus alfombras contra los hierros del balcón, a los taxistas con la puerta del coche abierta bostezando o intercambiando filosofías de corto alcance en una parada, a los perros perdidos que imploran compañía con ojos tristes, contaba los semáforos, por algunas zonas había muy pocos, en cambio peluquerías de señoras, muchas por todas partes, salas de vídeo, juegos y cabinas de teléfono, algunas apedreadas, de vez en cuando gente de media edad haciendo *footing* en chándal a lo largo de la verja de un parque, sudorosos, blancuzcos, de rostro inexpresivo, se detenía a contemplarlos y tenía que hacer un esfuerzo para recordar que no estaba en Manhattan, para despegar una de otra las escenas superpuestas, leía los rótulos de las tiendas, La Gardenia, El Palacio del Perfume, El Péndulo Veloz, Relojería, Ultramarinos La Aurora, Mercería El Capricho, Bar El Deseo, Bar Núñez, Bar La Buenaventura, bares donde nadie tira las colillas ni las cabezas de gambas en las pequeñas papeleras adosadas a la barra y siempre hay un chico delgaducho echando serrín al suelo y barriendo restos por entre las patas de los taburetes, ¿me permite?, bares, bares, muchos bares, cada día abrían más, se lo habían dicho, no se explica cómo pueden vivir tantos, pero mire usted si los abren será porque ganan, aquí no hay más perspectiva que la de camarero. Seguía andando sin rumbo, como si le hubieran dado cuerda, hasta que se acordaba de que podía quedarle poca y entonces la sensación de peligro rondando, de tiempo consumiéndose podía llegar a ser tan intensa como la padecida en el hospital cuando un familiar está grave y esperamos fumando la aparición de alguien que nos traiga noticias. La certeza de que no existía ningún desajuste de aquellos que el sueño se tragó se iba viendo ofuscada por nubes de incertidumbre, y sus pasos se tornaban aprensivos, como si el suelo estuviera lleno de trampas ocultas.

Si era por la mañana y caía en la tentación de ponerse a calcular las horas que faltaban para que se pusiera el sol, ya estaba perdida. De nada le servía haber dejado a propósito el reloj en el hotel, acechaba los que se veían en algunas fachadas, y esos otros digitales que alternan en números rojos la información horaria con los grados de temperatura ambiente, antes en la ciudad no los había, claro, cuarenta años, ¿cómo los iba a haber?, o bien cuando empezaba a librarse de la obsesión y a sumirse en una cavilación placentera, oía sonar una campanada intempestiva desprendiéndose a lo lejos, menos cuarto, le había alcanzado el disparo, y era fatal. La futilidad del tiempo a llenar se propagaba al mismo viaje emprendido que empezaba a presentar síntomas de carga inútil, de caducidad, una sombra que intentaba pegarse equivocadamente a su cuerpo; mejor no pensarlo, pero aquella sospecha revoloteaba a sus espaldas silenciosa y tenaz, Amparo lo sabía, y también que aunque a trechos desapareciera, podía volver a asomar. Intentaba esquivarla cortando por callejuelas inusitadas, apretando el paso, metiéndose en un museo o en una iglesia, sin descartar del todo la aprensión de quien se siente perseguido. Eran paseos de regate y engaño para despistar a la sombra aquella. En eso se habían convertido sus paseos, en una especie de juego del escondite con oponente fantasma, y aunque a veces la divertían las ingenuas victorias sobre el enemigo, volvía una y otra vez a recurrir al sueño para hinchar de nuevo la esperanza de algo inédito con el balón de oxígeno que le proporcionaba cada uno de sus despertares.

Sobre Abel Bores había recabado una tímida información a través de la guía telefónica. Bores solamente venían tres, dos de ellos con una A detrás del apellido y el tercero con otra inicial. Apuntó la dirección de los dos con A. Correspondían a calles del Ensanche, cercanas al hotel y también cercanas entre sí. Las localizó en el plano y una tarde se llegó a explorarlas como disimulando, aunque no sabía ante quién; eran avenidas con bastante tráfico y buenas boutiques de trajes y bolsos. Buscó desde la acera de enfrente los respectivos números. En los dos casos se trataba de edificios altos, rematados por terrazas con toldos y arbustos, buen portal, señoras saliendo con cochecitos de niño, cafeterías lujosas en la parte baja. La vida que cabía imaginar en aquellas comunidades de vecinos no le producía envidia ni apenas curiosidad. Pensó vagamente que la segunda A podía corresponder a algún hijo de Abel, su memoria no registraba la existencia de hermanos, aunque siempre puede haber primos, claro, daba igual. Se mantuvo un rato quieta, contemplando a prudente distancia, como a través de la niebla, aquellos dos edificios que no le decían nada, igual que le sonaba a hueco el nombre de las calles, ambas de apellido compuesto, ni siquiera se preguntó a quién podrían pertenecer esos apellidos, nada de lo que estaba viendo por allí sugería deseos de pesquisa. Y cuando se alejó del barrio, encogiéndose de hombros con indiferencia, ya sabía que no iba a hacer uso para nada de aquella baldía información. Tiró al pasar en una papelera que rezaba en letras verdes «Mantenga limpia la ciudad» el papelito arrugado donde había apuntado las señas copiadas de la guía telefónica.

Paró un taxi y se fue al centro a tomar un gin tonic. Eran las ocho. Volvía a detectar aquella sombra inquietante a sus espaldas.

–¿A qué parte del centro?

–Ya le iré diciendo. Usted apriete el acelerador.

No era capaz de encontrarle sentido a su viaje. Y, sin embargo, no se quería ir. No podía. La ciudad la tenía atrapada.

DOCE

Te pongas como te pongas, una vez cruzado el ecuador de los treinta años, empiezan a crecer como la mala hierba las chicas de diecisiete –se dijo Valeria Roca aquella mañana–, salen de debajo de las piedras, y qué prisa llevan por crecer, consumidas de impaciencia, devorando nuestras migajas, pisándonos los talones; antes no había tantas.

Quiso reírse de la tontería que se le acababa de ocurrir así por las buenas, nada más salir de un sueño brumoso, pero se dio cuenta de que pertenecía a esa especie de aperitivos verbales que precisan de la colaboración de alguna persona amiga para abrir contienda y ser paladeados con disfrute; en caso contrario dejan de tener gracia. Aquello no la tenía, había levantado al surgir y desaparecer enseguida un torbellino de espuma amarga que delataba mar de fondo.

Aún medio dormida y sin ser del todo capaz de despegar los párpados, Valeria notó que toda su familia se colgaba, cargada de razón, de un aserto tan endeble, que ella se veía, sin embargo, forzada a mantener, porque había saltado de sus propias aguas submarinas a modo de tiburón de sonrisa oblicua, lo había visto, y sería inútil decir: Yo no tenía ni idea de que estuviera ahí, o afirmar que no estaba dispuesta a iniciar los quebraderos del día perdiendo tiempo en afrontar una cuestión tan necia. No, no serviría de nada. Lo pensado, por extemporáneo que fuera, pensado estaba, y pasa como con las manchas, depende de la sustancia química y del lugar donde hayan caído, aquélla era de tinta sobre un mantel de lino, de las que no se van ni frotándolas con limón. Valeria Roca tiene envidia de las niñas de diecisiete años, de eso a verse vistiendo santos no hay más que un paso; había como un amplificador que convertía aquel enunciado de un síntoma en pregón infamante resonando por los patios más escondidos del barrio, ascendiendo a los tejados rotos, rebotando por los veladores de los cafés. Y sin embargo ella, en su fuero interno, protestaba dolorosamente.

Aquel sacar la cuenta de la edad de los demás, afinando semanas y meses para bordar, a veces con colores fúnebres, las más extensas genealogías, pertenecía a un discurso que no tenía por suyo, a aquellas conversaciones de dictamen que desde niña rechazó por tediosas, donde siempre parecía existir sentado a cierta altura algún superior en edad, dignidad y gobierno diciendo: ¿Qué escondes?, enséñame esas manos, pidiendo las notas del colegio, el libro que se oculta bajo la almohada o un carnet de identidad, implantando leyes, requiriendo informes y estableciendo categorías; para unas cosas se era aún muy joven, para otras enseguida demasiado mayor, tan Roca en eso su padre como su madre, primos carnales ayuntados con dispensa papal.

Apartó la sábana y se levantó al baño, que no era un modelo de orden ni de higiene. En ninguno de los refugios más o menos provisionales donde había vivido desde que se independizó de la familia, había conseguido ese bienestar, que cada día añoraba más ardientemente, de cumplir con las necesidades del cuerpo en un recinto relativamente amplio, sin olores ni prendas por el suelo, metidas en un barreño de plástico o puestas a secar colgando de un grifo, con su buena ventana de cristal esmerilado desde la que no se oyera cerquísima un chirriar de roldana sobre esa cuerda verde de una vecina que se pasa el día tendiendo ropa y recogiéndola porque son muchos de familia; pensar en un balconcito o mínima terraza donde poner tiestos o un cobertizo para enseres de limpieza, eso ya era lujazo.

Tiró de la cadena y abrió tras varios intentos el ventanuco que últimamente se atascaba más que de costumbre; las tormentas de julio trajeron chaparrones muy hostigados y se había crecido la madera del marco, ya deteriorada de por sí, no iba a haber más remedio que poner una ventana metálica y en la cocina igual, mejor dobles porque son más herméticas. Pero el dueño, claro, se desentendía, y hacer reformas por cuenta propia en un piso alquilado es como poner barras de hielo al sol, dinero desperdiciado. Esa noción había quedado inculcada en la memoria de Valeria a través de una máxima de la jerga jurídica de su padre: pleitos con el casero tienen mal derrotero. Decía aquellos refranes como ex cátedra, ahuecando la voz, igual que cuando contaba unos chistes larguísimos para cuyo seguimiento había que concentrarse mucho y que nadie más que su mujer le reía, repetidos mil veces, y él miraba al auditorio familiar, emitía un leve carraspeo y se quedaba esperando serio, más sorprendido incluso que humillado, mientras ella renovaba aquel pálido regocijo de sierva que inútilmente intentaba propagar a los demás. Su padre era un plomo, la verdad, y el abuelo José Manuel más todavía. Pero los balcones y las ventanas de todas las casas que han tenido –pensó Valeria cuando por fin logró vencer la resistencia de la suya– siempre han abierto como la seda, nunca un cristal empañado, ¡y qué primor de visillos!, eso no ha nacido nadie que se lo pueda discutir.

La claridad de un amanecer desidioso, en torpe proceso de maduración, y la ausencia de ruidos en el patio, hojaldrado de sábanas quietas y fantasmales, la hicieron comprender que podía volverse un rato a la cama e intentar recuperar el sueño hasta que sonara el despertador. Pero en ese regreso, entorpecido por dos tropezones contra bultos indecisos, ondeaba la bandera del escepticismo sin colores visibles, sin enseña ni lema.

Le dolía la cabeza, habían sido unos días de bochorno y en aquel ático hacía calor, daba a poniente. Lograr que no se recalentara obedecía a una receta tan sencilla como infalible: dejar abiertas de par en par todas las ventanas muy de mañanita para que se establezcan corrientes de aire, cerrarlas y echar las persianas poco después de mediodía, y abrirlo todo nuevamente en cuanto se mete el sol, o si ha habido una tormenta inmediatamente después de que pase, que es una delicia cómo se impregnan los interiores de ese olor a tierra mojada que se lleva todos los venenos. Bien fácil, olvidar los pasos de ese ritual equivaldría a equivocar las palabras del padrenuestro o no decirlas por el orden que llevan, sacar «mas líbranos del mal» antes de «venga a nosotros tu reino», absurdo, aunque hayas dejado de ser católico o no vivas en un piso orientado a poniente, son cosas que las llevas en la sangre. Era elemental, sí, pero requería, a modo de sal en el guiso, un detalle sólo en apariencia insignificante, había que estar en casa y ella ahora tenía trabajo intensivo en la emisora de radio instalada al otro extremo de la ciudad; gran parte del personal estaba aún de vacaciones, y con Pedro no se podía contar. A pesar de no tener nada que hacer en todo el día, era incapaz de cumplir ese pequeño encargo. Total se trataba de venir un momento a las horas indicadas, o si por ejemplo se daba el caso –muy frecuente– de que a mediodía siguiera dormido, bastaba con poner el despertador; además acabas avisándote tú solo en cuanto estás pendiente de algo, porque te interesa, el despertador sobra, es como una lentilla incrustada por dentro, igual que atender a un animal doméstico o acordarse de que has puesto a hervir agua para el té, ¿qué cuesta?, nada, una disciplina mínima, simplemente ganas de colaborar, de querer ponerse a ello, el amor está tejido de esos pequeños detalles, ¿si o no? Y él decía que no, la llamaba pequeñoburguesa cuando intentaba prolongar mediante argumentos «de toda la vida» este tipo de diatribas domésticas, el amor qué tenía que ver con semejantes rutinas, quién te ha visto y quién te ve, colega; y además él no sentía el calor, mejor dicho sí, lo sentía, pero le gustaba, tengo relaciones sensuales con el calor, solía decir. Cuando Valeria lo conoció era poeta maldito y la idea de la revista *Tamiz* partió de él, ahora hacía *collages* en cartón de embalaje con pedazos de chatarra y chapas de botella, son momentáneos –decía–, fugaces por esencia como la vida, mezcla casual, material de derribo, que eso es el arte cuando huye del comercio. Y, sin embargo, en lugar de tirar aquellos paneles herrumbrosos, los almacenaba en un cuartito para trastos, seguro de que algún día se llegarían a cotizar.

En ese cuartito estaba también la lavadora y paulatinamente se había ido estrechando hasta tal punto el pasillo para acceder a ella que resultaba casi impracticable. La asistenta, que venía dos días por semana, estaba muy poco contenta de cómo funcionaban las cosas en aquella casa, aburrida de no tratar directamente con nadie que le diera órdenes y tenerse que apañar a base de recaditos adheridos a la nevera bajo un imán en forma de botella de Coca-Cola, cuyo contenido muchas veces quedaba anulado por otro mensaje donde se decía exactamente lo contrario, más abajo y en letra distinta, sujeto por un imán de dos pimientos y una zanahoria. En este segundo texto predominaban las negaciones, eso no hace falta porque lo hago yo, no entre en el cuarto pequeño de delante, no abra las ventanas todavía, el dinero no lo coja que la compra ya está encargada y nos la suben del supermercado, mejor que hoy se vaya antes, el teléfono no lo atienda; pero bueno –como decía ella–, ¿para qué dejan dos recados? ¿Para que me arme más lío?, qué les costaría quitar el que no valga, o tacharlo con una cruz roja por lo menos; siempre estaba perpleja y no sabía por dónde empezar la tarea. Se quejaba del olor persistente a tabaco, que a ella le sentaba mal para la alergia, de que algunas veces faltase dinero del sobre donde le dejaban la paga de la semana y de tener que pasar de puntillas por las dos habitaciones pegadas a la cocina porque raro era el día que no se encontraba con alguien durmiendo allí, a veces en un saco de esos de los excursionistas, no sé ni cuales sábanas tengo que lavar ni cuáles no, el día menos pensado no vuelvo, aunque ella es muy educada, cuando ya no sé qué hacer la llamo a la radio, lleva un programa precioso de entrevistas por la tarde, y siempre amable cuando se pone, pero no entiendo cómo se puede vivir así, la gente a veces es que se ciega, ¿usted lo entiende, señora Francisca?

La portera del inmueble, que era con quien solía desahogarse, se encogía de hombros o movía la cabeza negativamente. Don Siro, el propietario, tampoco estaba contento con esos vecinos del ático B, y que se anduvieran con ojo, pues sí que está el panorama de los alquileres como para dar pie a que se le hinchen a un casero las narices, llevaban allí seis años por favor especial, por lo mucho que le insistió doña Manuela Roca, que además de muy amiga de don Siro es de esas que si las dejan hablar no las ahorcan; pero el alquiler es ridículo, pagar hoy en día veinticinco mil pesetas por tres balcones hermosos a una calle que no hace tantos años era lo mejor de aquí, ¿quién tiene ese chollo?, sin calefacción ni ascensor, de acuerdo, mucho deterioro y el espacio mal distribuido, pero no están las cosas ni muchísimo menos como cuando el auge del Ensanche, ni hablar; el Ensanche envejecerá antes que esto, acuérdate de lo que te digo, que ahí sí que hicieron chapuzas y pusieron tabiques de papel de fumar para ganar dinero a espuertas en menos de lo que pía un pollo, la gente no es tonta y empieza a reaccionar, de un año a esta parte se cotiza el triple el metro cuadrado en esta zona, que la estaban dejando caer a cachos como si fuera de leprosos, hasta han sacado un lema, «El centro es el centro», y la Comunidad está dando subvenciones; menos mal que se les ha caído, mujer, la venda de los ojos, tanto Ensanche, por Dios, o sea que están rehabilitando interiores, aunque no toquen la fachada, que ésas hay que respetarlas si tienen más de un siglo, y un siglo, ya ves, será mucho para los yanquis, que mayormente carecen de historia, pero para nosotras un grano de anís, hasta edificios del diecisiete hay aquí y más atrás todavía. Y te voy a decir una cosa, son los jóvenes, ellos les tienen apego a estas calles y a estas plazas, les tira lo viejo mucho más que a los propios viejos, que abandonaron el barco cuando barruntó tormenta, en una palabra, son más patriotas, Mercedes, dónde va a parar; estamos hablando, claro, de gente joven con pasta, hijos o nietos de ricos, pero se quieren venir aquí, lo tienen clarísimo, es su reconquista, y el que prefiera los rascacielos que se largue a Nueva York, que para eso están los aviones. La veo a usted muy enterada, señora Francisca –decía la asistenta con admiración–, y qué bien se explica. A ver, soy del casco antiguo de toda la vida, mi padre fue amigo del cronista local más importante que ha habido aquí, yo me acuerdo de él, don Lucio, que hasta tiene una calle, y encima portera, que ya se sabe lo que apareja el oficio, ¿no?, hablar con unos y con otros, ser buzón de quejas, informes y preguntas, oír versiones diferentes de cada sucedido, mirar a todo el que pasa, porque tipos raros no faltan entre viajeros y estables, en fin, hija, estar a la puerta, que ya el mismo nombre de portero lo dice. No hace falta tanto viaje para pillar onda, calcula tú lo que sabrá San Pedro a pie quieto allá arriba, en acto de servicio permanente, en cuanto se muere algún famoso ya lo traen en los chistes con las llaves y la barba, pero no es cosa de risa, ni mucho menos sólo de famosos; bandadas llegarán, cada muerto con una historia, date cuenta, y que se la tienen que contar enterita y de verdad, no con tapujos, si quieren que les deje entrar, es el que más sabe, menuda novela. Pues, como te iba diciendo, aquí, sin ir más lejos, en el principal de esta casa, y tú misma ves el letrero y los andamios, van a sacar cuatro apartamentos de lujo, les están quedando preciosos, fachada antigua y por dentro lo más moderno, es lo que se lleva ahora, y luego el dueño los vende y se forra, así que los del ático B que tomen sus medidas y no anden dando motivos de querella. Don Siro empieza a hacerles la forzosa y es natural, porque le estorban, yo también lo haría, ¿que se les cae el techo y no les cierran bien las ventanas?, pues actitud pasiva, y si no tienen dinero para arreglarlo allá ellos; eso sin contar con que el día menos pensado se puede inventar don Siro un sobrino que necesita el piso porque se va a casar, que es lo que se inventan todos los caseros desde que el mundo es mundo, y se acabó la función, ni doña Manuela Roca ni nada, aparte de que ella ya no interviene y la gente joven es inexperta en papeles, sin los mayores no saben buscarle las vueltas a la ley, doña Manuela es tía de la señorita Valeria, ya sabes, esa que se divorció del médico. Y la asistenta movía la cabeza afirmativamente y suspiraba, que sí, que ya sabía y que cómo anda el mundo y que adiós, señora Francisca, que se me hace tarde y tengo que llegarme al hospital, que mi marido está ingresado otra vez.

Valeria no consiguió volver a dormirse ni mucho menos darle paz a la cabeza. Dentro de ella daba vueltas veloces, algo arrugado pero sin triturarse, un papel fotocopiado. Se trataba de una circular recibida el día antes y que ella no leyó hasta por la noche, donde se le informaba –como arrendataria titular del ático B– que con motivo de las obras efectuadas en el principal iba a revocarse por entero la fachada del edificio y se rogaba su asistencia a la junta de vecinos que con carácter extraordinario tendría lugar el primero de septiembre para establecer la parte correspondiente a pagar por cada uno para contribuir al citado proyecto. Asimismo se discutiría la instalación a corto plazo de un ascensor. Firmado, Siro Gutiérrez. Valeria se tapó la cabeza con la sábana. Septiembre y la junta de vecinos eran dos brujas enanas que se habían colado por una grieta de las tejas al cuartito de la lavadora y ahora las sentía girar cada vez más encima de la sábana, cada vez más grandes, a lomos de sus escobas, entrechocando carcajadas cómplices. ¡Qué miedo le daba, de repente, pensar en el invierno!

Pedro no había venido a dormir, o por lo menos no estaba con ella ni en el sofá-cama, y el caso es que juraría que le había oído llegar como entre sueños, tal vez no hiciera tanto rato. Siguió inmóvil y poco a poco las brujas se fueron alejando, pero no para despejar el aire sino para cederle paso a la otra obsesión que acompañó su despertar: hay demasiadas chicas de diecisiete años, crecen como la mala hierba. El silogismo pasaba de forma inminente al segundo enunciado: a Pedro siempre le han gustado las adolescentes, frecuenta los locales donde se reúnen y a ellas un tipo como Pedro las suele fascinar a la primera. Desechó varias veces la idea de levantarse a mirar si había alguien acostado en las otras dos habitaciones de la casa, que podían servir de dormitorio, pero, al cabo de dar muchas vueltas en la cama, se echó fuera de ella y se aventuró de puntillas a una exploración que dentro de sí misma condenaba. Ya entraba de la calle un resplandor tenue que permitía reconocer los escollos de la geografía doméstica. Abrió sin ruido una tras otra aquellas dos puertas. Reinaba el desorden, como era habitual, pero no había nadie.

Fue a la cocina a beber agua, y al abrir la puerta de la nevera buscó algún mensaje bajo el imán de los pimientos y la zanahoria, que era donde él los dejaba, en general divertidos y con algún dibujo. Tampoco. Pedro, si realmente había pasado por el ático B solo o acompañado mientras ella dormía, era evidente que no lo hizo con intención de decirle nada, había venido a buscar otra cosa. ¿Tal vez dinero? Pero ya le pareció demasiado mezquino iniciar una búsqueda de comprobación. Además ahora sí que tenía sueño de verdad, necesidad fulminante de hundirse en las aguas del olvido. Faltaba más de una hora para que sonara el despertador y experimentaba ese alivio escueto y casi animal que acompaña a la única evidencia irrefutable en el trayecto cotidiano de los seres vivos: la de que el sol va a volver a salir.

No llevaría ni cinco minutos profundamente dormida cuando la despertó el teléfono, tras cuatro timbrazos resonando en el vacío, lo descolgó con torpeza y se le cayó al suelo, arrastrando algún objeto que tal vez se había roto. Una voz adusta y autoritaria.

–Valeria.

–Dígame. ¿Qué hora es?

–Valeria, ¿eres tú? ¿Qué ruido se ha oído? Creí que no estabas...

Aquella voz... ¿De dónde venía aquella voz, a la que se sentía obligada a plegarse?

–Es que se ha caído el teléfono. Pero ¿con quién hablo?

Hubo una breve pausa, subrayada por el carraspeo inconfundible de quien acostumbra a exhibir sus ofensas.

–Soy Andrés Roca López, tu padre.

Valeria se espabiló lo suficiente como para saber que no iba a pedirle perdón. Hacía meses que no se hablaban. Recogió el teléfono y se lo puso en el regazo, sobre la sábana.

–Es muy temprano, creo, y estaba absolutamente frita. ¿Pasa algo?

–Si te llamo tan temprano es para asegurarme de que estás en casa y de que vas a coger el teléfono tú, yo por mi parte, como tal vez recuerdes, soy madrugador.

–Sí, padre, me acuerdo bien. Yo también madrugo hace años. Pero ¿pasa algo?

–El motivo de mi llamada es preguntarte si sabes algo de la tía Manuela.

–¿De la tía Manuela? No. Bueno, la vi hará una semana en un cruce de semáforo, yo iba a pie y ella me saludó desde su coche. ¿Por qué? ¿Le pasa algo a la tía Manuela?

–Eso trato de aclarar. Nos puso un telegrama diciendo que llegaba ayer.

–¿Qué llegaba adónde?

–A Las Hortensias, estamos aquí, en la casa de verano familiar, que se ha ampliado mucho, cuatro generaciones ya, todos unidos como siempre..., en fin, todos menos algunos. Aunque espero que el recuerdo de los días dichosos perdure en su corazón.

–Mira, padre –dijo Valeria, cortante–, si lo dices por mí y hablamos de recuerdo, no olvides tampoco tú que vivo en pareja ya hace el tiempo suficiente como para que... Bueno, mira, da igual.

La voz había estado a punto de quebrársele, pero no al revivir en su memoria el vacío total que se le hacía a Pedro en la familia Roca, sino porque había mirado alrededor y, a la luz de un alba hostil contorneando objetos difusos, la palabra «pareja» se erigía como un espantapájaros en un yermo sin pájaros. Se apresuró a cortar aquel brote de emoción para esquivar polémicas baldías. Estaba espabilada por completo.

–O sea que la tía Manuela, divorciada de cincuenta y tres años, buena conductora y libre de hacer lo que le dé la gana, iba a llegar ayer a Las Hortensias y no ha llegado, ¿en eso consiste el problema?

–Pues sí, es raro en ella, y raro ya el telegrama mismo, no especificaba si venía en tren, en coche, en autobús o cómo, así que no sabemos a qué atenernos. A papá se le ahoga con un pelo.

–Son muchos kilómetros, padre, se habrá parado a hacer noche por el camino.

–¿Y no tenía algún teléfono para llamar?

–Y yo qué sé. A lo mejor no le apetecía. Últimamente está tratando de conquistar su independencia, dejadla en paz. Sobre todo, padre, ¿qué puedo hacer yo?

La voz de don Andrés se había amansado.

–Enterarte por alguien de si salió ayer o no. Por favor te lo pido, en su casa no contesta nadie, le debe haber dado vacaciones al servicio; ¿tú sabes cómo se puede localizar a esa criada que tiene?, ¿la conoces tú?

–¿A Rufi? Sí, hombre. Su novio trabaja en un taller de mecánica del Ensanche, las señas no las sé exactamente, pero se lo puedo preguntar a Pedro, es amigo de Pedro.

Pronunciar el nombre de Pedro con naturalidad y descaro en un ambiente donde se le había negado la existencia a la persona que se llamaba así era una conquista ganada a pulso, como cuando las chicas de diecisiete años de su tiempo empezaron a soltar algún taco y se atrevieron a no llevar sostén, a llegar tarde a cenar, a decir me largo, si no juegas a esto, rompemos la baraja, ella había sido pionera en tantos desafíos, la admiraban sus hermanas pequeñas y muchas amigas mayores a quienes abrió el camino. Pero seguía siendo penoso y algo aburrido repetir el examen y demostrar que se hizo la reválida con nota. Contuvo el aliento. El nombre de Pedro o bien zanjaba las cuestiones planteadas por su familia o, por el contrario, obligaba al interlocutor a admitir que ella vivía con aquel chico. Hubo un silencio breve. Esta vez había ganado.

–Pues pregúntaselo, por favor, y cuando puedas me llamas –dijo don Andrés.

Valeria dio la luz de la mesilla y apuntó el recado en un bloc lleno de recados, no era probable que hablara con Pedro en todo el día, y además se trataba de una pesquisa tan insustancial; se acordó de que el novio de Rufi se llamaba Felipe.

–Espera un momento, padre, lo estoy apuntando, tengo mucho trabajo hoy, pero procuraré informarme; de verdad te lo digo, no os preocupéis, que de todo hacéis una montaña. La tía estaba fenomenal las dos veces que la he visto este verano. Animada, ha estado yendo mucho a nadar a la piscina del Excelsior.

–¿Y sabes con qué amigas se reunía?

–Creo que más bien está en racha de soledad, cosa que veo lógica, de encajar las cosas por sí misma. Le presté un par de libros, no precisamente policiacos. Pero de todas maneras, padre, no me he metido a detective; como comprenderás, es su vida... ¡Qué morbo os ha entrado con Manuela!

Don Andrés le dio las gracias y antes de despedirse le preguntó que si no se iba a tomar vacaciones.

–Sí, la primera quincena de septiembre, preferimos septiembre, nos pensamos ir unos días a Ibiza.

Esta vez el plural no tuvo el menor eco y aceleró el epílogo de aquella conversación tan absurda, *ciao,* padre, un beso a todos.

En cuanto colgó el teléfono, se tiró de la cama bufando como un caballo exhausto. Cogió el bloc de los recados y lo metió con otros papeles en la cartera de trabajo. El de Felipe estaba segura de que no lo iba a cumplir. Ni ducharse. No aguantaba un minuto más allí. Se vistió a toda prisa, el despertador que sonara para nadie. Lo había puesto con una hora de anticipación para preparar la entrevista de la tarde, tenía interés en que quedara bien. Pero igual podía tomar las notas en un café o en la radio misma. Hasta las diez y media no empezaba su programa de música.

El portal estaba aún cerrado. Y la calle desierta. Sorteó unos sacos de cemento almacenados en la acera y miró alrededor, mientras respiraba a pleno pulmón el primer frescor de la mañana. La moto de Pedro no estaba. Otras veces, cuando no venía a dormir, se la dejaba enfrente con un letrerito, porque el coche se lo había llevado la grúa hacía una semana por mal aparcado y ninguno de los dos encontraba momento para ir a buscarlo. Según la nueva normativa municipal, los coches retirados no los devolvían si no se pagaban también las multas, y Pedro acumulaba muchísimas, casi siempre sin decírselo a Valeria. Argumentaba que qué importancia tenía eso, simples bolitas de papel que se disparan a un contenedor, cortes de manga a la ley. Ya, pero luego sin vehículo no puedes pasarte, más que yo todavía lo necesitas, decía ella. Era uno de sus motivos de disensión.

Valeria echó a andar y decidió olvidarse de todo mientras andaba. El eco de sus pasos resonando tan temprano por calles apenas transitadas era una de esas medicinas que por una parte aplacan y por otra estimulan. A medida que avanzaba, atenta al ritmo de su cuerpo, iba madurando el calor de la mañana y le inyectaba el vigor de sentirse viva, de no depender económicamente de nadie ni estar alistada en el paro. Predominaba, en fin, la fuerza de ese sol con rayos ondulados que siempre, cuando le leían las cartas, salía a contrarrestar los efluvios sombríos del ahorcado, la muerte y otros personajes de mal agüero. Se puso a darle vueltas en su imaginación al posible enfoque del trabajo de aquella tarde.

TRECE

Siempre que llegaban a una nueva ciudad –y aquélla era la última de la gira veraniega–, surgía alguna complicación imprevista. El empresario, Facundo Ruiz, un hombre corpulento, de bigote cano y algo descuidado en el vestir, estaba cansado. Cansado de los accidentes y enfermedades que afectaban a los miembros de la compañía, cansado de sus quejas y riñas, de la tensión que suponía no estallar y mandarlos al diablo, porque le podían dejar en la estacada, cansado de los problemas de hospedaje, de ensayo, y de adaptación a locales desconocidos –a veces teatros en decadencia que no reunían las condiciones necesarias–, cansado de terminar el día sin saber bien en qué ciudad se echaba a dormir, en qué hotel ni en qué día de la semana. Durante la recta final del periplo, se había acostumbrado a intercambiar confidencias y comentarios con Marcelo Ponte, un novato en el mundo de la zarzuela, pero dispuesto a colaborar en cualquier dificultad, experto en electrónica, aficionado al riesgo, con sentido del humor y más listo que el hambre.

El fallo estaba en que a veces se perdía totalmente de vista, no había manera de localizarlo, y a Facundo se le caían los palos del sombrajo porque aquel joven tan peculiar, el único capaz de darle ánimos, se había convertido en su mano derecha. Pero como, por otra parte, tampoco quería dejar demasiado evidente lo mucho que le necesitaba, cuando reaparecía le echaba una bronca, procurando que la oyera alguien del elenco para que no tomaran celos de él. Luego se iban reconciliando. Hablaban aparte.

–Pero, Facundo –decía el chico–, es cosa de mi manera de ser, cuando hice la carrera me pasaba igual, a veces me saltaba una clase o no abría un libro durante meses, pero luego sacaba sobresaliente. Tampoco quiero hacerme el imprescindible en este grupo, para mí empezó siendo una experiencia pasajera, ocasión de aventura, y el primer sorprendido de no haber sufrido grandes descalabros soy yo mismo, no me conviene apantallar, ya hemos hablado de esto, ni que se me esquinen los actores profesionales. ¿Para qué me buscaba usted?

–Pues mira, las relaciones con la prensa, como siempre. Es fundamental que haya un eco, una repercusión. Ayer me han llamado de la radio. Quieren una entrevista para un programa especial que se llama *Mirada oblicua,* uno de los de mayor audiencia de aquí, al parecer.

–Pero una entrevista ¿con quién?

–Yo les he dicho que contigo, porque necesitan personajes atípicos, además tú eres el que mejor se explica. De paso podrías decir que no llegamos a estrenar el día previsto porque hay problema con la acústica y las luces del Astoria, cosa de la que también estás perfectamente enterado. Aunque ya he mandado un fax al periódico, insistir en eso nos conviene mucho. Los carteles no da tiempo a rectificarlos y aquí, según me han dicho, la radio se oye bastante. En fin, les he hecho llegar un dossier con tu currículum, ya lo tienen.

–¿De verdad? ¿Y qué han dicho los demás?, ¿lo ha consultado usted con ellos?

–Mira, Marcelo, hijo, los demás pasan, los sacas de

dormir hasta muy tarde o de pedir doble ración de comida, y se cierran en banda a cualquier trabajo extra no remunerado, ¿no los conoces ya de sobra? Ellos encantados con que vayas tú, es un alivio, y para mí mayor todavía, sé que lo harás bien. Yo tengo que atender al asunto de los camerinos, que materialmente no hay sitio, a ver cómo se arregla eso, y al ensayo general de *La del manojo de rosas,* la tiple necesita un repaso en serio, y encima con humos, se ha creído que es Enriqueta Serrano.

Marcelo le miró con curiosidad. No le gustaba hacerse el enterado de lo que no sabía, ni dejar pasar la ocasión de aprender algo nuevo.

–Perdone, ¿quién es Enriqueta Serrano?

–Era la mujer de don Pablo Sorozábal, yo la vi con mi padre, siendo niño, estrenó *Katiuska* en el papel de Olga, ¡qué gracia para moverse en el escenario, qué intención al mirar!, pequeñita, pero una tromba de vida, aparecía y no había ojos más que para ella. Luego se retiró, el marido no quería que siguiera en los escenarios.

–¡Cuántas historias le quedan a uno por conocer! –dijo Marcelo–. Debería usted escribir sus memorias, Facundo. A mí me encanta hablar con la gente mayor, se aprende muchísimo, y bueno, perdone que le llame mayor...

–¿Y cómo me vas a llamar si tengo setenta años? A vosotros, los jóvenes, sí que os quedan cosas por ver. Ojalá os dejen poso, ojalá no resbalen como agua sobre piedra. Tenéis la ventaja y la condena de la televisión, que apresa lo fugaz pero lo banaliza, acabará por sustituir al pensamiento e incapacitarlo para recordar. Pero la zarzuela, ésa es la verdad, se está muriendo y yo ya no tengo aliento para hacerle la respiración artificial. Mi padre, que se dedicó toda la vida a esto, ya me lo decía cuando dejó la empresa en mis manos, te van a tocar tiempos de sequía,

Facundo, Dios lo tenga en su gloria, qué razón llevaba, y eso que no atisbó ni la mitad. En fin, no quiero ponerme en plan Jeremías. ¿Qué dices de lo tuyo? Te lo quise consultar anoche, pero no apareciste.

–Si ya ha quedado usted, qué voy a decir, que bueno. ¿Pero de qué tengo que hablar?

–No sé, supongo que de todo un poco. Es a las seis de la tarde. Aquí tienes las señas de la radio y dinero para un taxi. La chica que se puso en contacto conmigo me hizo buena impresión, las preguntas las va a preparar ella con arreglo al dossier, parecía realmente interesada. Vete un poco antes, si quieres. Se llama..., espera a ver..., Valeria Roca, aquí te lo apunto. Dice que le gustan los personajes brillantes e inesperados, conque a ver cómo quedas, hijo.

En los ojos de Marcelo se encendió una centellita de vanidad ante el desafío. Pero se encogió de hombros con estudiada indiferencia.

–Procuraré no meter demasiado la pata –se limitó a decir.

Luego pensó que Valeria Roca era un nombre que le gustaba.

La imagen casi irreal de aquel Marcelo Ponte alimentó sus primeras fantasías estimulantes y redentoras de la mañana. Cambiaba continuamente de perfil y de color, se deshilachaba, daba quiebros en zigzag; era como seguir el vuelo de una libélula huidiza.

Cuando quiso recordar, el sol ya estaba luciendo y había caminado más de dos kilómetros. Miró alrededor.

Sus pasos la habían llevado hasta la arteria principal del Ensanche, zona que no solía frecuentar, y se acordó de haberle oído comentar a un compañero suyo que por allí pasaba un autobús con parada justo enfrente del edificio de la radio. Consultó el reloj, faltaba hora y pico y estaba cansada, así que decidió sentarse en una cafetería agradable, desayunar como una reina y aprovechar ese alto en el camino para ir elaborando, con arreglo al dossier, un cuestionario agudo y original para conectar con Marcelo Ponte. El personaje prometía dar pie.

Cogió a gusto el asiento junto a la ventana, un estrecho sofá con respaldo de peluche. El local tal vez lo hubieran abierto hace poco, era amplio, luminoso y moderno pero con un deliberado toque de antigüedad; ahora siempre hacen eso –pensó Valeria–, desnudar a un santo para vestir a otro, seguramente estos veladores estarían en algún café del casco viejo de los que se vieron obligados a cerrar porque no iba nadie, luego en una almoneda y por último aquí. Pensar «aquí» la llevó a mirar a través del cristal la avenida ancha con bloques de quince pisos por la que pululaban muchos coches y se veía circular a peatones que parecían saber adónde iban, algunos conocerán a mi familia, pueden pertenecer a la misma tribu urbana, considerarse «de aquí de toda la vida», entre todos formamos los dos estratos de la ciudad. Se había levantado un poco de aire, vio girar sobre la acera un remolino de hojas, otro otoño a las puertas. Y se abrazó a sus raíces provincianas con una efusión tan dolorida que casi se le saltaron las lágrimas, en la salud y en la enfermedad hasta que la muerte nos separe. Pero el presagio de los días fríos ensombrecía aquel abrazo que no era de novia sino de esposa. Tuvo que reconocer que la convivencia desgasta.

Empezaban a entrar personas bien vestidas a desayunar en la barra, hablaban en voz apagada, cortés, una música de fondo que no arañaba la delicada piel de sus pensamientos, era grato encontrarse entre desconocidos, mirando a través del cristal una calle anónima, que daba pie a situarla en cualquier sitio, puedo pensar que he hecho un viaje a otra ciudad, se dijo, una ciudad donde nadie me espera ni me conoce; respiró con alivio y se sintió flotando dentro de una burbuja ficticia de libertad. A lo largo del día pueden surgir ventanitas inesperadas, si no te asomas no te das cuenta de que la vida bulle y se desparrama más allá del límite de nuestro cuerpo, de nuestras obsesiones. Pidió un café con leche, un zumo de pomelo y un *croissant* a la plancha. Luego abrió la carpeta.

Marcelo Ponte se había embarcado en el elenco de la zarzuela por pura casualidad, era de Madrid pero añoraba la vida de provincias, le quedaba un curso para terminar Letras y había simultaneado las aulas con el desempeño de diversos oficios, le interesaba mucho escuchar a las personas mayores, estaba versado en electrónica y sus dos pasiones favoritas eran viajar y leer, le entusiasmaba Joseph Conrad, soñaba con ser marinero de los de antaño y a través de su casual gira de este verano había descubierto también que era muy capaz de meterse en el alma de héroes cuya rebeldía nunca pasará a la historia, como el Aníbal de *Luisa Fernanda*. En dos reseñas de prensa aparecidas en otras provincias por donde pasó la compañía, el cronista local destacaba su voz bien timbrada, su convicción para recitar y la naturalidad con que se movía sobre las tablas. «Ha nacido un excelente actor secundario, capaz de inyectar sangre nueva a la zarzuela», leyó Valeria en uno de los recortes. Bueno, por favor, es mi chico, se dijo maravillada, mientras apartaba la carpeta y mojaba su *croissant* en el café con leche, no me lo puedo creer. Por fin voy a hacer una entrevista que me ilusiona, y precisamente en un día que estaba reclamando a gritos la aparición de un aliciente.

El programa radiofónico *Mirada oblicua* no tenía pretensión de actualidad, había nacido apostando fuerte por el descarrilamiento, por cualquier opinión que se desviase de lo previsible, y tan difícil le fue alcanzar la popularidad inesperada que había llegado a conseguir, como le resultaba ahora a Valeria mantener una calidad que, por culpa de los entrevistados, con frecuencia sufría aparatosos bajones. No faltaban tipos raros en aquella provincia, como en tantas, pero si iban de raros oficiales dejaban de interesar, repetían el cliché. Y Valeria hacía equilibrios inverosímiles para poner alto el listón de la inteligencia y acuciar a la gente a alcanzarlo. Se llegó a decir que la protagonista era ella, que el programa se escuchaba sólo por el placer de oírla a ella. Pero las ocasiones en que conseguía una colaboración adecuada es cuando realmente sentía colmado su propósito.

Terminó de desayunar y empezó a anotar algunas posibles preguntas. Su rostro se embellecía cuando estaba concentrada y se quedaba con el bolígrafo entre los dientes, sujetando la cabeza pensativa que miraba en torno sin mirar.

–Hola, Valeria, no estaba segura de que fueras tú, hace tanto que no nos vemos. ¿Te interrumpo?

Fijó los ojos en aquella silueta femenina de pie al otro lado del velador. Detalló sus facciones, su peinado, su forma de vestir. Ella en cambio no se había duchado, traía puesta la ropa que encontró arrugada encima de una butaca y debía de tener unas ojeras terribles.

–¿Interrumpirme? No, no..., siéntate si quieres..., es verdad, cuánto tiempo.

La otra sonrió.

–¿Estás segura de que me has conocido?

–Claro, mujer, eres Rita Bores, has cambiado un poco, pero para mejor. ¿Es que vives por aquí?

–Sí, a tres minutos, en casa de mi padre, vengo mucho a esta cafetería.

–¿Sigues viviendo en casa de tu padre?

–Sí, pero por gusto, nos llevamos genial, y cada uno hace su vida, bueno, es que mi padre es un encanto. Nos lo contamos todo.

Valeria la miró con asombro y una punta de envidia. Rita lo notó, se conocían desde muy pequeñas, a esa edad en que los ojos de las niñas no velan sus emociones y se acostumbran a leer sin esfuerzo en los de la amiga con quien se comparten juegos, estudios, y esas primeras nostalgias inconcretas que a Valeria le estallaban en brotes prematuros de rebeldía. Sabía que había roto con su familia hacía años y que el chico con quien vivía solía alardear de que se atenían a un código de convivencia basado en el amor libre. Se acordó de Alicia, la adolescente anoréxica de padres separados con la que Pedro ligaba últimamente, y en la mirada de Valeria, hurtándose a la suya, supo que estaba sufriendo. Pobre Valeria, romper amarras bruscamente tiene un precio. Se fijó en que seguía mordiéndose las uñas. ¿Sabría lo de Alicia? ¡Pobre Alicia también! Otra víctima de la incomprensión familiar.

–¿Sigues viviendo con Pedro? –sondeó.

La naturalidad con que pronunciaba aquel nombre puso sobre aviso a Valeria. Prefería no hurgar en semejante tema, desviarlo.

–Sí, sí. En el casco antiguo. Yo por aquí no vengo casi nunca. Hoy es que me he despertado temprano y me ha dado por pasear. Te anquilosas si no estiras las piernas un poco, ¿no te parece?

–Desde luego, yo voy a nadar todo el año y en verano juego mucho al tenis, es fundamental.

Valeria la miró. Desde que dejaron de verse a diario, como compañeras de bachillerato que habían sido, las noticias que le llegaban de Rita y los encuentros esporádicos con ella se aliaron para catalogarla entre los niños de papá, superprotegidos y con tendencia a pijos. Seguía arrastrando en un tono ligeramente gangoso los finales de frase, llevaba un corte de pelo de peluquería buena y conjunto de pantalón y camiseta de marca, aunque aparentemente informal, jersey color salmón anudado al cuello, pulsera de marfil ajustada por debajo del codo, uñas de porcelana. Estaba tostadísima, deslumbrante, era una de las chicas más guapas de la ciudad. Cada día se parecía más a su madre.

–¿Quieres tomar algo?

–No, acabo de desayunar en la barra.

–Pero siéntate.

Rita paseó su vista por los restos del desayuno de Valeria y los papeles desperdigados sobre el velador, las colillas en el cenicero. Le asaltó una mezcla rara de timidez, respeto y compasión. Se habían querido mucho.

–No sé, oye, yo no tengo prisa y me encanta verte, pero me doy cuenta de que estabas trabajando, mi padre dice que es pecado interrumpir el trabajo de nadie. Otro día.

Su sonrisa era amistosa, compasiva, y Valeria notó que le caldeaba el corazón como cuando se tiene frío y sale el sol de repente.

–Siéntate, de verdad, son notas que puedo dejar para luego –contestó, al tiempo que recogía apresuradamente sus papeles–. Yo también me alegro un montón de haberte encontrado y poder hablar contigo. Por cierto –añadió tras una vacilación–, cuando murió tu madre era mi época *hippy*, andaba por Ibiza, ya sé que hace mucho tiempo, me enteré tarde y luego me ha dado corte decirte nada las veces que te he visto, pero créeme que lo sentí. Menos mal que tienes un padre tan bueno.

Lo había dicho con esa espontánea efusión que en las personas sinceras jamás puede confundirse con el cumplido, y ella misma se extrañó de la emoción que le provocaban las lágrimas adivinadas en el fondo de los ojos claros de Rita, aunque al fin no brotaron. Emoción y mala conciencia. Soy intransigente como todos los Roca –se dijo–, hago una religión de mis convicciones, opuestas a las suyas pero igual de excluyentes, y, mirándolo bien, ¿en qué se basa mi soberbia?, a todos nos viste el mismo sayal. Ando a la defensiva, y estoy perdiendo el norte, no tengo amigas, las he dejado caer, clasificar a la gente es amurallarse.

A Rita Bores le había puesto una tienda su padre, le pagaba los viajes, ¿y qué?, pero se querían y ella era inteligente y buena, lo fue siempre. Recordó con súbita añoranza algunos cuchicheos y complicidades con ella, sus discusiones apasionadas sobre literatura o historia en aquella época en que ninguna de las dos había renegado de su familia ni había perdido el humor agudo, aún no degenerado en sarcasmo. En la sonrisa de la mujer que ahora estaba colgando su bolso en el respaldo de la silla y luego se sentaba, podía adivinarse que seguía estando conforme con su destino.

–Porque tienes la suerte de tener ese padre tan ideal, no sabes cómo te envidio, ¿de verdad se lo cuentas todo?

–Bueno, casi todo –sonrió Rita–, todo no se le cuenta a nadie. ¿Tú le cuentas todo a Pedro?

–Todo no, ni él a mí tampoco, supongo. Tenemos el pacto de no fiscalizar uno la vida de otro. Es el secreto de la libertad.

Se detuvo. Estaba resbalando por la pendiente de un discurso rutinario, justificando una elección sobre la que Rita no le había pedido cuentas y encima diciendo una mentira. Porque ella no era libre sino esclava de la necesidad que continuamente sentía de defender a Pedro contra viento y marea antes de que nadie empezara a atacarlo, de engrandecer su figura cuanto más se envilecía a sus propios ojos; se sintió presa en el cepo de los artículos de fe. Sigo mirando a Pedro a la luz de nuestro primer encuentro en Ibiza –se dijo–, a la luz de una bombilla fundida ya hace mucho tiempo, igual que mamá mira a papá cuando le ríe los chistes. Y le pareció horrible pensar eso. Bajó los ojos hacia su carpeta azul de cartulina y cuando le estaba ajustando las gomas, notó que aquellas manos de uñas ovaladas se desplazaban sobre el velador para ayudarla y le apretaban con cariño los dedos inseguros.

–Dime, Valeria, ¿por qué no se te ve nunca? Yo creo que trabajas demasiado. Llámame alguna vez, en mí tienes siempre a una amiga.

–Lo sé, Rita. Soy muy ingrata. Te prometo que te voy a llamar, además lo necesito. Apúntame aquí tu teléfono, yo también te voy a dar el mío. Este encuentro ha sido un simple aperitivo.

Se intercambiaron tarjetas con dos números de teléfono cada una, el de casa y el de la radio, el de casa y el de la tienda, tienes que venir a ver mi tienda, se llama Defectos Especiales, ahí lo pone, creo que te gustará; seguro que sí, el nombre me parece genial, es que entre que trabajo mucho y lo mal que administro el tiempo, soy una catástrofe, nunca encuentro un hueco para salir de mis agujeros, las tareas domésticas son una peste, Rita, y yo tan desordenada, bueno, ya me conoces, pero voy a ver tu tienda la semana que viene sin falta, te llamo antes, me han dicho que te ha quedado preciosa; pues sí, a mí me parece que sí, además empiezo a tener clientes y la gente me ayuda, tu novio, por ejemplo, viene bastante, me imagino que lo sabrás, es un manitas para tareas de restauración casera. Valeria dijo que sí, que ya lo sabía, pero se estaba refiriendo a la habilidad manual de Pedro, no a que visitara Defectos Especiales, porque eso no lo sabía, se preguntó si cobraría algo por aquellos trabajos esporádicos, casi seguro que sí, pero no quiso indagar nada. Es muy hábil, desde luego –dijo–, y muy imaginativo, hace unos *collages* que rompen con todo, y buen poeta, me ayuda mucho en *Tamiz,* se ocupa de seleccionar las ilustraciones y también algunos textos, aunque es un poco radical; Rita dijo que su padre encomiaba mucho la revista *Tamiz,* y que también oía siempre que podía el programa *Mirada oblicua;* ¿de verdad?, sería maravilloso si pudiera entrevistarle un día –dijo Valeria–, yo no me hubiera atrevido nunca a pedírselo pero ojalá, lo admiro muchísimo desde siempre, y personaje atípico lo es con creces don Abel, aunque sólo fuera por lo guapo que sigue, que los hombres de su edad se adocenan y están hechos una ruina; Rita se rió, pues se lo diré, lo de guapo no, porque se le sube a la cabeza, lo de la entrevista, a ver si lo combinamos para que vengas una tarde a merendar a casa, ¿te parece bien?; estupendo, me encantaría –dijo Valeria, absolutamente decidida a excluir a Pedro de aquella visita si se llegaba a realizar–, nos llamamos, ¿vale?; y, ya pagando al camarero, la pregunta pendiente, que si Rita, tenía novio; sí, en Suiza, se llama Gérard, un alumno de mi padre; Valeria recogió el cambio y consultó el reloj, ¿os pensáis casar?; tal vez, no nos corre prisa, voy a verle mucho; me lo tienes que contar con más detalle, Rita, guapa, perdona, se me ha hecho tardísimo, siempre pasa eso cuando se está a gusto, que el tiempo vuela, tengo el programa de música clásica dentro de veinte minutos, madre mía, tendré que coger un taxi; en el Excelsior hay parada, no te entretengo más, de verdad, Valeria, llámame, me encanta haberte visto. Se abrazaron estrechamente en la calle y partieron en direcciones opuestas, la cafetería se llamaba Dumbo y tenía por enseña un elefante con la trompa hacia arriba.

Al cruzar la avenida a toda prisa, Valeria volvió a sentir en el pecho aquella opresión turbia del despertar. Había dejado de hacerle ilusión conocer a Marcelo Ponte.

CATORCE

Mientras daba un masaje corporal, Tarsi miraba fijamente la cortina ligera que separaba aquella cabina de otra, como si buscara el texto de algún mensaje milagroso estampado en sus pliegues grises. En la otra cabina no había nadie, ni en ninguna, se anunciaba una jornada floja, sólo un par de señoras en la peluquería, cuyas voces llegaban atenuadas, intemporales. Tarsi tenía un nudo en la garganta, percibía aquel rumor distraída, sin entender de dónde venía, tal vez de un mar lejano recogido en una caracola, y trabajaba con escasa convicción. Se le vino a la memoria la insistencia de la profesora con la que estudió para obtener el diploma que ahora tenía enmarcado en su pequeño despachito: Lo más importante, no lo olviden nunca, es concentrarse, es ponerse ante el cuerpo ajeno con el propósito primordial de establecer una corriente mediante la cual se transmita energía; y había comparado la situación con el acoplamiento a los pasos del hombre que te saca a bailar o con la de hacer el amor de forma placentera. Tarsi había bajado los ojos, intentando ocultar ante sus compañeras la oleada de rubor que le subió a la cara, nunca podré llegar a ser una buena masajista, se dijo, y le fallaba la moral como si acabara de hundírsela un submarino enemigo; luego, casi inmediatamente, apeló a la fuerza de voluntad y consiguió volver a prestar atención, nadie había notado nada, ella se imaginaba la voluntad como una mujer alta, de ojos fríos, vestida de negro con fusta a la cintura.

Prefería que no le hablaran mientras daba el masaje, lo solía advertir a sus clientas, pero hoy el silencio era una cruz a cuestas, porque no se trataba sólo de que estuviera inquieta, sino de que los caminos por donde se dispersaba su pensamiento se convertían en atolladeros plagados de zarzas y cuando lograba salir se metía en otro igualmente intrincado y expuesto al peligro, ¿cómo podrían sobrevivir los aventureros de los libros y de las películas, los conquistadores de la selva?, rebotaba de susto en susto, deseando al mismo tiempo resistir y escapar, pero más que nada delegar su voluntad en ese alguien que aparece providencialmente para brindar compañía al huérfano perdido, orientarle y ayudarle a entender los mensajes cifrados, añoraba aquel anhelo infantil de lo sobrenatural que despedían los libros de cuentos, incienso de infinito, desmayo confiado en otros brazos altos, redentores.

–¿Le hago daño?

–No, no.

–Estaba explorando las cervicales. La espalda la tiene usted impecable. Vuélvase, por favor. Un poco más arriba. ¿Se encuentra cómoda?

–Muy cómoda, gracias.

–A ver. Con esta almohadita debajo de la nuca creo que estará mejor.

Agustín llevaba dos noches sin aparecer, le había dado por teléfono una explicación concisa y desconcertante. No te preocupes por mí, Tarsi, estoy bien pero bastante agotado, me conviene estar solo unos días, en cuanto descanse un poco, voy a verte y hablamos; pero ¿hablar de qué?, ¿qué te pasa?, ¿dónde estás?; me he refugiado en casa de una amiga; ah, ya, la marquesa, eso no es estar solo, perdona, te tira a ti lo de la marquesa. Agustín se había irritado, somos mayores, ¿no?, yo un comentario como ése nunca te lo habría hecho, Tarsi, es bastante impertinente; ella se había sentido humillada y le salió su vena peor, ¿cómo me lo ibas a hacer?, yo no tengo ninguna marquesa, pero enseguida le había pedido perdón, porque no podía resistir su silencio, me preocupo por tu salud simplemente, Agustín, ¿tiene algo de raro?, quiero saber qué te pasa; no me pasa nada, nada cuyos síntomas conozca, hay que darle tiempo al tiempo para que nos explique las cosas, no me agobies, Tarsi, ¿de acuerdo? Le había notado un claro tono de impaciencia, le estaba cerrando la puerta en la cara y reaccionó con orgullo, de acuerdo, no te pienso agobiar, descuida, sólo una cosa: si hay algún recado para ti, ¿qué hago?; nada, que me llamen al ambulatorio entre doce y una, siempre y cuando sea algún enfermo, además no llamará nadie, no te preocupes; pues mira, en eso te equivocas, ha llamado Manuela desde un parador de carretera o algo así, creo que iba a la finca de su familia; ¿y qué quería?; no sé, ni creo que ella lo supiera tampoco, estaba rara, dile a Agustín que me perdone, insistió mucho en eso, tú sabrás de qué la tienes que perdonar, yo es que no os entiendo, en fin, será que como no tengo estudios soy corta de alcances; bueno, adiós, Tarsi –zanjó él–, la pendiente del sarcasmo es peligrosa, ya lo hemos hablado muchas veces, durante un tiempo vamos a dejarnos en paz unos a otros como buenos amigos, ¿te parece?; me parece superior, hijo, por mí bien dejado estás, *good bye.* Fue ella quien colgó el teléfono; desde alguna olvidada discusión infantil era la primera vez que dejaba con la palabra en la boca a su hermano. Y no había a partir de ese momento recibido más noticias de nadie. ¿Qué estaba pasando? Rebuscaba en su memoria con dolorido afán el cabo de esta madeja enredada en alguna frase hiriente que pudo escapársele a ella sin querer la última mañana en que desayunaron juntos, los dos tenían mala cara, Tarsi no durmió bien, le había oído llegar a las cinco menos cuarto de la madrugada, vio la hora en el despertador fosforescente y ya fue incapaz de volver a conciliar el sueño, daba vueltas sigilosas en la cama como si estuvieran durmiendo juntos y no quisiera contagiarle su preocupación, pero todo eso se lo calló, le preguntó simplemente que dónde había estado, ¿o no se lo preguntó siquiera?, se le borraba, hubiera querido tener grabada la conversación en cinta magnetofónica, le había hablado también de su ex, bueno, de Manuela, a Agustín lo de «ex» le parecía de revista del corazón, de una frase se acordaba, «está más claro que el agua que lo que quiere es volver a verte», total nada del otro mundo. Pero ¿y el tono?, ¿acaso puede nadie controlar el tono con que afloran a los labios, disfrazadas de comentario indiferente, las cosas que te han reconcomido y fermentado por dentro? Reconocía sus trabas para ser desprendida con su hermano y dejarlo a su aire, incapacidad agudizada últimamente por una convivencia en cuya provisionalidad él había hecho hincapié desde el primer día. Son decisiones, Tarsi, que se toman en casos de emergencia, yo acabaré yéndome a vivir solo, que quede claro. Pero, por eso mismo, el temor a perderlo era como una espada sobre su cabeza, una amenaza que ponía cerco al disfrute del presente y bloqueaba la atención para con las palabras escuchadas, se había vuelto susceptible, ofuscada, ávida. Mejor una pausa, sí, dar tiempo al tiempo como había dicho él, una frase certera que pertenecía al léxico de la madre y se podía aplicar a todo, también a dar un masaje en condiciones, pero ¡qué difícil ponerla en práctica! ¡Cómo se rebelaba el alma flaca ante el mandato de la voluntad, aquella rígida señora enlutada!, dar tiempo al tiempo. Tarsi se imaginaba echando todos los días cubitos del agua sucia de su tiempo al mar voraz del tiempo como una ofrenda simbólica e inútil. Y, sin embargo, tenía que aprender a digerir el silencio de la casa a partir de las siete, hora en que se cerraba La Favorita, a dejar de esperar que sonara el teléfono, a no acercarse ni de lejos a él. Dejémonos en paz unos a otros como buenos amigos, pues sí, ya vendría a explicarle lo que fuera, no quería iniciar ningún tipo de pesquisa, pobre Agustín, bastante tenía con el acoso de Manuela. ¿Qué le estaría pasando? ¿Qué cavilaciones le martirizarían en este mismo momento?

La clienta se había dormido. La despertó con unas suaves palmaditas en la cara. Tenía un cuerpo esbelto, maduro pero bien cuidado, una leve marca de haberse hecho una liposucción en fecha tal vez reciente y por debajo la marca más impalpable aunque menos equívoca del dinero que hace falta para conservarse así.

–Puede reposar unos minutos –dijo, mientras la cubría con una toalla grande– y vestirse cuando quiera. Al fondo del pasillo, a la derecha, está mi despachito, pero no tenga prisa. ¿Le ha sentado bien?

Se oía una música ambiental muy suave, el bolero de Ravel. Vio un póster de tela encerada, como los del instituto, representando distintas zonas del cuerpo humano.

–Oh, sí, muy bien. Sobre todo el masaje de pies, lo necesitaba mucho.

–Me alegro, ¿le bajo un poco la luz?

–No hace falta, me voy a vestir enseguida. ¿Dónde está el servicio, por favor?

Tarsi le explicó que el de la peluquería funcionaba mal y que iban a venir los fontaneros esa misma mañana, pero que enfrente de la cabina, al salir, vería una puerta verde que comunicaba con la vivienda y que la segunda habitación a la izquierda era el baño.

–No tiene más que empujarla. Ahora mismo le dejo las luces encendidas para que no se confunda, está algo oscuro, es mi casa, ¿sabe?, pero considérela suya. Hasta ahora.

Se había ido silenciosamente. Amparo Miranda empezó a vestirse con gestos lentos y armoniosos. Se sentía congraciada con la vida aquella mañana. Es mi casa, ¿sabe?, pero considérela suya. Pensó que en los lujosos gimnasios y centros de acupuntura o masaje que solía frecuentar en Nueva York nunca le hubieran dicho una frase como ésa, tan sencilla y tan cálida, la iba arrastrando como la cola de un traje de novia cuando empujó aquella puerta verde, vio luz dentro y traspuso el umbral de la primera casa que le habían ofrecido desde su retorno a la ciudad.

Al salir del baño, se sintió intrigada por una habitación que había enfrente con la puerta entreabierta, y aquella curiosidad intempestiva la llevó a asomar la cabeza para ver su interior. Estaba en semipenumbra y olía a limpio. La escasa luz procedente de un patio de vecindad arrancaba destellos tristes de dos superficies de espejo separadas por un listón de madera, pertenecían a un armario estrecho, aunque alto. Había también una cama con dos mesillas, un sillón, una estantería llena de libros, y ropa de hombre colgada de los brazos de un perchero. El suelo era de baldosa. No pudo resistirse a la fuerza que la impulsaba a entrar, aunque con pasos furtivos y recelosos, atraída por el fulgor estancado de aquellos espejos. Pero antes de llegar a situarse en el punto donde pudieran reflejarla, retrocedió sobrecogida y se quedó inmóvil, como si acabara de aparecer ante sus ojos el fantasma de un pariente muerto. Lo había reconocido, era su viejo armario de luna, ante el cual había reído y llorado tantas veces, y hablado en voz secreta, porque Olimpia le había metido en la cabeza que era muy sano para la salud hablar con una misma, que equivalía a un ensayo general sobre la vida, aunque luego la vida se vaya por caminos imprevistos. Trató de aplacarse, argumentando que podía haber otros armarios iguales, muchos muebles se hacen en serie, pero volvió a fijarse y no, los tiradores de la puerta y del cajón inferior los habían elegido su madre y ella en una ferretería cerca de la Catedral porque los herrajes de origen estaban muy gastados, los colocaron ellas mismas con ayuda de un destornillador, y eran ésos, con seis círculos y una flor en medio, estaban proclamando a gritos la identidad del armario: su armario. Formaba parte del lote de muebles y objetos que no se habían querido llevar, porque, después de discutirlo un par de noches, decidieron emprender la aventura del futuro con el equipaje indispensable, y la primera oficiala de Ramona-Modas heredó casi todo lo sobrante. Se acababa de casar y le venía muy bien.

A Amparo se le estaba desmoronando encima lo que entregó al olvido y unos cirros repentinos pegados a la mente como masas de chicle negro amenazaban con desaguar en lluvia amarga. Intentó irse pero no podía, y cuando quiso darse cuenta ya estaba colocada delante del armario. Una figura borrosa de mujer apareció al otro lado con la cama por telón de fondo. No era capaz de mirarla de frente. Pero escuchó su saludo.

–Hola, te he estado esperando durante mucho tiempo, sabía que tenías que volver. ¿Qué ha sido de tu vida?

A Amparo le temblaba la voz al contestar, unas manos invisibles le oprimían el cuello.

–No se puede hacer el resumen de una vida tan larga en pocos minutos, perdóname, me tengo que ir.

–¿Y por qué tanta prisa?

–Si viene alguien y me encuentra hablando aquí sola –susurró–, creo que me moriría, no puedo, de verdad.

Levantó un poco los ojos y veía doble a la otra figura,

tiritando a través del prisma de sus lágrimas, cercada por rayos de iris.

–No estás hablando sola, estoy yo aquí, siempre nos lo hemos contado todo.

–Ahora no es igual. Dejemos eso, ¿quieres?

–Ya entiendo, ahora tendrás otros espejos.

Del patio de vecindad llegó una voz estridente y nítida: «¡No tardes, Maripaqui, hija, que es para hoy!» Luego un silencio tenso.

–Sí, tengo otros espejos que me dicen mentiras. Pero a todo hay que acostumbrarse. Me alegro de haber venido. Adiós.

–Adiós, mujer, no llores. ¿Tanto te cuesta regalarme una sonrisa?

Amparo sonrió entre las lágrimas e hizo el signo de la victoria con los dedos índice y corazón de la mano izquierda. La otra la imitó, era una vieja broma. Después sacó un pañuelo del bolso, lo agitó lentamente y también vio repetido ese gesto por su cómplice.

Luego, sin más palabras, salió de la habitación y las dos lunas del espejo se quedaron reflejando la cama intacta, cubierta por una colcha de damasco azul. Apagó la luz del pasillo y, antes de franquear la puerta verde, se secó las lágrimas con el pañuelo del adiós.

Tarsi estaba en el despachito del fondo, sentada detrás de un mostrador blanco de formica. Le indicó un asiento al otro lado, mientras atendía a la llamada de alguien y consultaba su agenda, sí, señora Toral, a las cuatro es buena hora, pero procure venir en punto, ya, limpieza de cutis y depilación de piernas, he tomado nota, de acuerdo, gracias a usted. Colgó el teléfono también blanco. Amparo estaba jugueteando con una tarjeta que cogió al entrar de la bandeja sujeta por una estatuilla con uniforme de botones. La Favorita, Társila Sánchez del Olmo, alta peluquería, masaje, limpieza de cutis.

Todo coincidía. La primera oficiala de Ramona-Modas se llamaba Társila, una mujer pequeñita, dispuesta y alegre, más joven que su jefa y de mejor carácter. En una ocasión, Amparo, por sugerencia de su madre, ya muy envejecida, le había mandado un cheque sustancioso a España. Dios te lo pague, Amparo, es para costear los estudios de su hijo. Al fin y al cabo a tu marido y a ti os sobra. Que sí, mamá, tranquila. Poco después llegó a Manhattan una carta que la señora Ramona guardó celosamente y nunca le dio a leer a su hija, tampoco le había leído otras anteriores, debían de confiarse una a otra cosas muy íntimas, aquella muchacha lejana era su último enlace secreto con la ciudad. Ramona Miranda, a partir de aquel envío, no tardó en morirse. Amparo estuvo dudando si participar o no la defunción a Társila del Olmo, pero no encontró las señas o no tuvo ganas de buscarlas, el pasado quedaba atrás. La abuela no podía resistir los rascacielos, dictaminó Jeremy, que entonces tenía doce años, se ha muerto de pena. De la antigua oficiala y de sus hijos Amparo nunca volvió a saber nada.

–Perdone, ¿le hago el recibo con IVA?

Se miraron con gesto grave, ausente, cada una sumida en sus cavilaciones particulares.

–¿Cómo?... Ah, no, no necesito recibo, gracias, soy extranjera.

–Bueno, pues son tres mil. ¿Le ha recomendado alguien este sitio?

–Pregunté en el Hotel Excelsior, y luego que la fachada me ha parecido preciosa.

Puso el dinero sobre el mostrador y se levantó. Podría abrazar a esta Társila júnior, recibir un aluvión de gratitud, intercambiar historias de familia y lágrimas, quedar para verse otro día. Pero no se sentía con fuerzas.

–Gracias. Es una fachada muy bonita, sí. Veo que ya ha cogido una tarjeta. Vuelva cuando quiera.

–Pues no le digo que no. Aunque creo que no me voy a quedar mucho tiempo, he venido de turismo con mi marido y pensamos visitar otras ciudades. España es una maravilla, y todo tan barato.

¿Por qué razón me escudo en esa sarta de mentiras inútiles, de qué me quiero proteger?, pensó inmediatamente, mientras, salían juntas al pasillo. Y fue como un timbre de alarma. Társila júnior la precedía en silencio e iba encendiendo luces. Barato si se tienen dólares, pensaba. Pasaron por delante de la puerta verde. Amparo se detuvo.

–Társila es un nombre muy especial, ¿es típico de esta región?

–No, es más bien exótico. Creo que Santa Társila era una mártir romana o algo así. Yo lo llevo por mi madre, que en paz descanse. No conozco a nadie más que se llame así.

Llegaron a la puerta de salida. Amparo le tendió una mano que la otra estrechó.

–Pues nada, mucho gusto en conocerla.

–Lo mismo digo. Hasta otro día, espero. Y que disfruten de su estancia en España.

Una vez en la calle, Amparo Miranda apresuró el paso para llegar a la avenida del parque. Descanse en paz –iba musitando–, descansen en paz las dos, la que heredó mi armario y la que se vino pegada a mí como una sombra perpetua, las dos amigas unidas por el hilo de la costura y separadas a tijeretazos por el destino, descansen en paz, una aquí y otra en una tumba adonde nunca llevo flores, cerca de la autopista que conduce a Kennedy Airport, miro aquella ciudad anónima e inmensa a la que suceden luego cementerios de chatarra cuando paso a toda velocidad a tomar un avión, en Nueva York siempre se hace tarde, no hay tiempo para ceremonias y el olvido corroe como un óxido, nunca le llevo flores, descanse en paz.

Sabía que en la avenida del parque había parada de taxis. Cogió el primero de la fila. Corría un viento muy agradable.

–Buenos días, señora, ¿adónde vamos?

–Al Hotel Excelsior.

Se retrepó en el asiento y cerró los ojos. Ya le habrían arreglado la habitación. Saldría a la terracita que tenía sillones de mimbre con almohadones mullidos, pediría que le subieran la comida allí. Se prometía una tarde distinta.

–¿Puedo fumar?

–Por supuesto, señora. Yo me he quitado hace un mes. ¿Me da uno?

–No faltaría más.

Hicieron el trayecto en silencio, conectados por el humo que amortiguaba las aristas de su desconocimiento mutuo.

Necesitaba tomar notas de todo aquello, rumiarlo a solas. Ya empezaba a haber argumento.

QUINCE

En una cosa coincidía su visión de entonces con la de ahora: en que procuraba ver sin ser vista. La madre le había dicho: «Cuantas más cosas sepas de ellos y ellos menos de tu vida, más te librarás de encontronazos en un terreno que no dominas, y hasta puede llegar a ser posible que encuentres esa puerta camuflada que lleva al interior de los árboles», y Amparo, acostumbrada al lenguaje de los cuentos de hadas, les veía a esos consejos una mezcla de atractivo y bruma, aunque sin descartarlos como brújula para orientarse en el bosque de cuerpos y cabezas que iban brotando alrededor y entorpecían su paso hacia una salida sin más contornos que los del anhelo. Troncos de árbol cuya puerta secreta tal vez condujera al alma en tormento de sus ramas altas. Pero muy pocos irradiaban señales enigmáticas que espolearan su curiosidad.

A Amparo saber cosas de aquella gente para ampliar un fichero de apellidos, chismes y parentescos no le interesaba apenas, pero sí espiar sus gestos, intuir lo que ocultaban tras lo que decían, observar cómo se movían, qué terreno fingían ocupar, detectar el punto flaco de sus miedos. Olimpia la ayudó en esto sin darse cuenta con la aportación de informes desgranados al descuido, igual que si se desprendiera de calderilla para echarla en el sombrero de un mendigo, amparada tras el desdén de provinciana de alta alcurnia que se rebela a sabiendas de lo infructuoso y falso de su rebelión. Ella tenía acceso a cualquier círculo, ha entrado la hija del marqués de Moret, a saber qué exabrupto nos traerá preparado.

Amparo recogía, fingiendo tedio, esos informes que nunca comentaba, y sin embargo cuando coincidían con alguna de sus intuitivas apreciaciones los archivaba entusiasmada en su memoria, una reserva de hilos de colores para bordar algún día un tapiz del que sólo vislumbraba fugitivos fragmentos. Pero ella a Olimpia le contó siempre poco de sí misma. Entre otras cosas porque el relato de su vida se apoyaba en cimientos precarios e inestables. Sus primeros recuerdos nacían ya agarrados como lapas a aquel recinto exiguo del taller por donde correteaba igual que un ratón en busca de salida, levantando perpleja el hocico infantil, pidiendo venia para deslizarse por entre los barrotes que encarcelaban sus balbucientes preguntas, ¿por qué?, pero ¿por qué?; por nada, porque sí, eso a un niño no le importa.

Tardó en saber que era hija de soltera y que en la causa de su nacimiento había colaborado un militar ya no muy joven, casado y respetable, natural de otro pueblo grande donde ella nació y desde donde llegaron al taller de la calle del Olvido, que parecía existir desde siempre. Cuando murió ese padre nunca visto fue la primera vez que Amparo tuvo noticia de él. Hasta entonces Ramona Miranda no le había dicho nada, tendría ella once años, ya se había adiestrado en el duro aprendizaje de no preguntar, era de noche y estaban cenando. La madre se lo contó todo de corrido y en términos escuetos, como cumpliendo con una obligación entre penosa e indiferente, y el ratón levantaba su hocico ansioso, sólo preguntó que cómo se llamaba; eso no importa, a ti que más te da, pero bueno, se llamaba Cosme; ¿Cosme Miranda?, pues no, hija, Miranda soy yo, ya lo sabes; y que les había estado mandando dinero aunque nunca se volvieron a ver, en el fondo había habido suerte, otros hombres se portan peor, ahora ya estamos situadas, tú sigue siempre con la cabeza alta. También le dijo que cuando cumpliera quince años, le daría una pulsera de oro, regalo de su padre; ¿dónde está?; la tengo yo guardada. Y el ratón asustadizo se plantó, desafiando al gato: ¡No se te ocurra empeñarla, madre, es que, vamos, ni se te pase por la cabeza!, esa pulsera es mía; está bien, te lo prometo, pero no me grites. Siguieron cenando en silencio, mantener la cabeza alta era difícil y mucho más masticar, era una nube de humo tóxica, densa y amarillenta la que había dejado al pasar el camión de aquella noticia, no tosió, aunque respiraba mal; los hombres son iguales unos a otros –dijo la madre–, todos tienen lo mismo en el mismo sitio, no los idealices nunca; perdona, tengo sueño, dijo el ratón. Y luego en su cuarto, delante del armario de luna, ya con el camisón puesto, se echó a llorar sin ruido, a mí me hubiera gustado conocerlo, le dijo bajito a la otra niña, que también lloraba.

De aquel día en adelante, cuando observaba a los demás, la suposición de que no sabían nada de su vida se quebraba ante la sospecha de que pudieran estar enterados de aquello, haber conocido incluso al hombre que ella sólo podía evocar apelando a una imaginación desorientada y sin freno. Pero ni siquiera a Olimpia le quiso sonsacar nada cuando más adelante se hicieron amigas. Para entonces había redoblado su alerta y su cautela. A la lámpara de Aladino, si alguien le invitara a frotarla, no le formularía más que un deseo: volverse invisible.

Pero ¿y ahora qué?, ¿qué sentido tiene seguir desconfiando? La persistencia de aquella antigua cautela fue lo primero que empezó a reprocharse cuando, de vuelta de La Favorita, llegó al Hotel Excelsior y se instaló cómodamente en uno de los sillones de mimbre de la terraza, con los pies descansando sobre una banqueta almohadillada. Un vistazo a su agenda la hizo caer en la cuenta de que era su sexto día de estancia en la ciudad y de que aún no había depuesto la actitud defensiva. Se esforzó por hacer memoria y sacó en consecuencia que exceptuando taxistas, camareros, personal del hotel y algún turista extraviado, sólo había cruzado la palabra con tres personas: la señora que encontró en el Museo Municipal delante de aquel cuadro del árbol, la masajista que había resultado ser Társila júnior y un chico con el que coincidió en el bar del tren y luego reapareció una tarde en el desagüe de cierta plazuela y echó a correr en pos de ella. Con ése se explayó mucho durante el viaje, casi dos horas, porque era forastero, como fingía ser ella misma, y no le provocó desconfianza, venía con una compañía de zarzuela. Un muchacho atractivo, por cierto, aunque inestable, deseoso de hacerse notar y muy necesitado de refrendo. Le había recordado a Jeremy, algo más joven. Era de los que miran a los ojos con una punta de descaro, aparentando desencanto pero seguros de su encanto. Te buscaré otro día, tengo que volver a verte, eres maravillosa. Le había calentado el corazón. Dentro de la agenda tenía apuntado su nombre: Marcelo Ponte.

Se descalzó, los zapatos de hoy eran mocasines de piel suave color turquesa. Siempre le había gustado el calzado bueno, y Olimpia, que lo sabía, alguna vez quiso regalarle un par de los muchos que le sobraban, pero aparte de que Amparo calzaba un número menos, a la señora Ramona le gustaba poco que aceptara favores o regalos de «esa gente»; pueden creer que somos unas muertas de hambre, tú te estás costeando todos los estudios por ti misma, gracias a las becas que ganas, a las horas que le robas al sueño. Y, en cuanto al arreglo, mientras viva tu madre irás mejor vestida que ninguna, todo lo que llevas encima es bueno porque en ti parece bueno, ya te tomarás la revancha, hija, y pronto además, por el camino que llevas será pronto, mírame, no lo puedes ocultar, se te ve en los ojos. Y Amparo abatía los ojos donde la madre creía leer aquello, como si quisiera borrarlo, pero notaba al mismo tiempo que no había remedio, que la sed de eso cuya definición resultaba inaprensible iba madurando y se le cuajaba en una mirada de alta mar que sólo ella misma sabía anhelante y triste. Desde que cumplió quince años llevaba puesta la pulsera de oro, pero no le gustaba lucirla, era un secreto, se la acariciaba con los dedos de la otra mano por debajo de la manga de los abrigos y cuando llegaba el verano no se la ponía. Nada más Abel Bores se la había visto.

¿En qué piensas? No estás aquí, le dijo Olimpia una tarde en su casa. Llevaban un rato asomadas en silencio a la galería del piso de arriba, con los ojos perdidos en el jardín trasero, que se iba llenando de sombras. Nunca atiendes a lo que te digo, no existo para ti, ¿por qué no sonríes o me cuentas algo? Yo te cuento mis cosas pero tú no, que has estado estudiando o ayudando a tu madre, siempre lo mismo; es que siempre es lo mismo, Olimpia, mi tiempo no sé dónde va, me aplasta los sueños como un bloque monótono; ¡mentira!, por dentro no, por dentro sueñas, apuntas más lejos que nadie y estás en luego, tu ambición corre más que el tiempo que va a llevarte a otro sitio, ¿por qué no te diviertes nunca, Amparo? ¿Te diviertes con algo? Había un deje implorante en su voz. Ella se encogió de hombros, dijo que no lo sabía ni le importaba mucho saberlo. Luego se metió para dentro. Ha refrescado, se me hace tarde, gracias por la merienda. Había empezado a notar que la apasionada curiosidad de Olimpia por todas sus cosas rebasaba el terreno de la amistad y las bromas para meterse en otro desconocido, con visos de resbaladizo, y le daba un poco de aprensión.

Pero a todo eso se sobreponía el temor de herir a la amiga que mejor la trataba. No tenía novio cuando ella se marchó de la ciudad, era insolente, espantaba a los pretendientes más esperanzados. ¿Se habría casado por fin Olimpia?

Cerró los ojos. Cuando se aprietan fuerte los ojos, la soga de las imágenes obsesivas afloja su cerco hasta que llega a romperse y entonces puede cumplirse el milagro: el moscardón de la angustia vuela a otro arbusto y el tiempo, a zancadas de siete leguas, ha mudado el escenario del recuerdo. Pero no hemos visto ni oído a los tramoyistas.

Ahora Olimpia y su casa se diluyen bajo los perfiles superpuestos de otro decorado. Amparo levanta el telón de sus párpados. Es un lugar incongruente, aunque convertido ya en hilo familiar entre las fotografías de ese raro álbum que llevamos implantado por dentro sin saberlo aunque a veces oprime y se inflaman los tejidos fronterizos. Nadie hizo fotografías aquella tarde, pero lo está volviendo a ver, envuelto en confusos murmullos. Es un local amplio, con motivos de inspiración cubista, grandes cristaleras y luces indirectas, hay mucha gente de pie, pasan camareros con bandejas, *please, excuse me, nice to meet you,* sonrisas estereotipadas, se está celebrando un cóctel entre cultural y de negocios. Amparo ha estado a punto de no venir, se encontraba cansadísima después de varias horas de traducción simultánea, sede de las Naciones Unidas orillas del East River, sentía un vacío en el estómago, le había venido la regla. Tendría que ir a casa a arreglarme un poco, y no me apetece, le ha dicho a una compañera que insiste; qué bobada, con que te maquilles un poco basta, estás guapísima con ese traje sastre, vamos en mi coche, te espero a la puerta de los servicios dentro de diez minutos. Amparo ha avisado a su madre por teléfono, luego ha empujado una puerta de muelles y se ha contemplado en el espejo corrido de un *ladies room* espacioso y anónimo, a lo largo del cual una serie de mujeres apresuradas se lavan escrupulosamente las manos y se componen el peinado, ha sacado del bolso su neceser de maquillaje y se disimula las ojeras bajo una crema hidratante color marfil. Se ve muy pálida. Es octubre, ha cumplido treinta años hace mes y pico; no tiene ganas de nada, pero en fin, qué más da, vamos. ¿Ya estás lista? Sí. Me duele un poco la cabeza. Tómate un Alka-Seltzer.

Estaba atardeciendo sobre el East River y había una luz rosada; se dejaba llevar, no recuerda cómo se llamaba la amiga ni la trayectoria que siguieron, sólo que al llegar a aquel sitio la perdió de vista, que no conocía a nadie, que se puso a beber para animarse y acabó apoyada contra una pared con ganas de llorar. Asientos no había. No voy a seguir bebiendo, me largo, aquí no pinto nada, supongo que habrá alguna parada de taxis cerca, aunque vaya usted a saber, no se acordaba bien de qué barrio era aquél, qué desaliento y qué pereza. Estaba bastante borracha.

Fue cuando notó que un señor de ojos claros, enredado en una conversación de negocios que parecía no interesarle mucho, la estaba mirando fijamente y ella le miró los pies, casi nunca le fallaba eso, mirarle a un hombre los pies y que él lo note es como decirle ven, eran grandes, bien calzados, calcetín de seda, y no le falló, necesito compañía, me estoy hundiendo, por favor, caballero, es una llamada de socorro, hasta que, por fin, esos pies elegantes y dóciles se separaron del círculo masculino y se acercaron pausadamente a los suyos, cojeando un poco, aunque no llevaba bastón; oyó una voz amable que le preguntaba si estaba sola. Entonces levantó la cara hacia la del hombre maduro, no demasiado alto, con una pinta de rico que no podía más. Estoy siempre sola –dijo ella–, es mi condición. ¿Le molesta aceptar mi compañía? En absoluto, pero iba a marcharme, no me encuentro bien. Y las luces del local le empezaron a bailar, igual que la expresión de ese rostro solícito y casual, una anécdota en el yermo de su vida. ¿Por qué se le escapó aquella lágrima? La causa fue la lágrima y la resaca de desconcierto y malestar que paralizó en ella cualquier intento de reacción. Aquel hombre le estaba ofreciendo el brazo, y pidiéndole permiso para acompañarla a casa, no se desvanecía su figura, se abría paso entre los grupos cada vez más numerosos de gente embalsamada que bebía sin pasión ni pretexto. Bajó la cabeza, no podía soportar que la compadecieran, pero sentía náuseas, sabía que apenas podía tenerse en pie y no era capaz de atajar el llanto, sólo consiguió hacer un gesto negativo cuando, dentro de un ascensor, él le preguntó si tenía coche. El de él era un Ford negro forrado de madera y con asientos de cuero que parecían butacones. Le abrió la portezuela para que se sentara delante junto a él. Ahora le estaba poniendo el cinturón de seguridad y le abatía el asiento, mientras ella se secaba los ojos con un Kleenex. Muchas gracias, es que hoy he tenido mucho trabajo, he bebido y... Por favor, no se sienta obligada a decir nada, el aire le sentará bien, respire hondo. Al salir del parking, abrió las ventanillas. Bajaron hacia el East River, ya había anochecido y corría un aire fresco de principios de otoño. ¿Tiene frío? No. Amparo miraba absorta los edificios iluminados de Queens, a la otra orilla del río, se dejaba complacida despeinar por el viento y de vez en cuando se fijaba de reojo en el perfil impasible de su compañero, en sus manos cuidadas y expertas al volante, en las mechas blancas que entretejían su pelo, mientras pensaba vagamente que era de noche y que el dueño de un coche tan lujoso no podía tener otro propósito que el de iniciar con ella una aventura pasajera, pero le daba igual, incluso no le desagradaba la idea, desmentida además por una actitud tan serena y educada. No llevaba anillo de ningún tipo. Apenas habló más que para preguntarle si se iba encontrando mejor, si le apetecía oír la radio, y la dirección de su casa, un piso de alquiler en un edificio modesto del Lower East Side. A lo de la radio Amparo asintió, aunque nunca se había subido a un coche que la tuviera, y él le dio a un botón. Vaya por Dios, *Strangers in the Night*. Pero no se sentía violenta y cuando llegaron a su destino había recuperado en gran parte el control sobre sus nervios y sus vísceras. Añoraba una ducha caliente. Vio que eran las nueve y media en el reloj oval incrustado en la madera pulida del Ford, y se le vinieron a la memoria retazos de películas donde había visto escenas similares. Se encontraba, de pronto, algo inquieta. No hace falta que baje, por favor, ya ha hecho bastante por mí, no sabe cuánto le agradezco su cortesía. Él pareció no haberla oído, la ayudó a salir del coche y la acompañó al portal. Se le notaba bastante la cojera. ¿Vive usted sola?, le preguntó, mientras la veía hurgar en el bolso buscando la llave. No, con mi madre, ella es modista y yo trabajo en las Naciones Unidas. El hombre inspeccionó la calle casi desierta salpicada de vez en cuando por oscuros bultos fugaces y luces de neón a la puerta de locales que debieron de parecerle poco de fiar. No es un buen barrio para dos mujeres solas –comentó–. Es lo que había –contestó ella con altivez–, somos emigrantes, señor, y no nos cabe el lujo de elegir. Luego, para paliar la sequedad de sus palabras, volvió a darle las gracias de todo corazón. Se estrecharon la mano y se intercambiaron tarjetas. A Amparo no le pareció de buena educación consultar inmediatamente la suya, pero su acompañante lo hizo con avidez. Espero volver a verla, Amparo. Y ella, levantando unos ojos audaces hacia aquel rostro sombrío, sonrió por primera vez. Nunca se sabe, adiós. No tenía pinta de adúltero, simplemente de millonario cortés, siempre muy ocupado y algo triste. Y supo con total certeza que, si quería, se podía casar con él.

El hombre se quedó quieto en el portal hasta que la vio desaparecer dentro. En el ascensor, bajo una luz precaria, consultó la tarjeta color hueso con letras en relieve: *Gregory Drake, chief executive officer, Drake Inc.* Y debajo tres teléfonos, uno particular y dos de oficinas. Se llama Gregory, qué cosas –sonrió–, igual que Gregory Peck, aquel actor en blanco y negro a quien yo acortaba el nombre de noche para mí sola: *Greg, come here, I was waiting for you,* ven, Greg, te estaba esperando. Y se le cruzó fugazmente un cine barato de sesión continua en su ciudad perdida; a veces iba con la madre, que prefería las películas de batallas o de risa a las de amor. Tanta tormenta y tanto beso, ¡qué tontuna! –decía–, total para engañar con promesas que nunca se cumplen. Siguió acariciando las letras en relieve de la tarjeta y, al llegar al piso doce, ese local frío de butacas de madera donde conoció a Gregory Peck, sin que él la hubiera mirado nunca, se alejaba como un globo errante.

Del encuentro con este otro Gregory, tal vez poco más joven que su madre, no le dijo nada a ella aquella noche. Te has entretenido. Sí, surgió un trabajo extra, ya te avisé por teléfono. Vendrás cansada. Un poco, lo normal. Se miraron, como explorándose mutuamente. Su madre desconfiaba de todo el mundo y estaba con el alma en un hilo hasta que la oía volver. Al fondo de la habitación, contra una pared empapelada en flores grises, estaba la vieja Singer de la calle del Olvido, junto a una mesa con retales, un dedal, el metro amarillo, las tijeras y carretes de hilo de distintos colores. Y en el suelo una bandeja de mimbre con una pila de labor terminada. Amparo los domingos y sábados la ayudaba. Dibujar patrones o inventar modelos de fantasía la divertía mucho más que pasarse horas en una cabina de cristal con auriculares puestos traduciendo estadísticas y problemas políticos confusos; en cuanto se metía allí se alejaba del contacto de los humanos como un astronauta.

Tú también has estado trabajando, ¿no? Sí, esta semana he tenido bastantes encargos. Cuando llaman y no estás tú, sudo tinta, no me explico que puedas hablar inglés de corrido, es algo contra naturaleza. Amparo estaba deseando irse a su cuarto, necesitaba recoser pieza por pieza aquel viaje tan insólito en el Ford negro, escuchando *Strangers in the Night,* enseguida, antes de que el hilo se rompiera. A su madre había intentado darle clases de inglés en ratos libres, pero era mala alumna, se aburría y no ponía atención. Además se había vuelto quejumbrosa y cascarrabias. Se dio cuenta de que seguía hablando de lo mismo, era el peaje de todas las noches. No, no, ni por teléfono ni cara a cara, da igual, hija, van a toda mecha y se comen las palabras. Eso dicen ellos de nosotros, exactamente lo mismo, sonrió Amparo desganadamente. La señora Ramona miró con nostalgia hacia la vieja Singer. Estoy deseando poner un taller propio; para mandar no hace falta esforzarse, todo el mundo te entiende a la primera. Amparo suspiró, impaciente. Todo se andará, madre, ya sabes que estamos ahorrando, tan mal no nos va, y, sobre todo, yo no puedo hacer más, cuando una tela no da más de sí..., en fin, eso lo sabes tú mejor que yo. Claro que lo sé, y también que a los tejidos resistentes les exigimos mucho, perdóname, no lo decía por ti. Pues ¿por quién, entonces? Por nadie, por mala leche mía, ya te he pedido que me perdones; cuando no hay enemigo visible de nada sirve escupir al cielo, ¿has cenado? Sí, he tomado un sándwich, y me caigo de sueño. Buenas noches.

La viuda de Mr. Drake apoya la cabeza en el respaldo del sillón de mimbre y se siente invadida por una paz que despeja cualquier nube de ingratitud o rencor. De la misma manera que se perfila y entra por el alma un paisaje que durante horas y horas habíamos mirado con ojos inertes, Amparo se da cuenta de que ni su carácter ni su destino hubieran sido los mismos de no haber mediado el injerto con una tribu tan distinta. Aquel Gregory de cuarenta y ocho años, que luego había convivido con ella diecisiete, viudo sin hijos, vástago de una familia insoportable, enterrado ahora en Cape Code no lejos del mar, la quiso a su manera y además le había ahorrado el espectáculo de una vejez indigna.

Venían de una convención de negocios en Washington, dos días que ella aprovechó para ver museos y pasearse a orillas del Potomac; él parecía cansado y en el avión de vuelta a Nueva York se encontró repentinamente mal. Los esperaba en La Guardia Airport la *limousine* con el chófer indio de turbante. A casa, rápido, Najid, dijo ella. Y cogió la mano casi helada de su marido. Le aflojó la corbata y acercó la cara a la suya, porque le pareció que quería decirle algo. Siempre te he querido, Amparo. Cuida a los chicos. El testamento está en la caja fuerte. Tranquilo, Greg, yo también te quiero. Siguió apretándole la mano fría, que cada vez oponía menos resistencia. Al llegar a Lexington Avenue, mientras Najid bajaba a avisar al portero, le miró con miedo, casi como a un extraño. Luego le cerró los ojos. Estaba muerto.

Bien es verdad que pocos recuerdos en común crió con ella ni tuvo la menor curiosidad por provocar esos relatos de infancia a través de los cuales se entrega parte del corazón. En el fondo, una mitad oscura del suyo siguió perteneciendo al clan Drake, que nunca admitió a advenedizos orgullosos. Ella lo fue, pagó en la misma moneda el desdén con que la miraron ellos desde el primer día, pero pronto los aventajó porque era más lista. Además tenía dos hijos.

Y el mayor, Jeremy, en eso de la curiosidad por ahondar en viejas historias de familia, no había salido para nada al padre. Sonrió al recordarlo. Era el polo opuesto.

DIECISÉIS

Ricardo, el camarero del Excelsior, estaba solo detrás de la barra de la cafetería, hojeando una revista ilustrada. Eran las tres y el local desierto contagiaba esa sensación de inutilidad y despilfarro que a veces exuda el lujo de diseño. A través de la puerta de cristal opaco que comunicaba con el comedor se adivinaban bultos de clientes que tal vez estuvieran terminando de almorzar. Pero luego accedían a sus habitaciones por otra salida, no tenían que pasar necesariamente por aquí. Y gente de fuera a esas horas no solía venir.

A Ricardo le empezaba a producir sueño aquel edén ficticio de bodas, divorcios, penas y viajes de los ricos, cuyas muecas unánimes en el papel couché contemplaba como a través de un cristal antibalas; y lo que habían dicho tras la sesión de fotos es como si no hubieran movido los labios ni el ceño para decirlo, quedaba en el aire sin sonar, palabras sordas que no dejan eco ni buscan destinatario: creo que he encontrado por primera vez el amor; no, no, a eso no le voy a contestar, es una etapa superada de mi vida, me hizo mucho daño pero le deseo suerte; un poco cansado, sí, pero feliz, el público de Buenos Aires se ha volcado conmigo, un éxito total. Cerró la revista con enfado, bostezó y se puso a pensar en lo agradable que sería deslizarse a gatas hasta aquel sofá medio escondido del rincón, quitarse los zapatos y tumbarse a dormir una siesta. La idea, como todas las invitaciones resbaladizas a la utopía, convenía desterrarla antes de que criara ponzoña. Y no conocía mejor antídoto que un café bien cargado.

Se lo estaba preparando, cuando notó una presencia a sus espaldas, no por el ruido, aunque tal vez por el olor. Nunca conseguía especificarlo, pero en eso era certero, en las corazonadas de alerta. Tienes dotes de ciego, Ric, le decían los amigos. Y él se reía: Bueno, o de pistolero de Far West.

Se volvió y era ella, la señora que ocupaba la suite del último piso, bien poco se dejaba ver. Se espabiló de repente, vaya un regalazo para una tarde de muermo. No venía del comedor, desde luego, ni de la calle, porque no traía bolso, sólo una especie de manuscrito bajo el brazo encuadernado con espiral de anillas negras, y en la mano derecha la tarjeta plastificada de acceso a su cuarto. Se había parado y luego avanzaba temerosa, mirando en torno. Parecía no saber si sentarse en la barra o en un sofá. Ricardo sonrió.

–Buenas tardes, señora, pase sin miedo, que el campo está libre de enemigos. ¿O.K.?

Ella se quedó mirándolo con fingida sorpresa. Pero en cambio no fingió, como otras veces, un marcado acento yanqui. Le salió, limpia, su lengua de origen.

–¿A qué se refiere? No entiendo.

Ricardo señaló con la barbilla hacia una mesa cercana a la barra, rodeada de asientos mullidos y vacía, como lo estaban todas en ese momento.

–¿No lo entiende de verdad? Me refiero a las señoras de la tertulia de ahí. Yo las llamo el coro griego, usted no sé cómo las llamará. Pero ya le digo, puede sentarse tranquila. Ellas no vienen nunca más que al aperitivo o después de las siete. Y luego, su ratito de bingo. ¿Qué va a tomar?

Amparo, que ya había llegado cerca de la barra, se detuvo unos instantes, miró con simpatía aquel rostro cómplice y luego se dirigió con paso firme a una mesa del fondo.

–Un café y una copa de Marie Brizard, por favor.

Dejó el manuscrito encima de la mesa y la llave-tarjeta se la metió en el bolsillo superior de la camisa arremangada. Era verdad que aquellas señoras de la tertulia le causaban desasosiego y que siempre que entraba por la cafetería se ponían a cuchichear y la iban mirando una tras otra con muy poco disimulo. Ella fingía estar buscando a alguien o tomaba cualquier cosa de espaldas a ellas, encaramada en un taburete de la barra, pero enseguida se esfumaba. En este joven moreno del pendiente ya se había fijado también, habían llegado, sin hablarse, a un raro entendimiento mutuo; así que ahora la idea de escuchar sus comentarios no le desagradaba en absoluto, podía aportarle un punto de vista inédito sobre la naturaleza de aquellos cotilleos. Le daría pie para que se explayara.

–Veo que tiene usted muy controlado al personal –comentó cuando le vio llegar con la bandeja.

Ricardo pasó con toda parsimonia un paño húmedo sobre el mármol de la mesa. Luego depositó en ella el servicio.

–Bueno, en parte eso lo da el trato con la gente, que este oficio pide andar alerta a todo –dijo–. Pero en mi caso, además, es que soy observador por naturaleza, como todos los que tenemos madera de escritores. Siento parecerle jactancioso, pero no se me va una.

Y mientras decía aquellas palabras, miró la primera hoja del manuscrito, cuyo título, aunque estaba del revés, consiguió leer a través de una lámina transparente: *La calle del Olvido (variaciones sobre un tema de J. D.).*

–¿Es usted escritor? –preguntó ella.

–Bueno, podría contestarle que sí, pero no significaría nada. En esta ciudad, sobre todo de noche, en algunos bares de copas del centro, das una patada y brotan del suelo por lo menos veinte jóvenes que dicen tener una novela o dos en el cajón. Luego a saber si las tienen o no las tienen.

–¿Y usted?

–Yo no, todavía no he escrito ninguna. Pero la siento latir. Ya vendrá. Tiene que salir algo *first class,* no me conformo con menos.

Se esmeraba en pronunciar correctamente *first class,* como si se deleitara en darle lametazos al helado de fresa de su triunfo. Amparo sonrió.

–Igual a ellos les pasa lo mismo que a usted.

Ricardo se encogió de hombros, desdeñoso.

–Puede. No me interesa nada lo que les pase a ellos. ¿Necesita algo más?

Ya le había servido el Marie Brizard y parecía a punto de irse. Amparo, tras vacilar unos segundos, se decidió. Era la primera vez, desde que pisó la ciudad, que necesitaba con urgencia sonsacarle algo a alguien.

–Perdóneme que le haga una pregunta. ¿Por qué ha dicho lo de las señoras de la tertulia?

–Bueno, no me intentará hacer creer que no ha notado nada.

–¿De qué concretamente?

–De qué va a ser, de la curiosidad que les despierta su presencia; pero, en fin, si no se ha dado cuenta yo se lo confirmo, porque se ponen cerca, hablan alto y las oigo. Una curiosidad obsesiva, las trae usted a mal traer a todas, créame. Y eso que no la han reconocido.

A Amparo, que estaba revolviendo el azúcar en la taza de café, le temblaron los dedos. No era una puñalada, sino una bocanada de aire frío entrando intempestivamente a ventilar recodos donde se almacenó una pestilencia de verdades mutiladas, en estado de corrupción. Tal vez por eso mismo no se atrevía a mirar a aquel muchacho ni sabía qué decir. Podría optar por cambiar de conversación y fingir que no había oído la última frase, pero se acordó de Jeremy, dejas pilladas las verdades en la puerta, plaf, no se hable más de eso, y lo malo es que te quedas pillada tú también, mamá, te pegas por dentro de ti misma el portazo; y consideró una cobardía no darse por enterada. Además sentía una enorme curiosidad. Finalmente, se decidió a levantar la cabeza hacia Ricardo.

–Explíquese, por favor –le pidió con voz apagada pero apremiante.

Ricardo dejó la bandeja con la botella, apoyó las manos en el mármol y se inclinó hacia aquel rostro ávido de sus palabras.

–Me voy a explicar lo más brevemente posible –dijo bajito–. Las del coro griego sueltan salmodias por separado sobre usted y sobre la otra. Lo que no saben es que son la misma, su olfato no llega a tanto. Y no me pregunte que quién es la otra, porque me imagino que de esa historia lo sabe usted todo y yo no me voy a meter. Me limitaré a recomponerla a mi manera. ¿Entendido?

Se estaban ahora sosteniendo la mirada.

–Entendido –concedió Amparo–. Yo tampoco le voy a preguntar cómo ha llegado a las claves de ese jeroglífico. Le felicito. Es usted francamente listo. Y sincero.

–Me encanta parecérselo. A sus órdenes.

–Solamente querría pedirle un favor.

–Ya. Que no le diga nada a nadie.

–Exactamente.

–Pues tranquila. Por mí no se van a enterar nunca. Qué más quisieran. Choque esos cinco.

Le guiñó un ojo, y estrechó dentro de su mano grande

y morena aquella que temblaba como un pájaro herido. ¡Qué bonito estaba saliendo todo! Luego, cuando había llegado a la barra y estaba dejando la bandeja, vio con sorpresa que ella se levantaba y le seguía. Le preguntó si podía darle un beso.

–Por supuesto, es un honor. Mejor dicho, me conmueve.

–Creo que vas a escribir bien –susurró ella tras haberle besado en la mejilla–. Los buenos escritores tienen que amar lo secreto. A mí me has encendido una luz por dentro, no sé cómo decírtelo para que entiendas que es verdad.

–Tal como lo ha dicho, señorita Miranda. «No la toquéis ya más, que así es la rosa.» Yo ahora a mi trabajo, y como si no la conociera. El coro griego anulado. *Ciao.*

Amparo regresó a la mesa, se bebió de un sorbo media copa de Marie Brizard y notó que aquella barrera que solía alzar contra las embestidas del mundo exterior se cuarteaba e iba dejando paso, entre sus grietas, a la franqueza de las miradas jóvenes, sin doblez.

Se puso a pensar en Jeremy. Lo que menos podía suponer él es que en aquellos momentos, mientras se desperezaba en Manhattan ante un día resbaladizo, su madre decidía acometer la relectura detallada del guión que a última hora metió en la maleta. Le había venido pesando como una losa desde hacía meses, pero era algo que le debía. Y ahora ya se consideraba en condiciones de ponerse a la tarea. Apuntó en el envés de la primera página: «Encuentro con la masajista. Pistas aportadas por un camarero.» Luego se fijó en que habían entrado dos clientes y que se sentaban en la barra. Pidió la cuenta.

–Ya verás, madre, como en cuanto consiga rodarlo será distinto. Una película sólo existe a partir del momento en que se coge la cámara. Lo otro se queda en borrador.

–Exactamente, es como si yo te enseño a ti un patrón de papel para un vestido de cóctel, no lo ves.

–Pero dime, ¿la idea te parece buena?

Le había dado una respuesta titubeante, necesitaba leerlo otra vez. Debió de ser a principios de enero. Ella estaba muy abrumada por la muerte de Ralph, apenas había logrado concentrarse en una lectura que acentuaba su niebla interior. De todas maneras, puso la mejor voluntad para seguir las apasionadas digresiones de Jeremy, tan susceptible como avasallador. Le había dejado el guión dos semanas antes y trataba de explicárselo añadiendo un discurso teórico. Era la tercera versión y aún no la consideraba definitiva.

–Yo creo que pasan pocas cosas –reflexionó ella.

–Tranquila, empezarán a pasar cuando el guión se desvanezca y nos echemos a la calle.

–¿A qué calle?

–Ahí está el quid, en la localización de exteriores. Quiero transmitir la noción de que no sabemos qué calle es, aunque yo la esté viendo por dentro desde la primera vez que te oí pronunciar su nombre, una calle olvidada, la calle del Olvido. Me la he ido imaginando a través de tus historias confusas, por eso también ella es confusa, ¿entiendes?

Sí, lo entendía a medias, pero le produjo desazón sentirse implicada. Le pidió tiempo para analizar con cierta objetividad de dónde procedía el fallo, a ella le parecía que las películas no hay que explicarlas tanto. A Jeremy se le pintó fugazmente el gesto de contrariedad que desde niño le hacía fruncir el entrecejo cuando se sentía incomprendido. Pero enseguida lo borró con una broma, la llamó *mater intemerata,* dijo que tenía mucha prisa y se despidió.

Luego fueron pasando los meses, Amparo tuvo fricciones con Debra en el trabajo, y cada vez que abría el cajón donde había guardado aquel extraño paquete bomba, la revisión pendiente se convertía en un agobio. Porque, además, raro era el día –tenía que confesárselo con desconcierto– que no se tropezaba inopinadamente entre el tráfago de Nueva York con la mujer fantasma de aquella película fantasma. «Debe notarse», se leía en un paréntesis del guión, «que circula por los sitios como en busca de otro sitio.»

Ahora, recién concluida la relectura al sexto día de estancia en su ciudad, Amparo supo con certeza no sólo que ese texto había sido el desencadenante del viaje emprendido, sino que se había movido a su dictado desde que llegó. Despegó los ojos de la palabra FIN y fue como percibir esa luz que anuncia el epílogo de un túnel. Miró en torno. Tras la breve pausa en la cafetería, seguía sentada en el sillón de mimbre de su terraza particular. Eran las seis. Había refrescado.

Entró. Abrió el armario y eligió un traje de chaqueta de entretiempo. Me quiero salir del guión de Jeremy –dijo–. Ir de verdad a la calle del Olvido.

DIECISIETE

–¡A ver si te fijas por dónde vas, gilipollas! ¡Hay que estar al loro! –gritó a voz en cuello el ocupante de la moto, mientras se alejaba a todo gas y desaparecía por la embocadura de la calle, dejando una trepidación que rebotaba en las paredes viejas.

A Amparo apenas le había dado tiempo de saltar a la acera para esquivar el bólido que se le venía encima, pero fue un salto de mala suerte. Se le rompió un tacón, perdió el equilibrio y cayó sentada contra la pared. Una moto grande y el chico joven, de negro, con mucha pelambrera y voz destemplada. La pilló inmóvil en medio de la calzada, mirando el rótulo de azulejos con desconcierto. La culpa la había tenido el rótulo. ¿Pero cómo que Ferrán Trevijano? ¿Se habría equivocado de calle? Imposible, y sin embargo ¡era todo tan distinto! Notó que le resultaba difícil levantarse del suelo. Había caído en mala postura y no sabía a qué agarrarse. De la moto ya no quedaban ni rastros.

–¿Se encuentra mal? ¿Qué le ha pasado?

Una chica con pantalones vaqueros acababa de cruzar la calle y se estaba inclinando hacia ella.

–Bueno, no sé... Ha sido una caída tonta. Me duele un poco la rodilla, pero no creo que sea nada. Es que pasó una moto a toda prisa, apareció de repente, no me lo esperaba en esta calle tan tranquila.

–Andan por todas partes, no se fíe. ¿Y la ha atropellado? Yo he oído gritos de hombre.

–No, atropellarme no. Iba distraída por mitad de la calle, la culpa ha sido mía. Se me ha roto un zapato, me parece.

–¿Y no paró siquiera?

–Pues no, se fue chillando.

–A ver, déjeme que la ayude. Hay mucho loco suelto.

El bolso de Amparo se había abierto y parte del contenido estaba desparramado por el suelo. Rita Bores se puso en cuclillas y recogió un encendedor de plata, algunos dólares, una Parker negra, un billetero con tarjetas de crédito y un frasquito roto. Toda la acera olía a perfume de Nina Ricci.

Pero Amparo no atendía a los manejos de Rita, absorta en la contemplación de una gran cristalera convexa que, como por encanto, había aparecido ante sus ojos, en la acera de enfrente.

–Vamos a ver, ¿se puede poner de pie? Agárrese a mí, camine un poco. ¿Qué tal?

–Bien. Cojeo algo, pero es por el zapato.

Dio unos pasos del brazo de aquella desconocida de dulce mirar. La pared se convertía enseguida en una verja. Se agarró a uno de los barrotes y miró adentro. Allí estaban los dos perros de piedra en el remate de la escalera. No, no se había confundido de calle.

–Me mareo –dijo.

Tal vez lo dijo sólo para sí misma. Notó que tenía poca fuerza en las piernas, que las aristas de las paredes se movían, que los perros de piedra iban quedando a su espalda, le pareció que los oía ladrar. Predominaba una sensación vaga de peligro. Pero todo aquello le estaba pasando a otra persona.

–Venga, le conviene descansar un rato. Unos pasos más. Es ahí enfrente. Ya le llevo yo el bolso.

Ahora cruzaban la calle y ella no era capaz de intervenir. Franquearon una puerta que permitía entrar sin agacharse. No soy yo ni la otra, se dijo como para defenderse de las sorpresas que pudieran surgir.

Ya estaban dentro del local de la cristalera. Sonaba un teléfono.

–Siéntese aquí. Discúlpeme un minuto. Ahora vengo.

Amparo se sentó en una butaca de terciopelo con ruedecitas en las patas, que tal vez estuviera a la venta, y se quedó mirando en torno con ojos sonámbulos. Era un espacio muy amplio, con dos columnas verdes y paredes color ocre. Resultaba difícil de calcular, pero más o menos detrás del respaldo de aquella butaca estuvo el tabique que lindaba con las minúsculas habitaciones de dentro, divididas a su vez por tabiques, ¡cuánto tabique!; aquí en la parte de delante también hubo uno que separaba el probador del taller de las oficialas. Los pies ágiles de aquellas mujeres balanceándose sobre la pequeña plataforma de hierro forjado hacían un ruido persistente que invadía hasta el último rincón de la casa. Ella se ponía tapones en los oídos para estudiar, pero el traca-traca no desaparecía nunca del todo. De niña soñaba con demoler todos los tabiques y convertirse en habitante de un lugar grande y silencioso para ella sola, olía a sándalo y se imaginaba allí, rodeada de telas de colores, cosiendo trajes para muñecas con ojos de cristal que luego se escapaban porque tenían mucho que hacer. Los trajes los dibujaba ella misma antes de hacerlos, eran disfraces de alpinista, de aviadora, de astrónomo, de princesa, de buzo.

Ahora, entre varios bibelots alineados sobre una cómoda a su izquierda, reparó en una muñeca vestida de rosa, con gorrito, que no se podía sujetar de pie porque en lugar de piernas tenía un palo. Se había metido en un bosque nebuloso de presencias ficticias, pero no tenía miedo de perderse, prefería perderse. ¿Tú también te has perdido, niña cojita?, preguntó inclinándose sobre el rostro delicado y triste de la muñeca yacente. No obtuvo respuesta. Poco a poco se fue levantando la niebla en otros puntos del bosque y se perfilaban por doquier objetos de tamaños, texturas y formas diferentes, nimbados por un fulgor caedizo. Muebles para recomponer, marcos de cuadros, estatuillas rotas. Volvió la cabeza hacia el fondo. Allí, separado del resto por un biombo de pavos reales, había un rincón a modo de taller con tablero de dibujante y botes de pintura, olía a engrudo; es el sitio donde estuvo un día su dormitorio con el armario de luna. De allí venían retazos de la conversación mantenida por la chica de los vaqueros, a quien Amparo calculó la edad de María. Hablaba de unas reformas que quedaban por hacer, de cierta factura discutible, de acuerdo, se trata de remates, pero no se pueden dejar las cosas a medias, el tono era amistoso aunque de protesta, lo siento, Óscar, tienes que pasarte por aquí tú y verlo sobre el terreno, no, ¡te estoy diciendo tú! No me mandes a nadie; ¿esta tarde?, pues sí, cuanto antes mejor, ¿dónde estás ahora?

Amparo se quitó los zapatos y se puso a andar descalza por la habitación. Después de todo, había tenido suerte, la rodilla casi no le dolía. Se acercó a la vidriera. El jardín de los Moret se veía bastante descuidado. Y la casa tenía todas las ventanas cerradas.

–¿Qué tal se encuentra?

Se volvió aturdida.

–Mucho mejor, ha sido el susto. Cuando me asusto, me baja la tensión de repente.

–Veo que ya no cojea.

–Claro, era del desnivel de los zapatos. ¡Qué tienda tan bonita! ¿Es tuya?

–Sí, la abrí a principios de verano. Tengo dos ayudantes que se ocupan de la restauración de objetos y cuadros antiguos. Pero también hay muchas cosas de las que ve que están a la venta. ¿Le apetece un whisky, un café o algo?

–Sólo un vaso de agua, si eres tan amable. Ya me voy a ir.

–No tenga prisa.

Rita desapareció por una de las dos puertas pintadas de negro que había al fondo. Cuando vino con el vaso de agua, Amparo había vuelto a acercarse a la muñeca vestida de rosa y le estaba acariciando la tela del vestido. Seguramente a Caroline, que se apiadaba tanto de los minusválidos, le gustaría mucho. Tenía que llevarle un regalo a Caroline.

La puerta negra era de vaivén, de esas que se abren empujando con el pie. Amparo se bebió el agua, le dio las gracias a Rita y le preguntó si vivía allí.

–No –dijo ella–, para vivir esto es pequeño. Sólo tengo una cocinita y un baño.

–Sí, claro, es pequeño –dijo Amparo, abarcando con la vista aquel extraño espacio–. Para vivir es pequeño.

Y volvió a poner sus ojos en la muñeca mutilada.

–Veo que se fija en las cosas buenas –dijo Rita–. Es de finales del diecinueve y está intacta. ¿Sabe cómo funciona?

–No. Me estaba preguntando por qué no tiene piernas.

–Porque es una caja de música. Permítame.

La había cogido por el palo torneado y empezó a darle vueltas. La falda de la muñeca, rematada por borlas, giraba armoniosamente a toda velocidad, mientras de las entrañas del juguete brotaba una música como de organillo. A sus acordes el rostro de caucho de la bailarina parecía animarse.

–¡Es una maravilla! –exclamó Amparo entusiasmada–. Se la voy a llevar a mi nieta.

Valía setenta y cinco mil, preguntó si podía pagar con

Visa, y durante unos instantes aquella cifra quedó flotando por entre los tabiques desaparecidos que un día pusieron cerco a sus sueños de infancia. Rita repitió que la muñeca estaba intacta, debía de ser uno de esos juguetes caros que se guardan en un armario, se sacan para enseñárselos a las visitas, y los niños los miran con aquella fascinación y lejanía de lo que está prohibido tocar; intacta, lo único que le faltaba era una de las borlas que remataban el vestido.

–Pero la tengo metida en una cajita –dijo–, y ahora mismo se la voy a coser.

Acercó un costurero con espejo por dentro de la tapa, se sentó, acostó a la muñeca delicadamente sobre sus piernas y se puso a buscar la cajita y luego un carrete de hilo rosa. Amparo la miró allí, con la cabeza inclinada sobre la labor, y se sintió raptada por la intensidad de ese momento, atravesada ella misma por la aguja recién enhebrada que cosía otros retales de vida con esta escena y con la que tendría lugar en Nueva York cuando Caroline hiciera bailar a la muñeca, la bautizara con algún nombre fantástico y se pusiera a inventar un cuento que justificara su existencia o esclareciera sus orígenes, porque Caroline siempre inventaba cuentos para rellenar lo que no entendía, que era casi todo.

–Hágame el paquete, por favor, con bastante mullido por dentro, que tiene que viajar.

–No se preocupe. Le pondré mucho papel burbuja.

El paquete lo abriría Caroline en el cuartito de costura de Lexington Avenue. Esperaría a que estuvieran las dos solas. No tiene piernas porque la cautivaron unos piratas, y ella por la noche, como no quería estar presa, se tiró al mar y un tiburón le comió las piernas, pero luego, ¿sabes?, aparecía una ondina y la llevaba en brazos hasta la playa. Siempre te saldrá música del corazón –dijo la ondina– y bailarás aunque no tengas piernas. Algo así contaría Caroline. Y Amparo salió de su ensimismamiento, se dio cuenta de que estaba imaginando un trozo de futuro y sonrió complacida, mientras sacaba del bolso su tarjeta Visa Oro. Luego se sentó e intentó ponerse los zapatos. No era calzado propio para andar por las callecitas aquellas. El tacón desprendido no estaba.

–Sí, está aquí, lo recogí yo antes –dijo Rita–. Pero así no puede usted caminar. ¿Tiene el coche lejos?

–No he traído coche. Iré cojeando un poco hasta la parada de taxis.

Rita dijo que de ninguna manera, que ella le prestaría unos mocasines viejos; le preguntó qué número calzaba, ¿un treinta y siete?, pues estupendo, el mismo que yo; los sacó de un armarito empotrado y se los trajo.

–La acompañaría con mucho gusto, pero estoy esperando al arquitecto que me hizo esto, tengo que discutir unas cosas con él. Luego ya cierro.

Los mocasines eran muy cómodos. Amparo le dio las gracias y le aseguró que al día siguiente vendría para devolvérselos.

–No hace falta, los puede tirar, están viejísimos.

–Pues déjame, por lo menos, que te ofrezca mis zapatos como recuerdo. En cuanto algún zapatero les pegue el tacón, te quedan nuevos. No me los he puesto más que dos veces.

Rita los miró con gesto apreciativo. Eran de Dario Dodoni, de tafilete color avellana.

–Son ideales –dijo–. Salgo ganando en el cambio. ¿De verdad que me los da?

Y la cenicienta sepultada entre los tabiques surgió convertida en hada y se arrodilló.

–Claro, déjame que te los pruebe. ¿Ves?

–¡Qué bien me están! Me encanta el color. Esta misma tarde, antes de que cierren, los llevo a un zapatero que hay cerca.

Amparo, mientras ella se los quitaba, cogió el envoltorio de la muñeca y cerró su bolso. Luego se dirigieron juntas a la puerta. Estaba empezando a caer la tarde. Antes de marcharse, Amparo señaló, como sin darle importancia, la casa de enfrente, comentó que tenía un aire algo misterioso y preguntó si estaba habitada.

–Sí, vive una señora sola. Bueno, es pariente mía, viuda de un hermano de mi madre, pero no la veo mucho.

–Pues parece grande eso para una mujer sola. ¿No tiene hijos?

–No. A ella le gusta vivir sola. Casi no sale. En fin, es un poco rara. Por aquí todavía no ha pisado. Dice que, más bien, me irá dando ella cachivaches, que ya no sabe dónde poner tanta antigualla. La verdad es que tiene cosas preciosas.

–Pues para ti estupendo, ¿no?, tener un proveedor tan cerca.

–No me fío un pelo. Se le olvidan fácilmente las promesas que hace. Y además les tiene a los objetos mucho más apego del que confiesa. Bueno, a todos los viejos les pasa un poco.

Se estrecharon la mano y Amparo salió a una calle que ya no era la del Olvido. Cruzó a la otra acera, anduvo unos pasos y se acordó de que Olimpia sólo le llevaba un año escaso. ¿También a ella la habría visto como a una vieja la chica de los vaqueros? Se volvió para mirarla. Estaba a la puerta de aquella tienda con escaparate de cristal y agitaba la mano, pero el saludo no iba dirigido a ella, sino a un hombre joven con el pelo muy corto teñido de rubio que estaba llegando a su lado por la otra embocadura de la calle ligeramente en cuesta de donde vino la moto. Se abrazaron y entraron juntos en la tienda. ¡Qué modernos son los arquitectos de aquí!, pensó Amparo. Y siguió andando despacio, absorta en su propia calma interior, sin miedo a los relojes. Pero a poco de rebasar la verja del jardín de los Moret se detuvo y miró hacia atrás. La calle estaba solitaria, había una luz rosada de incipiente crepúsculo. Volvió decidida sobre sus pasos. No podía dar por cancelada su visita a la antigua calle del Olvido si no entraba en el jardín de los Moret. Y lo hizo, era muy fácil de hacer, tan fácil como pasar de un escenario a otro en los sueños recordados a medias. Estaba casi segura de que nadie la había visto, pero además le daba igual, he entrado porque sí, porque quería, se dijo cuando ya estaba dentro.

Y sin embargo, a partir de ese momento, el tiempo empezó a latir a tropezones, como cuando nos damos cuenta de haber caído en la trampa de una decisión absurda. ¿Y ahora qué? ¿Para qué quería entrar?

La fachada de delante tenía todas las ventanas y balcones cerrados. Ni un ruido. Ni una luz. Miró con aprensión la breve escalera custodiada por los dos perros de piedra. Subir aquellos escalones y llamar a la puerta ni se le pasaba por la cabeza, nada de lo que pudieran decirse ella y Olimpia resultaría natural, sino más bien penoso. Recordó súbitamente la primera y única carta que recibió de ella en Ginebra, cuando estaba tratando de abrirse camino antes del traslado a Nueva York. Tardaron en entregársela, porque, aunque las señas de la ONU eran correctas, en aquella enrevesada colmena, llena de despachos y de personal cambiante, Amparo fue una abeja anónima durante muchos meses. Era una carta muy larga y lacerante. Una carta de amor. Que no podía vivir sin ella –decía–, sin su cercanía, sin su mirada furtiva, sin su voz, sin el olor de su cuerpo. Pero, además, esa declaración apasionada, esmaltada con citas literarias, incluía en sus últimos párrafos una explicación para justificar el desvío de Amparo solamente cimentada por el propio delirio. «Yo sé que éramos conscientes de que a las dos nos estaba pasando lo mismo, y que por eso me huías, por miedo, ese miedo que despiertan siempre los precipicios, sé que te has ido por mi culpa.» Amparo pasó unos días muy inquieta, dudando entre contestar a su amiga para desengañarla (la única alternativa honesta, por difícil que fuera) o dar pie, con su silencio, a que siguiera alimentando aquel engaño. Estaba segura de no corresponder ni en lo más oculto de su ser a tan ardientes sentimientos por una razón que no tenía vuelta de hoja: se estremecía de placer imaginando que hubiera podido recibir de Abel Bores una carta parecida y por eso la guardó, en vez de romperla inmediatamente. La releía, cerraba los ojos, y aquellas frases de desconsuelo y añoranza, al cambiar de sujeto emisor, estimulaban sus fantasías nocturnas. Acabó por romperla y decidió que no había llegado a sus manos, aunque olvidarla del todo nunca pudo. Al año siguiente, cuando ya vivía en Nueva York, le escribió a Olimpia una postal con la estatua de la Libertad, en tono amistoso pero que jamás podría tomarse como respuesta a la carta perdida. No recibió contestación, porque ni le mandaba señas ni le decía en qué estaba trabajando, sólo que la libertad da un poco de miedo cuando se ve de cerca y que le deseaba un año muy feliz; era a finales de diciembre, la escribió en un café muy agradable que había descubierto cerca del Lincoln Center, estaba nevando.

No se puede calcular el tiempo cuando echas a volar los recuerdos. Avanzó casi con miedo por entre los árboles oscurecidos y se dirigió a la parte trasera del jardín. Allí por lo menos no la vería nadie que pasara por la calle o pudiera llegar a visitar a Olimpia, aunque según los informes de la chica de los vaqueros eso parecía poco probable. Y sin embargo se daba cuenta con cierta angustia de que al internarse aumentaban los riesgos de aquella rara celada que ella misma se iba tendiendo, cuanto más adentro te metes en un bosque, más difícil es salir.

El jardín de atrás estaba realmente hecho una pena, lleno de hierbajos e incluso de papeles arrugados y desperdicios. A Amparo se le ocurrió imaginar –en vista de lo fácil que había sido empujar la verja– que de noche pudieran colarse a aquel recinto personas extrañas, y aunque todavía no era de noche, miró en torno con recelo y acabó ocultándose tras el tronco del viejo cedro. Enseguida se alegró de haberlo hecho.

Por la galería encristalada del segundo piso se paseaba una figura alta vestida con traje largo de color oscuro. El pelo blanco, abundante y enmarañado le enmarcaba un rostro impreciso. Llegaba al final de la galería, daba la vuelta y reemprendía su paseo lento, entreverado de paradas y gestos solemnes. Estaba recitando. Amparo aguzó el oído, porque en algunos tramos alzaba más la voz y la mayor parte de las ventanas estaban abiertas. En el seno de aquel parlamento salió a relucir varias veces el nombre de Macbeth. Hasta que la mujer del pelo blanco se paró y se asomó a una de las cristaleras, agitando los brazos. Ahora ya declamaba con voz tan potente que llegaba a los últimos rincones del jardín. Era una voz de timbre algo varonil: la voz de Olimpia.

–¡Por ese poder de que os jactáis, y cuya procedencia ignoro, os conjuro a contestarme! –exclamó–. Aunque tengáis que desatar los huracanes y lanzarlos contra las iglesias, aunque las espumosas olas confundan y se traguen las embarcaciones, aunque se marchiten los trigos por granar y sean arrancados de cuajo los árboles, aunque los castillos se desplomen sobre sus dueños, aunque los palacios y pirámides junten su base con su cumbre, aunque rueden revueltos el Sol, la Luna y los gérmenes todos de la naturaleza, hasta agotar la misma destrucción, ¡respondedme!

En el jardín reinó el más clamoroso silencio.

A Amparo, completamente escondida ahora tras el

tronco del cedro, se le saltaron las lágrimas. No sabía si por la emoción de escuchar a Shakespeare en una interpretación tan estremecedora, o por la mezcla de remordimiento, piedad y éxtasis que le había producido la aparición de aquel insólito personaje, bajo cuyos ropajes latía aún el corazón de su amiga.

De pronto oyó un grito y se atrevió a asomar un poco la cabeza. Detrás de Olimpia había aparecido otra figura, un hombre delgado, más bajo que ella.

–¡Qué sustos me das, madre mía! Me olvido de que tienes llave. No te he oído llegar.

Él le contestó algo, pero en una voz más tenue; no se le entendía. De todas maneras, no parecía haberse extrañado de encontrarla metida en la piel de Macbeth cuando, a voz en cuello, invoca a las brujas. Debía de conocerla bastante. Olimpia siempre soñó con ser actriz. Abandonaron la galería hablando uno con otro animadamente.

A Amparo la consoló mucho que Olimpia tuviera un amigo, menos mal que no se había cruzado con él. Salió de su escondite como sombra furtiva, dio la vuelta a la casa y antes de empujar la verja miró a todos lados. No pasaba nadie. Ya era casi de noche y la tienda de enfrente estaba cerrada.

Se escapó del barrio por callejas en zigzag, hasta desembocar en una plaza con estatua ecuestre en medio. Por allí había restaurantes agradables. Buscaría uno. Tenía hambre y sed, pero sobre todo muchas cosas que apuntar para inyectarle vida al guión de Jeremy.

DIECIOCHO

Cuando al sol le quedan como quince minutos para ruborizarse mortalmente y huir hacia paradero desconocido entre una escolta de nubes que disimulan el ocaso del rey con telones pintados en la fábrica de las mentiras, Aglae levanta la trampa ondulada del bar Oriente y saca las sillas de tijera a la glorieta. Le da pena que se esté acabando agosto, porque sabe que a partir de mediados de septiembre el negocio da un bajón. Es pecosa y flaca, de origen judío, cuarenta años, discreta y eficaz, un aspecto algo andrógino. Mira arrebolarse las nubes a través de los árboles de la glorieta y suspira.

A esa hora, dispersos por varios puntos de la ciudad, hay jóvenes que (aunque no suspiren, porque eso queda antiguo) consultan el reloj, encienden un pitillo y se vacían de todo propósito, mientras miran desvanecerse con las volutas de humo el rastro gris del día. Otro día que se ha escapado de sus manos sin conseguir que les ocurra ni se les ocurra nada extraordinario. Y saben que los pasos que den a partir de ahora acabarán llevándolos al bar Oriente, donde se congregan para recubrir su hastío bajo el oropel de alguna opinión aparatosa.

Han entrevisto a veces, a lo largo de su propia experiencia o a través de películas con cuyo protagonista se identificaron, esas rachas de felicidad que los hicieron sentirse superiores, indemnes al peligro, y columpiarse en la cuerda floja de la ambición. Disparados desde entonces a paraísos de excepcionalidad, transidos del deseo de ir más lejos, de probar emociones incomunicables, se estrellan precisamente cuando surge la tentación de comunicarlas. En aquella cuerda floja donde se había instalado el provinciano solitario e incomprendido, atiborrado de lecturas subversivas, han aparecido –a manera de pájaros alineados en el mismo hilo telegráfico– una serie de congéneres vestidos de la misma manera, con inquietudes idénticas, anhelantes del mismo tipo de atención y cuyo aliento no tiene más salida que la de inflar un globo que, al estallar, huele aún a fresa, como todos los vacíos adolescentes.

Los chicos y las chicas con vaqueros rotos y letreros en la camiseta, labios de un rojo casi negro ellas, generalmente en paro o viviendo de eventuales chapucillas, aman la música estridente, no han roto el cordón umbilical con una familia a la que detestan, pasan de política, y sobre todo coinciden en algo que es lo que más los une y a la vez los separa: quieren ser artistas. También querrían tener un puesto fijo de trabajo, para poder irse de casa o pagarse ese implante dental que les devolvería una sonrisa sin agujeros, aunque eso no lo confiesen, porque sigue vigente la sospecha de que ese camino de la independencia económica está lleno de trampas y claudicaciones.

Y mientras hacen tiempo o telefonean a alguien antes de caer por el bar Oriente –último vertedero del día contaminado–, aumenta la pesadumbre ante el recuerdo de los muchos competidores con que allí va a enfrentarse su ostentación de rechazo hacia la vida normal. Una de las fórmulas –tan gastada que ya no llama la atención de nadie– es poner cara de asco. Otros prefieren verbalizarlo. O renovar el repertorio de posturas y gestos indolentes.

En este campo de la expresión corporal sacan ventaja, como siempre, los más guapos.

–Yo lo que no entiendo, de verdad, Alicia, es que hayas puesto tanto empeño en citarme aquí –dijo Agustín–. Este sitio me pone incómodo.

Eran las nueve y media y empezaba a llegar gente. Ellos se habían sentado en una mesa apartada de las de fuera, pero Agustín los estaba espiando, sobre todo cuando alguien saludaba a Alicia desde lejos. Ella se lo desmintió.

–Tú estás tonto, nadie se fija en nadie, todo les da igual, es lo bueno que tiene este sitio, que aquí cada cual va a su bola.

–¿A qué bola?

Alicia se había despertado aquel día con ganas de profundizar en las cosas. Miró a su compañero meditativa.

–Buena pregunta –dijo–. Yo creo que el problema está en que no tienen bola, no la tenemos ninguno. Estamos jugando al tenis sin pelota.

Hubo un silencio. A Agustín le gustaba el tono que estaba empleando Alicia. Llevaba más de una semana sin aparecer por su consulta y se había citado con ella no sólo para ver qué tal seguía sino para tantear el terreno que podía separarle ahora de su paciente, seguramente más escabroso –imaginaba él– después de la noche aquella que intentaba borrar de su memoria sin conseguirlo. Pero se había equivocado. Alicia, por el contrario, le trataba con mayor naturalidad y confianza, empleando un tono de colega. Además no estaba nada tensa ni parecía querer defenderse de nada. Era tan evidente que sorprendía.

Agustín se quedó pensando en aquello de jugar sin pelota y empezó a aplicárselo mentalmente, como un test, a algunas de las personas que conocía. Se detuvo en el recuerdo de Manuela, en la llamada nocturna que, según

Tarsi, le había hecho desde un hotel ilocalizable, se la imaginó sentada al anochecer en bares desconocidos y sintió una extraña piedad. Llevaba dos días pensando demasiado en Manuela. ¡Qué raro era todo!

Ahora Alicia miraba absorta el cielo a través de los árboles. Había empezado a hacer fresco y no traía chaqueta, tuvo un escalofrío y se abrazó el cuerpo como si quisiera protegerse. Llevaba una camiseta de tirantes negra que contrastaba con la palidez de los brazos escuálidos y del cuello de cisne. Cuando llegó, Agustín no la había reconocido porque se había rapado al cero. Aquellos rizos rubios, como de ángel de pintura italiana del Renacimiento, que disimulaban la delgadez de sus facciones, habían sido sacrificados sin paliativos. Pero Agustín no le comentó nada, era una de las reglas que se había marcado para tratar con ella, no mostrar sorpresa ni curiosidad, esperar a que ella contara lo que quisiera. Se preguntó, eso sí, y se seguía preguntando, ante qué altar habría hecho la ofrenda de su pelo. Se acordaba Agustín de alguna canción de corro que cantaban las niñas en la calle cuando él era pequeño, donde salía a relucir el argumento de la adolescente que se metía a monja por mal de amores o decisión paterna y se lamentaba en la copla de aquel sacrificio que exigía el ingreso en la cofradía de esposas del Señor. «Lo que más sentía yo / lo que más sentía yo / era mi mata de pelo.» Ahora algunas adolescentes cultivaban el mismo rito sin saber para quién, jugaban sin pelota. Miró el perfil bellísimo de su compañera, despojado de todo adorno, vuelto al cielo casi espiritual en su desnudez. Nunca la había encontrado tan accesible.

–¿En qué piensas, Alicia? ¿Tienes frío?

–Un poco. Déjame tu chaqueta.

Agustín se la quitó y se la dio. Hubiera preferido ponérsela él mismo, hacerle una caricia, pero no se atrevía. Se había creado entre ellos un clima insólito.

–Yo es que hay días que no los entiendo –dijo Alicia después de ponerse la chaqueta–. Pero nada, lo que te digo: ni poco ni mucho ni nada.

–¿En qué sentido?

–En todos. No entiendo lo que llevan dentro ni a qué saben. Suelen coincidir con los días en que me ha venido la regla, la pérdida de sangre me da por pensar, ya ves tú, y digo: Pero bueno, todo es absurdo. Seguirá siendo absurdo también los otros días, pero no me preocupa. Yo cuando pienso, oye, es que soy un peligro.

–¿Y en qué pensabas ahora?

–En las estrellas. Cuando me acuerdo de los millones de kilómetros que nos separan de las estrellas y la velocidad a que gira el mundo, me aturullo. Te lo explican y lo ves en un mapa y bueno, sí, se te mete en la cabeza de mentira como todo lo que estudias, se queda allí dentro sin hacer daño, pero luego explota, ¿comprendes?, y te asustas, te das cuenta de que es verdad, de que está pasando eso de verdad mientras hablamos. Por cierto, se ha ido Pedro, ¿sabes?, ese mismo día me rapé al cero.

–¿Pedro?

–Sí, te hablé de él en la última visita al ambulatorio, ese chico con el que estaba acostándome. Lo que no me acuerdo si te dije es que vive con una pariente tuya, bueno, vivía. Me debió dar corte aclararte eso. Además ya da igual, se ha ido.

Agustín descendió de la meditación sobre las estrellas para atender a ese caso concreto que se ofrecía bruscamente a su consideración.

–¿Que se ha ido? ¿Y Valeria lo sabe?

–¡Qué va! Huyendo de ella se ha ido, no me lo ha contado más que a mí, así que tú no te chives. Reconozco que me da envidia cuando alguien se larga, le dije que por qué no me llevaba con él, pero no me contestó: Ni lo sueñes, reina, me resultarías un estorbo, como en las películas de vaqueros, se ha ido en una moto grande que tiene. Para siempre, dice, le ha salido bien un trapicheo que llevaba entre manos, pero en fin, *top secret*. Igual vuelve, cualquiera sabe. Tiene fama de irse y volver.

–¿Y tú le querías mucho?

–Hombre, quererle no, pero tenía un buen polvo. De Valeria hace tiempo que estaba aburrido. No le ha dejado ni una triste nota.

–Es un cerdo, perdona. Menos mal que no te ha llevado con él.

–Pues sí, en eso tienes razón. Es lo primero que he pensado al despertarme esta mañana, que qué pintaba yo por esas carreteras con un tío capaz de dejarte abandonada en el primer bar con gasolinera que salga al paso. Yo necesito otro tipo de compañía. Respiré con alivio esta mañana, te lo juro. Pero luego empiezan las caras de mártir de mi madre, sus peroratas telefónicas con la abuela, ¡uf!, siempre sufriendo, por lo que va a ser de mí, por las putadas que le hace mi padre, como yo le digo, gorda no te ha hecho más que una, que es irse a vivir con otra tía, pues nada, borrón y cuenta nueva, eso pasó, ya no pasa, no sirve de nada seguir machacando con el mismo rollo y hacerte ilusiones de que va a volver, nos ha dejado tranquilas, métetelo en la cabeza. Pero son mis padres lo quiera o no, me quedo a disgusto. Luego me da por irle a ver a él un rato a la oficina y es peor, notar que le importo un rábano, que no me hace ni caso, esos ojos de estar mirándome como haciendo un esfuerzo, me da dinero como a una mantenida. Por eso no me quiero enamorar, ¿entiendes? Lo de mi madre es de libro, preocupándose por todo lo que pueda pasar antes de que pase, siempre llorando o con dolor de cabeza, me da pena, pero también la odio. O sea que estoy metida en una cárcel y lo malo es que no sé sí de preso o de carcelero. Yo necesito irme, Agustín. ¿Por qué no me llevas a vivir contigo? Me hace falta vivir con alguien que me dé seguridad en mí misma. Te juro que si me llevas a vivir contigo, vuelvo a comer cocido y espaguetis. Estás divorciado, ¿no?

Le estaba mirando implorante. Agustín le pasó la mano por la cabeza rapada, como si acariciara a un recién nacido, y se echó a reír.

–¿Y quién iba a preparar esos espaguetis y ese cocido? ¿Sabes guisar tú?

–No, pero aprendería. Necesito un hombre estable, de verdad, en eso tiene razón mi abuela, y tú me gustas algo, aunque no sé si te gusto yo. Para empezar, ¿te gustan las mujeres?

–Tú estás mal de la cabeza, puedo ser tu padre –desvió la pregunta Agustín–. Además...

Luego notó que se estaba ruborizando, se levantó y pagó a Aglae, que pasaba por allí con su bolsa negra de tela colgada del cinturón. Le dejó doscientas pesetas de propina y volvió a la mesa. Pero no se sentó.

–¿Además, qué?

–Que no tengo casa, vivo provisionalmente con una amiga. Anda, métete la chaqueta, bonita, vamos a darnos un paseo, ¿quieres?, y discutimos todas esas fantasías.

–No son fantasías, a ti te gusta escuchar y a mí contar cosas. Contarle miserias de tu vida a uno de tu misma edad es igual que cuando te quieres quitar una espinilla delante del espejo, te queda la piel hecha una pena pero la espinilla no sale. Y el otro se ha desentendido. ¿Por qué nos vamos? Yo me tomaría otro café.

–Nos lo tomamos por ahí. Ya te he dicho que este sitio no me gusta, me pone nervioso.

Alicia se puso de pie. Se abrochó la chaqueta.

–¿Por qué te pone nervioso? ¿Ves? Tú también me tienes que contar cosas, necesitas desahogarte con alguien. ¿Me vas a contar algo de tu vida?

–A lo mejor –dijo Agustín.

Había recobrado la serenidad y la fe en mejorar a Alicia. Tal vez el secreto estuviera en dejarse dar algo a cambio, cariño, por ejemplo, en no despertar sólo gratitud. Ella se cogió de su brazo y echaron a andar por la glorieta. Tenían la misma estatura, pero Agustín, a pesar de ser tan poca cosa, parecía fuerte a su lado.

–Y esa amiga tuya, ¿no podría también alojarme a mí? –le iba preguntando Alicia.

–Imposible –rió él–, es mi novia.

Aglae los vio desaparecer con un gesto de complacencia maternal. Aunque no oyó nada de lo que estuvieron hablando, le había intrigado aquella escena, tan distinta de las que solían desarrollarse en el bar Oriente. Era una conversación con argumento, eso seguro, pensó mientras cruzaba la calle y se metía a atender la barra. Hoy había dentro más clientes que fuera.

Los del grupo más cercano a la puerta estaban hablando de literatura. Eran tres chicos y dos chicas. Discutían si servía para algo o no asistir a una escuela de letras y parecían de acuerdo en afirmar que las de Madrid ofrecen más garantía porque los profesores son escritores que ya han publicado libros, gente de prestigio.

–Yo eso no lo veo una garantía –dijo una chica alta y desgarbada con gafas gruesas–. Ni Flaubert que resucitara podría enseñarte a escribir más que desde lo que él hace, o sea a copiarle. Y enseguida diría la gente, y con razón, que has plagiado a Flaubert, pues para ese viaje no necesitamos alforjas, te lees a Flaubert, te sale más barato y lo que se te quede lo asimilas a tu manera. No será un plagio de diseño.

–Pero después te ayudan a colocar el libro y esas cosas.

–Ya, te van a ayudar. Por aquí. Ellos cobran y punto. Luego te tienes que encontrar un agente, y ni aun así, no dan abasto los agentes. España tiene cuarenta y nueve provincias, no se te olvide, y de pueblos grandes el doble o más, eso quitando Hispanoamérica y las islas, conque calcula. Las mesas de las editoriales un poco conocidas se vienen abajo de tantos originales como reciben.

–Y luego que de originales la mayoría no tienen nada.

–Ahí iba yo cuando lo del plagio –intervino la de las gafas–, que tienes que encontrar tu propia voz, aunque te influyan otros. Y nos creemos que es fácil encontrar una voz propia, pero no, es dificilísimo. No llueve del cielo. Y cada mes no van a surgir cinco genios. Eso es lo que pasa.

Un muchacho pálido con coleta dio un resoplido. Miraba el fondo de su vaso vacío.

–Lo que pasa es que somos muchos queriendo lo mismo –resumió–, somos famélica legión.

Habían llegado al punto muerto de siempre. Ya no cabía más salida que la de ponerse a lanzar venablos contra los premios literarios concedidos de antemano, contra los críticos, contra los jurados y editores, contra la televisión, contra los autores consagrados y nuevos, casi nadie se libraba de la quema. Pero se fueron desinflando. Resultaba tan tedioso y rutinario como ponerse a cantar el *Asturias, patria querida* a los postres de una cena entre antiguos alumnos. Y lo sabían. Y pedían más bebida y más tabaco porque quedaba mucho cenagal por delante antes de irse a la cama. Todavía había alguien que tenía arrestos para intentar salvar la cara y dar alguna opinión brillante sobre el monólogo interior o la narración en tercera persona, aunque con pocas ganas. Empezaban a estar algo borrachos.

El más gordo del grupo dijo que para él todo lo escrito sobre estrategias narrativas era papel higiénico, que él escribía desordenadamente, sin volver a leer lo que había escrito, de un tirón, páginas y más páginas.

–Lo que se me ocurre. Y estoy seguro de que no me sale mal. Pero he decidido dejarlo, porque escribir me da un hambre canina. Tengo un problema hormonal.

–Lo malo de la novela –dijo el paliducho de la coleta– es cuando se te pone cabezona. Unas veces poco a poco y otras de repente. Acumulas tantas cosas en la parte de arriba que le salen tumores, o maleza, no sé, una selva por la que andas perdido, qué angustia, sólo quieres encontrar el camino para salir de tanta maraña, cortarla imposible. Total, que te entra la prisa por completar el cuerpo de la historia que sea y ya sólo aciertas a pintarle de mala manera unos pies debiluchos con los que, claro, es incapaz de salir corriendo. Le pesa la cabeza y se cae, plas, como un desperdicio.

El gordo se echó a reír.

–Eso que has dicho es muy gracioso, oye, escríbelo, ¿por qué no lo escribes?

–Lo dicho se lo lleva el aire –sentenció otra chica que no había abierto la boca hasta entonces–. Si te pones delante del ordenador no se te ocurre ni por carambola una frase así.

Era muy guapa y se apoyaba contra la pared con gesto displicente. Los pies los había subido al travesaño de otra silla. Se la tenía por lo más granado de las poetisas locales. De pronto se quedó mirando hacia la puerta y pareció salir de su indiferencia.

–Oye, esa que acaba de entrar es la directora de *Tamiz*. ¿Es que suele venir por aquí?

–Yo nunca la he visto, no me suena.

Valeria Roca había mirado un poco en torno y luego se había dirigido apresuradamente a la barra. Llevaba gafas negras. Parecía muy agitada.

–Oiga, por favor, ¿es usted la dueña de esto? –le preguntó en voz baja y entrecortada a Aglae, que estaba preparando unos daiquiris y que la miró con curiosidad.

–Sí, yo soy. ¿Por qué?

–¿Conoce a Pedro Arnedo?

–¿A Pedro? ¿El rubio? Sí, lo conozco mucho. Aquí le llamamos el rubio.

–¿Sabe si va a venir hoy por aquí?

–No sé decirle. Desde luego lleva tres o cuatro días que no le vemos el pelo. ¿Le pasa algo a Pedro?

–No, no creo. Da igual, además. Gracias. ¿Puedo usar el teléfono?

–Sí, claro, es de monedas. Ahí dentro lo tiene, junto a los servicios.

Valeria entró en el recinto del teléfono, se quitó las gafas ahumadas, sacó del bolso un papelito y lo miró apoyada contra la pared. Tenía los ojos enrojecidos de haber llorado mucho. Había unas escaleras estrechas a su izquierda y de abajo venía rumor de voces apagadas por una música estridente. En el papel ponía Rita Bores y unas cifras. Las marcó. Estaban comunicando. Decidió esperar sentada en el retrete. No tenía ganas de encontrarse con nadie. Y a casa no quería volver.

–Luego dices que yo me enrollo mucho por teléfono, papá. Pues anda que tú. La cena está en la mesa. Josefa ha hecho croquetas.

Abel Bores miró a su hija con cara divertida. Apagó la lámpara de su mesa de despacho y la siguió por el pasillo.

–¿A que estabas hablando con la tía Olimpia? –preguntó Rita cuando se sentaron a cenar.

–Pues sí, ¿cómo lo sabes?

–Porque te ríes a carcajadas, te he oído desde mi cuarto, nunca te ríes así con nadie.

–Es que es genial, lástima que esté tan loca, no hay una persona más inteligente que Olimpia en toda la ciudad.

–Quitando los de esta casa, querrás decir.

–Por supuesto, quitando los de esta casa. ¿Sabes que me va a ayudar en mi trabajo de sociología sobre el comportamiento amoroso?

–¿Y eso?

–Pues nada, que le hablé de ese proyecto antes de irme a la Argentina y resulta que se ha puesto por su cuenta a hacer fichas de cómo veían las chicas de entonces a los hombres, dice que sólo con la visión masculina el ensayo queda cojo. ¡Pero es que no te imaginas las cosas que se le ocurren! La tengo que ir a ver esta semana.

Empezaron a tomar la sopa que les había servido Josefa, una cocinera de las de toda la vida, que había conocido a la difunta señora desde niña. El mantel era de lino. Josefa tapó la sopera humeante y se fue.

–Oye, papá –preguntó Rita de repente–. ¿Tú de joven estabas enamorado de la tía Olimpia? Mamá me dijo una vez que creía que sí.

–A tu madre se la comían los celos. No es verdad en absoluto. Olimpia y yo de jóvenes éramos más bien rivales.

–¿Rivales? No te entiendo. ¿Qué quieres decir?

–Nada. Que a los dos nos gustaba Katharine Hepburn, una belleza poco de moda en aquel tiempo. Se llevaban más rellenitas, no con pinta de enfermas como las modelos de ahora.

Rita se quedó mirando a su padre con la cuchara en el aire. ¡Qué guapo tenía que haber sido de joven! En las fotos que había estaba para comérselo.

–Sigo sin entender –dijo–, sobre todo lo de la rivalidad.

–Bueno, siempre tiene que quedar algo por entender, ¿no? Son palabras tuyas. Están llamando, me parece. Verás como esta vez no es para mí.

Entró Josefa en el comedor.

–Señorita, la llaman por teléfono. He dicho que está cenando, ¿se pone usted? Parece cosa urgente.

–¿Quién es?

–Una amiga suya, ha dicho el nombre pero no se la entiende bien. Llama desde un sitio de ruido y además me parece, no sé..., que está llorando.

Rita se levantó y salió al pasillo.

Abel tomó la última cucharada de sopa.

–¿Espero a traer las croquetas? –preguntó Josefa.

–Sí, mejor. Llévese esto. Igual Rita se entretiene.

Cuando se fue Josefa, Abel se quedó contemplando las paredes con aire ausente. Te voy a presentar a una amiga mía que se parece a Katharine Hepburn, le dijo Olimpia una tarde del prechelense inferior. Nada que ver, te lo advierto, con las cursis de mírame y no me toques que te ponen los ojos de carnero a medio morir en los bailes del Casino. Un día que venga por casa, te llamo. Y la vio allí, con una falda estrecha de rayas por debajo de la rodilla y una blusa blanca con cinta de raso negro por debajo del cuello, haciendo lacito, al fondo la cortina roja del salón de los Moret. Había otras personas, una merienda acaso, pero los demás no existían. Él esperó a ver cómo se comportaba ella, que simplemente alargó la mano y se la estrechó, mucho gusto. Pero se miraron con complicidad. Se conocían de la Biblioteca Municipal, casi siempre desierta, donde él había empezado a ir por las mañanas para preparar su oposición a cátedra de Filosofía. Se acostumbró a ir porque sabía que iba a encontrársela allí, habían anudado una amistad especial, que no se parecía a ninguna, y sin embargo no hicieron ningún comentario sobre ella hasta la tarde de la merienda de

Olimpia. Hubo un momento en que se encontraron sentados un poco aparte. ¿Por qué no has dicho que ya nos conocíamos?, preguntó él a media voz, mirando disimuladamente hacia su taza de té. Le costó hacerle esa pregunta tanto como le turbaba aquella súbita complicidad, y esperó la respuesta pendiente de un hilo, era una emoción que no había sentido nunca. Me gusta tener una relación secreta contigo –dijo ella–. ¿A ti no? En ese momento se miraron y sellaron su pacto clandestino. A mí también –dijo Abel–, y la vamos a tener siempre. ¿Qué quieres decir con siempre? Quiero decir siempre, el siempre que no se atiene a juramentos ni corre peligro de ahogarse en la rutina. Ella se levantó con un aplomo de gran señora y se acercó a la mesa a pedir más té. ¿Qué te ha parecido mi amigo?, le preguntó Olimpia. Está bien –dijo Amparo–, un poco presuntuoso. La mermelada riquísima, oye.

Acababa de entrar Rita con cara de circunstancias a interrumpir sus meditaciones. Bebió un vaso de agua, pero no se sentó. No decía nada.

–¿Qué pasa? ¿Quién era?

–Valeria Roca, aquella amiga del bachillerato. Te conté que me la he encontrado hace poco en Dumbo, ¿te acuerdas?, y que quedamos en vernos. ¿No te importa que venga esta noche y se quede a dormir?

–¡Qué pregunta más tonta, hija! ¡Cómo me va a importar! ¿Pero qué le pasa?

–Dice que no tiene adónde ir, que a su familia no quiere verla, y el novio la ha dejado, está hecha polvo, ha muerto una tía suya. Ella tiene, no sé por qué, mala conciencia, no para de llorar, creo que ha bebido.

–¿Una tía suya?

–Sí, Valeria se ha enterado cuando estaba trabajando en la radio, de sopetón, por un télex. Se despeñó su coche por un barranco y llevaba dos días muerta sin saberlo nadie. Fíjate qué palo. Parece que el padre de Valeria ha ido a identificar el cadáver y lo están trayendo para acá. Ella no se trata con la familia, pero a esa tía, en cambio, la quería mucho. Si no te importa, le voy a decir a Josefa que le prepare una cama en mi cuarto. Y que haga tila.

A Rita le temblaba la voz, volvió a beber agua.

–Igual se queda más días, ¿sabes? Sólo le apetece estar conmigo, como cuando éramos pequeñas.

–Que se quede todo lo que quiera. A mí esa amiga siempre me ha gustado para ti. La veo moderna.

Rita rodeó la mesa y le dio un beso a su padre.

–Gracias, don Abel. Ahora te traen las croquetas. Yo ya no ceno más. Se me ha quitado el apetito.

Le llamaba don Abel cuando quería poner distancia entre los sentimientos de ambos. Lo había notado distraído.

DIECINUEVE

Le dijo que sí, que de acuerdo, que lo pensaría seriamente durante aquella semana en que él iba a estar fuera. La había invitado a cenar en el Rainbow, los conocía el maître, ya en vida de Gregory vinieron juntas las dos parejas, era la pausa entre el postre y el café, ella apartó los ojos de la mesa doce, la de siempre, y los dejó viajar en taxi por las avenidas iluminadas que se extendían allá abajo, al otro lado de la vidriera, deseó ser la extranjera que visita Manhattan por primera vez, sintió las rutinas, éxtasis, miserias y peligros de la ciudad chapoteando como una marea negra que se estrella contra la cámara blindada de un local donde todo el mundo sonríe en hibernación, contra el grueso cristal de unas gafas al acecho, defendidas por los reflejos de colores, te prometo pensarlo seriamente, se lo dijo en voz baja, con una sonrisa que intentó ser enigmática, incluso algo sensual, y no por embeleso ante el panorama que pudiera derivarse de su asentimiento, sino porque las cosas vinieron rodadas, y como no había sido ella quien las echó a rodar, en su respuesta –aunque condicional– latió una brizna de esperanza. Estaba ansiosa de sorpresas (¿cuántos años llevaba, sin saberlo, ansiosa de sorpresas?), y tal vez aquel inesperado proyecto pudiera albergar alguna. Con Gregory había sido distinto, no hubo sorpresa propiamente dicha, porque, a partir de su primera despedida en un portal sórdido del Lower East Side, los acontecimientos fue ella misma quien los manipuló y echó a rodar, quien estableció las cláusulas de su pacto donde iba incluida –como siempre– la rémora de su madre. Pero la declaración de Ralph sí la cogió desprevenida, quién iba a esperarse eso.

–Pues a mí no me extraña nada –dijo María cuando se lo contó–, se pasa de puro normal. Nuestro abogado de confianza de siempre, a quien papá se lo consultaba todo, bien situado, sensato, un hombre divorciado, de tu edad, harto de venir por aquí, incluso conocemos a los hijos, sabe que murió la abuela, que Jeremy y yo ya nos hemos ido de casa, ¿hay algo más doméstico? Igual se te ha declarado en el cuartito, mientras tu cosías a máquina, seguro que le erotiza un pespunte que no se desvía de su camino.

A Amparo le dio mucha rabia, aunque procuró que no se le notase. Por aquel tiempo María frecuentaba a los artistas del Village y del Soho, donde ella misma había abierto con otra amiga una galería de arte que luego quebró, y exaltaba la personalidad desquiciante de Nikos, aquel pintor griego con quien mantenía un *amour fou* de los que arrastran sin solución de continuidad a paraísos y abismos insospechados. Cuando la escuchaba como madre, Amparo tenía miedo, pero como mujer rejuvenecía, a través de una envidia intravenosa de color ámbar que no dejaba más resaca que el anhelo.

Pues no, María, nada de cuartito de costura, todo pura sorpresa para que lo sepas; y se puso a inventar. Habían comprado unos emparedados y una botella de champán, alquilaron un helicóptero, lanzaron el taponazo contra las nubes y se pasaron toda la tarde sobrevolando Manhattan y New Jersey, viendo cómo atardecía y cómo luego iban naciendo las primeras estrellas y caía la noche, un tiempo eterno, de esas veces que dices: ¿Pero es posible que me esté pasando esto? Y miras por primera vez lugares que creías conocer, el río, los puentes, los rascacielos, todo llegaba al corazón directo como una flecha, al ritmo de los versos de Keats que él empezó a recitar en un determinado momento...

–Pero bueno, mamá, ¿quién llevaba el helicóptero?

–Pues no sé, no me fijé ni en quién lo llevaba, los alquilan cerca del Hudson, por la calle doce, creo...

Y Amparo no sabía decir tampoco cuándo había cambiado el cielo por la tierra, e incluso por el subsuelo, líneas de metro desconocidas, callejas, y se encontraron ya más bien tarde en un local del *off* Broadway bailando blues, yo es que no me lo podía creer, parecía otro, no sabes cómo cambia. Y surgía ante sus propios ojos un Ralph inédito, audaz, descontento con su destino, capaz de decir las cosas más sugerentes. Y a medida que aumentaba el escepticismo irónico de María (replegado, eso sí, tras un prudente disimulo), crecía por dentro de Amparo un río caudaloso de aventura alimentado por aquel improvisado relato, un río que tendría que navegar sola. Sabía que esas cosas cuando pasan de verdad no se cuentan así, simplemente no se cuentan, y percibía también, aunque atenuada, como a través de una incipiente anestesia, la responsabilidad de recibir a Ralph, cuando volviera, con muestras de pasión impetuosa.

–A mamá no hay quien la pare, le ha entrado la vena delirante –le contó luego María a Jeremy–. Yo digo que si será la menopausia.

Jeremy se indignó por dos cosas: por el comentario despectivo de María y porque el elegido de su madre hubiera sido Ralph Liddell, el hombre más convencional de Wall Street.

–La culpa la tiene ella, que se cierra como una ostra y

ya no distingue, ¿tú crees que se puede vivir así?, no va al cine, no va al teatro, no sueña, de Miranda and Company a casa y de casa a Miranda and Company, y allí Debra por todo aliciente, ¿te parece amiga para mamá?, no, ¿verdad?, pues no tiene otra, ésa es su *company,* una profesional como la copa de un pino, de acuerdo, pero el antídoto más eficaz contra toda fantasía que se escape del imperio de la moda y sus portavoces, cenas de trabajo, viajes de trabajo, proyectos de sucursales en Chicago y San Francisco, todo se trata de asegurar la huida por el puente del trabajo, pero por dónde pasa ni adónde va eso no se lo plantea mamá hace mucho, se le pudren por dentro los sueños, no sueña, y es como no sudar, ya lo dijo Truman Capote, puro veneno, ha vendido sus sueños, por eso se confunde y no diferencia a un chimpancé de una mariposa. Pero lo que no te consiento es que la insultes, María, ni menopausia ni nada, eso no reza con mamá. ¿Sigue yendo de diosa por la vida o no? Lo de que a veces se ponga insoportable es aparte, igual sufre más de lo que creemos. Pero yo tengo un amigo que no se la puede quitar de la cabeza, y eso que sólo la ha visto dos veces, mamá puede volver loco a cualquiera. Lo que no comprendo es cómo ella no lo ve, ni en qué piensa cuando se queda sola, cuando come sola, cuando va hablando por la calle sola, ¿tú sabes en qué piensa?

–Ahora, por lo visto, en Ralph.

–Mentira, imposible. Ni jurándomelo de rodillas me puedo creer que ese hombre haya oído hablar de Keats en toda su vida.

–Tampoco papá había oído hablar de Keats, y vivieron juntos diecisiete años... Me estoy refiriendo –sonrió– a la unión Drake-Miranda, como habrás comprendido.

–Sí, claro, lo había comprendido. Por mucho que he investigado en sus papeles y he entrevistado a tía Jessica, rastros de homosexualidad en el futuro financiero no aparecen. Jessica, por cierto, ha amenazado con no dejarme volver por Cape Code si le sugiero tales atrocidades. Me encanta escandalizarla. Por otra parte, cuando Keats muere tuberculoso en Italia a los veintiséis años, papá estaba todavía en la mente del Señor. Claro que eso podría arreglarse con un montaje, podríamos ver a un Gregory Drake romántico, cojeando como Byron, que acude en pleno otoño, entre remolinos de hojas caídas, a visitar la tumba del poeta en el cementerio protestante de Roma: «Aquí yace alguien cuyo nombre se escribió con agua», la cámara se acerca para que podamos leer bien el epitafio. Inmediatamente fundido encadenado con un río que corre, una voz, que podría ser la mía, recita al fondo algunas estrofas de la oda al otoño de Keats, y los vemos a él y a papá paseando por las orillas del Tíber; al fin y al cabo el tiempo es puro azar. Gracias a eso existe la literatura, reviven los mitos griegos, y la Luna se puede enamorar de un pastor dormido...

–Ya, bueno, pero no te pierdas. Hablábamos de...

–No me pierdo, perdona, estaba sólo tratando de amenizar el tedio que me inyectan a veces tus noticias. Hablábamos del cursi de Ralph Liddell, lo recuerdo muy bien, para mi desgracia. Y tú has sacado a relucir a papá, del cual, por cierto, tienes una imagen bastante pobre...

–¿Pobre?... Bueno, yo era pequeña cuando murió. Lo recuerdo siempre muy ocupado, serio, a mamá la trataba bien, supongo.

–Supones acertadamente. Pero además había oído hablar de Keats, es a lo que iba. A ella le regaló *Endymion,* que es el pastor griego a quien la Luna infunde sueño eterno, ¿lo sabías?

–No.

–Pues él sí, tenía, o lo pudo comprar, un ejemplar de la primera edición, mil ochocientos dieciocho, y cuando se lo regaló a mamá, por la fecha de la dedicatoria creo que debían de ser novios, «nada dura más allá de pasado mañana, Amparo, quiéreme hoy, Greg». ¿Qué te parece eso?

–Precioso. Pero tú, de esas cosas, ¿cómo te enteras?

–Porque fisgo, guapa, y por lo que le sonsaco a ella, que mi trabajo me cuesta, y mis artes de disimulo. En lo de herméticos y difíciles de clasificar eran almas gemelas. Y también en esa forma de elegancia que no tiene que ver con el dinero, que a lo mejor consiste, no sé, en cómo persuades a otro de algo sólo con mover un dedo. A él le encantaba la idea de que yo fuera artista, fingía reírse, me decía que el arte no es cotizable en Wall Street, pero me estimulaba, más que mamá, por mucho que te extrañe. Tenía algo que no sé lo que era, y quizá ella tampoco, algo que mandaba callar. Se respetaron mutuamente... ¿Pero Ralph? Con aquella esnob de Odile llena de joyas y esos hijos que se caen de sosos... A Ralph mamá no podrá aguantarlo ni un mes. ¿Te apuestas algo?

–Una cena en el Waldorf Astoria.

Perdió la apuesta Jeremy. Amparo M. Drake aguantó ocho años a Ralph Liddell, aunque siempre se negara a casarse con él e incluso a pasar juntos más que contados fines de semana o el tiempo que duraba algún viaje. Nada logró hacerla cambiar de opinión ni de apellido. Esta salvedad tenía suficiente peso, según Jeremy, para eximirle de pagar su apuesta, un pálido compromiso que fue prescribiendo con el tiempo y que solamente retoñaba de vez en cuando entre los hermanos, a manera de juego anacrónico, para dar pie a olvidadas divagaciones verbales.

–¿Qué hay de lo de la cena?

–Nada. ¿Se han casado o se han ido a vivir juntos?

–¿Y eso qué tiene que ver? Nunca pusimos semejante condición.

–Yo sí. Dije que a Ralph mamá no lo aguantaría y acerté. Cuando no se va a vivir con él es porque no lo aguanta. Además no hacen falta pruebas, basta con mirarla a la cara para saber que se aburre soberanamente. ¿A que no te ha vuelto a contar aquellas tonterías del helicóptero?

–No, no me habla nunca de él. Como si no existiera.

–Claro, porque no existe. O sea, que la cena te tocaría pagarla a ti. Pero, en fin, si andas mal de dinero, te la perdono.

–Eres un sofista asqueroso. Además, ella no me cuenta nada, pero Vanessa sí. Siguen saliendo y su padre está empeñado en casarse, se lo ha dicho a todos y ellos no lo ven mal. Ni Odile siquiera.

–¿Y tú para qué tienes que tratar con esa gente ni qué te importa lo que opinen? ¡Cómo si no tuviéramos bastante con los parientes Drake!

–Pues a mí Vanessa me parece simpática. Quiere que este año celebremos el Thanksgiving todos juntos, en la casa que tienen en Santa Mónica ¡Ah! Y antes estamos invitados a la boda de Henry, no lo olvides.

–¡Cielos, *too much*! Huiré al Amazonas.

¿Cómo pasaron esos diez años? Amparo recuerda que una mañana de verano asistieron juntos al entierro de Odile, y que a partir de entonces hablaron más de los hijos y él redobló, entre dolido y meticuloso, su necesidad de consolidar unas relaciones que ya no eran secreto para nadie y que además iban bien. ¿O es que tú estás descontenta? No, por favor, ¡cómo voy a estarlo! ¿Te gustaría estrenar un piso nuevo que ni a ti ni a mí nos recordara nada? ¡Una mudanza no, qué pereza! O podríamos renovar éste, instalarnos en la parte que ocupaba antes Henry; no, Ralph, no se trata de eso. ¿Pues qué problema hay? Ninguno, precisamente porque seguimos siendo libres. ¿Quieres decir entonces que...? Era un cerco implacable de preguntas, como un perpetuo examen de reválida donde el profesor no se impacienta ni se ofende, simplemente espera. Y el tono en el recuerdo es uniforme, más cercano a la reivindicación jurídica que al arrebato pasional, ni un puñetazo sobre la mesa, ni un grito, ni un reflejo de cólera o de lujuria tras las gafas. A ella se le fueron quitando las ganas de rebatirle cualquier argumento de persuasión, le daban grima, temía verlos asomar a modo de lombrices entre las flores que Ralph le enviaba dentro de un estuche con una joya o del sobre que contenía dos pasajes para las Islas Vírgenes. Aceptarlos era contar con que saldría a relucir «aquello». No, por favor, Ralph, ¡otra vez no! Se quedaba callada como una estatua de hielo, o se tapaba los oídos o le colgaba el teléfono; te he dicho que no en mil tonos de voz, ¿por qué insistes? ¡Déjame en paz! Y él decía: Está bien, *honey,* otro día lo discutiremos. Y así diez años, con la amenaza pendiente de aquella perorata idéntica a sí misma, que ni progresaba ni daba un paso atrás, que indefectiblemente volvía a reproducirse. ¿Por qué no nos casamos?

Una noche ella le contestó, acercando los labios a su oreja, porque estaba de un humor estrafalario y porque las orejas de Ralph eran lo más bonito de su cuerpo: Espera un año, ¿quieres?, si te pasas un año sin preguntármelo tal vez se me ocurra alguna razón de peso y al mismo tiempo ingrávida, como si me salieran de la boca globos de colores, nos pondremos a pescar esos globos, ¡qué divertido!, ¿no?, algo distinto. No te entiendo –dijo él–, ¡eres tan extraña! Y se quedó dormido. Aquel fin de semana lo estaban pasando en casa de Ralph, era un sábado. Amparo se deslizó fuera de la cama, se vistió sigilosamente y entró en la estancia contigua, un despacho bastante pretencioso y a todas luces inútil porque él trabajaba en otro barrio. Sobre la mesa había una agenda gorda de anillas abierta por una fecha atrasada. Amparo recuerda que arrancó la hoja y escribió: «Me voy. Me está entrando insomnio, y los insomnios son para aguantarlos en la propia casa.» Le dejó la nota sujeta con un imperdible sobre la almohada, que aún olía al perfume de su pelo; recuerda que pensó: Es como si me estuviera empezando a quedar sola, pero no era pena lo que sentía. Recuerda la sensación tonificante de libertad caminando luego hacia Lexington Avenue por las calles casi vacías, entre gente extraña que de vez en cuando la miraba, ella sola, expuesta a cualquier peligro pero sin asomo de prisa o de temor, la llegada al cuartito de costura, cómo levantó el visillo para ver allí enfrente el Chrysler Building. Es mi casa, no hay vuelta de hoja, se dijo. Y supo que a partir de cierto momento, imposible de localizar, el aliciente de irse de casa ha perdido definitivamente su espejismo cabrilleante de vida nueva.

La habitación del Excelsior se ha vuelto pequeña como una celda, está rodeada de barrotes y se oyen en el pasillo cuchicheos de algún carcelero que conspira, están corridos todos los cerrojos. Son las tres de la madrugada. Pero de nada serviría apagar la luz. Amparo mira con tedio las tres novelas policiacas empezadas, se levanta una vez más de la cama revuelta. No hay luna y las nubes se aborrascan como si quisiera ponerse a llover. Todavía no ha conseguido pegar ojo. Imposible salir, imposible dormirse.

Quizá echa algo de menos a Ralph, que en la cama cumplía, aunque sin grandes alardes. Tal vez, si la viese despierta, le preguntaría si le trae recuerdos tristes su ciudad, si echa de menos algo, si le da pereza volver a su trabajo de Miranda and Company, o si está preocupada por el porvenir de Jeremy. Cuando Ralph no le informaba de sus pleitos y operaciones bursátiles, hablaban de las respectivas familias y sus peculiaridades, aunque sin profundizar mucho en el análisis psicológico de las relaciones entre personajes. Él era optimista, adicto por naturaleza al *no problem;* hablaban como asomados a dos tapias cercanas entre las que discurría un río muy hondo y resonante que se comía fragmentos de sus voces, se hacían gestos sin oírse del todo, iban y venían nombres sobrevolando el abismo a manera de pájaros ignotos, Vanessa, Jeremy, mi cuñada Jessica, Henry, María, Odile, y abajo aquel río oscuro que devolvía el eco y al que no se atrevían a mirar, *no problem, honey,* pero daba miedo, algo se estaba trenzando bajo sus pies que los excluía de la vida.

Las cosas cuando pasan no se piensan, se piensan mucho más tarde, años más tarde, y generalmente por la noche. Por las noches es cuando entra el prurito de despiezar lo que ya queda tan lejos que no puede entenderse, cuando salen esos perros raros que se ponen a excavar la tierra sin saber tan siquiera lo que buscan.

Amparo se ha acercado a la maleta, en cuyo fondo siempre quedan cosas dispares que no encuentran acomodo en un armario de hotel, una cartera con fotos y papeles, dos o tres libros, un neceser con bisutería, otro con útiles de costura; en el equipaje siempre se meten más cosas de las que van a hacer falta. ¿Qué estoy buscando?, se pregunta ante la tapa abierta, con el malestar de un detective jubilado. Se sienta en el suelo, no puede soportar la idea de que se le eche encima el borrón del sueño sin tirar de algún hilo. Se le ha desabrochado la cabeza; aquella pesquisa fantasma (¿qué he venido a hacer?, ¿qué busco?) se ve interrumpida por estallidos de otra índole, vagabundeos mentales acerca del sueño que le está entrando, precisamente ahora que lo quiere espantar. Lo vive como una escena de duelo a muerte entre rivales: el yo medio despierto vigilando al yo ansioso de escapar de sus garras, asiéndolo para que no se fugue al terreno del olvido, deseando investigar dónde está el límite que separa esa zona de la de la vigilia, sin perder de vista al enemigo, como ese pistolero medio muerto que aún tiene tiempo y fuerzas para alargar la mano y coger la pistola en el momento en que el otro –también herido– trata de alejarse reptando, dueño del botín; la pistola aparece siempre en primer término. O sea que yo soy la carcelera de mí misma, que me opongo a lo que deseo. ¿Pero qué deseo? ¿Dormirme? ¿Me ha invadido el sueño ya? Soy dos, la que se opone es la enfermera de la que anhela huir.

No recuerda cuándo se trasladó a la cama. Se durmió con todas las luces encendidas.

A la mañana siguiente, con el desayuno y el periódico, le entraron un sobre color garbanzo. Venía escrito «Lady Drake, Hotel Excelsior», en una letra de caligrafía desconocida. Y una rosa roja pegada con celofán.

–¿Y esto quién lo ha traído?

–Me han dicho en recepción que lo trajeron anoche a las diez y media. Quisieron subírselo a usted, pero ya había puesto el cartelito de «No molesten».

La habitación olía a tabaco y Amparo miró con extrañeza la maleta a medio hacer, con las prendas de ropa metidas a rebujón; quizás a última hora había pensado que no aguantaba más en aquella celda. La camarera la miraba inmóvil, mientras ella palpaba algo duro dentro del sobre color garbanzo.

–¿Necesita algo más?

Amparo se fijó en la chica, era la morenita de siempre. Le había parecido notar que últimamente la contemplaba con ojos fríos y rencorosos. Es que ni le dirijo la palabra –pensó con pena–, y le dejo el cuarto hecho una catástrofe. Cuando se quite el uniforme tendrá su vida, sus penas, sus ilusiones, y echará pestes contra los ricos, como yo las echaba.

–Sí, por favor, descórrame las cortinas. ¿Qué tal día hace?

–Está lloviendo.

Amparo trató de ser amable:

–Vaya, lo siento. Esta tarde no podrás salir con el novio.

–No tengo novio, señora –dijo seria–. Los hombres se han subido mucho a la parra. ¿Va a tardar en dejar el cuarto libre?

–Media hora calculo.

–Pues si no manda otra cosa...

En cuanto se fue la camarera, abrió el paquete con mucha intriga. Contenía una cinta de casete, una carta y una entrada para el teatro. La carta decía:

> Mi añorada viajera: aunque no he podido acercarme a verte, me he acordado de ti muchas veces, pero esta vida es un lío, a veces no sabes qué camino emprender, ni siquiera si hay caminos. Pero no tengo ganas de echarle encima a nadie, y menos a ti, mis cubos de basura. Ahí va, como te prometí, un palco para pasado mañana, que es cuando actúo en *Luisa Fernanda*. Pondré mis cinco sentidos y te dedicaré la función. Va a ser la última, porque me he enfadado con todos. Sólo el que tu existas me anima a salir a escena. Te incluyo también una entrevista bastante buena que me hicieron en la radio, por si te apetece volver a oír mi voz. Yo la tuya no la he olvidado. Por favor, pasa a saludarme.
>
> Un abrazo, Marcelo, el del tren.

Se levantó y puso la rosa roja en un vaso. Luego desayunó con buen apetito. La habitación se había transformado.

La cinta la oyó después de desayunar. Marcelo era muy inteligente y algo sofista; Amparo volvió a pensar, como durante el viaje, que le recordaba a Jeremy. Su discurso era polémico y revelaba una mezcla tan extremosa de entusiasmo, nihilismo e inseguridad que temió que pudiera ser de los que van directos al batacazo. Por una parte, le apetecía verlo actuar y pasar a saludarle luego, pero no estaba segura de que valiera la pena quedarse un día más en la ciudad sólo para eso, ni de que a Marcelo le conviniera que ella le diera alas. De todas maneras, su carta le había producido una mezcla de excitación y ternura.

Luego se puso a hojear el periódico y de lo primero que se dio cuenta es de que aquella fecha coincidía con la de su cumpleaños. El último lo había celebrado con Ralph en el mismo restaurante donde se le declaró. Le regaló un broche y comieron ostras. Pero de lo que hablaron no ha quedado ni huella. Tampoco de lo que hicieron luego, ni siquiera de si durmieron juntos. Le aterró aquel vacío. ¿Sólo un año y no me acuerdo de nada? Mejor no pensarlo. Se enfrascó en el diario local. Pasaba deprisa las páginas, mientras saboreaba los últimos sorbos de café. Aunque no leía más que los titulares, uno de ellos le llamó poderosamente la atención: «Doña Manuela Roca muere al despeñarse su coche por un precipicio.» Venía una fotografía y reconoció de inmediato aquel rostro de ojos un poco saltones. Eran los que la miraron en el Museo Municipal para contarle la historia del árbol que estaban talando los leñadores, mientras se celebraba un festín en su cúpula. Aquella noticia la impresionó como si se tratara de una amiga, la había recordado a veces porque Amparo era experta en reconocer la tristeza de las miradas. Y aquella mujer estaba muy triste. Es que estaba pensando antes que ese árbol de la vida lo llevamos por dentro y nos están serrando el tronco y no nos damos cuenta. Luego la había vuelto a encontrar y le pidió que le hiciera una foto junto a los leones de Correos;

el día anterior había pasado a recoger el carrete revelado, y en ese momento Manuela Roca ya estaba muerta, y ella en la foto fija seguía sonriendo entre los leones. Siguió leyendo el artículo del periódico. Al parecer era una persona de mucho arraigo en la ciudad. El cadáver lo habían traído anoche y a las siete de la tarde se celebraba en la Catedral un funeral de *corpore insepulto*. Decidió ir.

Resumiendo: carta medio de amor y homenaje a una desconocida. Bueno, había que reconocer que no era un cumpleaños como los demás.

VEINTE

Caroline estaba dibujando cuando vino a verla Jeremy. Sujetaba con dificultad el cuaderno contra las piernas porque el brazo izquierdo lo tenía escayolado. Se había roto la clavícula al caerse de un árbol del jardín de los vecinos jugando a que era una ardilla y la habían llevado al hospital. Fue una operación un poco complicada porque afectó a las primeras vértebras del cuello. Seguía ingresada. Necesitaba reposo. Llevaba también un collarín que le dificultaba los movimientos de la cabeza. Pero había decidido no quejarse ni un poquito, era una promesa silenciosa y firme. Estaba convencida de que si la cumplía, sus padres se volverían a juntar. Eran las seis de la tarde.

–Te he traído un regalo –dijo Jeremy.

–¿De los que sirven o de los que no sirven?

–Sirve mucho para lo que estás haciendo. Yo te abro el paquete. Mira.

Era un almohadón que por uno de los lados tenía una especie de mesita. Jeremy se lo acomodó sobre la colcha de la cama.

–Las piernas un poco más dobladas. Así. Apoya ahora el cuaderno. ¿Qué tal?

–¡Maravilloso! –exclamó Caroline–. ¡Qué invento tan bueno! ¿Lo ha visto mamá?

–Claro. Hemos ido a comprarlo juntos. Ella enseguida sube. Se ha quedado aparcando el coche y luego va a hablar con el médico. Está un poco nerviosa, ¿sabes?

–¿Y papá? ¿No ha venido?

Jeremy movió la cabeza negativamente. Le parecía menos duro que expresarlo con palabras. Su hermana le había venido contando que Nikos vivía con una pintora griega.

–Tiene que venir –dijo Caroline, seria, mientras volvía a enfrascarse en su dibujo–. El médico necesita hablar con los dos juntos. Hace más efecto si le dicen «nuestra hija» que si se lo dice uno solo.

Jeremy se acercó a darle un beso y le retiró un mechón de la frente. Caroline apretó los labios. No quería llorar. Tapó el cuaderno con la mano.

–Siéntate y no me hables hasta que termine el dibujo. Y no me preguntes qué tal estoy ni nada. Es que, ¿sabes?, si me distraigo se me va la idea. Es un dibujo-cuento.

Jeremy se sentó en una butaca junto a la ventana. Era un hospital caro. Lo pagaba la tía Jessica. Mamá se iba a enfadar, pero había sido un caso de fuerza mayor. María ahora se llevaba muy bien con la tía Jessica. Caroline le había contado a Jeremy que hablaban mucho por teléfono y él sospechaba que en esas conversaciones saldría a relucir el sorprendente viaje de Amparo Miranda. Le dolía pensar que pudieran criticarla. De camino al hospital había puesto a su hermana sobre aviso. Tú de ninguna manera consientas que Jessica meta cizaña, está deseando un pretexto para hacer bloque con alguno de nosotros, en cuanto aparezca mamá, esto del hospital se le devuelve, ¿entendido?, díselo así de claro, y no admitas regalos suyos, te quiere comprar, ¿no te das cuenta?

Pero María se mostró cínica y agresiva, dispuesta –dijo– a dejarse comprar por cualquiera –hombre o mujer– que le pusiera un piso a lo grande; estaba harta de ser hija de millonarios y no poder disponer de dinero hasta que Caroline cumpliera los dieciocho años; con mamá era inútil contar, no hacía más que lo que decidía Debra. Jeremy dijo que María no había acertado nunca a tratar a la madre, que lo que necesitaba era cariño, había recibido poco cariño de la abuela Ramona, y se había vuelto desconfiada, y un poco rígida. Seguro que esas tonterías te las mete en la cabeza tu psiquiatra, argumentó María con sarcasmo. Era un golpe bajo, pero Jeremy lo encajó sin enfadarse, cariño lo necesitamos todos –dijo–, lo que resulta difícil es saber pedirlo, a mí me pasa igual, y María dijo que se aburría de oírle, que todo eso, además, qué tenía que ver con la tacañería, mamá no soltaba *cash* ni anestesiada, se la tratase como se la tratase. Y si no, a ver, ¿te ayuda a ti que tan bien la entiendes?, ¿te está financiando la película?

Jeremy estaba cansado y tenía sueño. No quería pensar en la película. A través de aquella ventana de hospital se veían otras muchas ventanas iguales; dentro de cada una la historia de un enfermo y de la familia de aquel enfermo; y enseguida vendrían otros inquilinos distintos a suplantarlos, se desinfectaba la habitación y de los que se iban apenas quedaba rastro entre aquellas cuatro paredes. Ellos mismos, al cabo de los años, si no habían muerto rememorarían como algo indistinto y cuestionable el cuadrilátero de una ventana por donde a ratos pareció escapárseles el alma. ¡Cuántas vidas sin tocarse, bullendo en el mismo edificio! Y peor todavía sería la enfermedad de los *homeless,* de los emigrantes que no tienen permiso de residencia, de los perseguidos por la policía, luego se ve en un film y se le llenan a uno los ojos de lágrimas durante unos instantes, pero una vez en la calle puedes irte a cenar a un restaurante italiano. Jeremy suspiró abatido, veía a lo lejos, como un sendero equivocado, el periplo de una mujer –vieja y joven a la vez– que deambulaba por calles que no reconoce, pensativa, obsesionada, ¿y los demás qué? Le faltaba argumento, era un callejón sin salida aquella historia tan artificiosa, de las que se ven en el cine y la gente se duerme.

La psiquiatra que le estaba tratando ahora era flacucha y con cara de liebre. Nada de cine experimental. Le había aconsejado que escribiera un guión que ocurriera en el Bronx, entre pandillas rivales, algo que no tuviera que ver con sus propias vivencias, necesitaba romper con el pasado sin más contemplaciones, rasgar papeles viejos, hacerlo físicamente así, ras-ras, y tirarlos al fuego, no a la papelera del cerebro. Tenía hora con ella a las siete. Hoy le tocaba contarle cosas de la abuela Ramona para tratar de averiguar entre ambos si su presencia durante la infancia había sido opresiva para él o no, qué tipo de relaciones mantuvo con la familia Drake y hasta qué punto influyó su condición de madre soltera en la educación que su hija Amparo les dio a ellos.

Jeremy siguió mirando las otras ventanas, se sentía incómodo al pensar en esa visita, era como cuando se lleva un examen mal preparado, le parecía absurdo remover todo aquello ante una extraña. Solo adobándolo de mentira, y, entonces, ¿para qué? Tendría que hacer alguna trampa. Era volver al callejón sin salida, reanudar la cantinela del pobre niño rico.

Y, a todas éstas, Amparo Miranda seguía sin dar señales de vida, llevaba fuera más de una semana. Se estremeció, ¿y si le hubiera pasado algo? Sin ella, iban viajando en un tren fantasma que bien pudiera descarrilar. Le daba miedo pensar que tía Jessica, aquel personaje maligno vestido de seda negra y con el pelo muy tirante, se hubiera convertido en fogonero de ese tren. Estaba allí, aunque no dijera nada, urdiendo siniestros planes, manipulando las calderas, se movía sin hacer ruido, podía aparecer de un momento a otro por cualquier rendija con su mueca de dominio y rencor, como la señora Danvers en *Rebeca*.

Caroline seguía dibujando, esmeradamente. De vez en cuando sacaba la lengua un poco. Mirado a través de los párpados entrecerrados, su pelo emitía destellos de oro, y Jeremy puso mentalmente el mundo en sus manos, como si fuera él el enfermo y la niña la encargada de cuidarle. Cerró los ojos. Le gustaría tener la edad de Caroline y al mismo tiempo la certeza de lo que significa guiar el propio tren y decidir hacerlo, eliminar audazmente los obstáculos, filtrarse, entre ellos, sin daño ni alarma, ése sería el verdadero triunfo, una mezcla de astucia e inocencia al servicio del propio destino, porque de los niños nadie desconfía.

Ahora Caroline, como una imagen trémula desprendida de sí misma, había saltado de la cama, se había arrancado el collarín y la escayola, le guiñaba un ojo, imponía silencio con un dedo en los labios y echaba a andar de puntillas por los vagones del tren hacia la locomotora. Jeremy no se atrevía ni a respirar, va a hacer un cambio de agujas –pensó–, a enganchar con otra máquina y a dejar a tía Jessica aislada en el yermo dentro de su cabina. Tal vez primero tenga que amordazarla. Hubo un parón brusco y Jeremy cruzó los dedos. No se oían gritos. Tiene que salir bien, habiendo tomado la niña el mando de las máquinas tiene que salir bien, ella lo arreglará, aunque hayamos entrado en vía muerta, crecen frutas rojas a los lados de la vía, rompe y rasga, Caroline. A ver si ocurría algo en que él no tuviera que intervenir, ni opinar ni arrepentirse. Sólo hacía falta fe. De niño presentía las ocasiones de agujero y se avisaba a sí mismo, no pises por ahí, no nos sigue nadie, peligro, ahora agáchate, vuélvete invisible. Era posible rectificar el futuro, los niños pueden. Le estaba entrando taquicardia. El tren seguía parado. Tenía que moverse hacia atrás para hacer maniobrar o arrancar de una vez, ¿hacia adónde?, daba igual, hacia una tierra nueva. Seguro que Caroline había amordazado a la señora Danvers.

–Ya puedes abrir los ojos y hablar, ven si quieres. ¿Te has dormido?

Se despertó sobresaltado.

–¿Y tía Jessica? ¿Qué ha pasado con tía Jessica?

Caroline le miró desde la cama con ojos asustados. Luego los volvió hacia la puerta.

–¿Tiene que venir? –preguntó–. Yo no quiero que venga.

Jeremy consultó el reloj, se puso de pie y se acercó a la cama. María se estaba entreteniendo mucho.

–No, bonita. No va a venir. Es que he tenido una pesadilla. Íbamos tú y yo huyendo de ella en un tren raro. A los lados de la vía crecían frutas rojas.

–Eso no es pesadilla, es una aventura. Mira mi dibujo, ¿te lo cuento o lo entiendes tú solo?

–Mejor que me lo cuentes –dijo Jeremy–. Estoy un poco torpe para adivinanzas. No veo más que un castillo.

–Sí. Es un castillo para refugiarse. El río que tiene alrededor es el de las cosas que no se entienden, por eso lo he pintado de color marrón. Algunas veces crece, porque ha llovido mucho y sube el agua removida con barro y bichos grandes que se meten por las ventanas. Entonces hay que desplegar la bandera y subirse a la torre.

–¿Y ahora?

–Ahora no. ¿No ves que no hay pintada ninguna bandera? Ahora toca calma.

–Menos mal. A mí también se me meten bichos en casa cuando crece el río de las cosas que no entiendo.

–¿Y cómo son?

–¿Las cosas o los bichos?

–Eres tonto. Los bichos. Las cosas que no entiendes ¿cómo me las vas a poder explicar?

–Es verdad. Pues son negros. Resbaladizos. Con alas como de murciélago.

Caroline miró pensativa su dibujo.

–Pero un poco peces también, ¿verdad?... Cállate, viene mamá. Es un castillo secreto. A ella no le gusta que tenga castillos secretos.

Entró María de malhumor porque no había encontrado al médico y la enfermera que la había atendido era muy antipática. Y además no sabía nada de nada. Acarició distraída el pelo de Caroline, pero no le preguntó si le había gustado el almohadón. No podía explicarse que ofrecieran puestos de responsabilidad a gente tan incompetente, había que llamar a tía Jessica, porque el médico era amigo de tía Jessica. Traía ojeras y un gesto tenso. Caroline adivinó enseguida que su padre y su madre seguían enfadados y que él no vendría. Pintó otro bicho grande con alas y dientes feroces. Luego arriba del todo la bandera. No iba a haber más remedio que refugiarse en la torre. Hablaban de tía Jessica.

–Se va a hacer la imprescindible, te lo aviso –estaba diciéndole Jeremy a su hermana–. En fin, allá tú. Pero desde luego conmigo no cuentes.

–¿Y para qué necesito contar contigo?

–¡Para todo! –dijo Jeremy muy enfadado–. Te llevo diez años, acuérdate de eso; mientras no vuelva mamá yo soy el cabeza de familia.

María soltó una carcajada que no era de risa buena.

–¿Cabeza? ¿He oído bien?

Caroline los miraba, muy sorprendida de que Jeremy fuera tan viejo, diez años son mucho, dos más de los que ella tenía; le costaba esfuerzo calcularlo, ¿cómo se puede medir ese espacio?: o sea que cuando Jeremy era como ella, María no había nacido, qué raro, y sin embargo con él se jugaba mejor que con mamá. Las cosas de la edad se entendían peor que ninguna, eran de color marrón. Las echó al río del dibujo.

–No puedo quedarme más rato –dijo Jeremy–. Lo siento, María. Tengo hora con la psiquiatra.

–Eres absurdo –dijo María–. En cuanto te sale un trabajo bien remunerado, te lo gastas en poner parches a lo mal que te sienta trabajar.

Jeremy, efectivamente, había vuelto a aceptar un trabajo *free lance* que le ofrecían de vez en cuando. Se trataba de doblar documentales y series de televisión que se mandaban a Hispanoamérica. Se encogió de hombros. Ya habían venido discutiendo ese asunto en el coche, pero en un tono ceniciento que lindaba con cuestiones prácticas y cerraba la salida a cualquier respuesta imaginativa. Tenían un día de los de no coincidir. Se inclinó para darle un beso a su sobrina.

–Adiós, Caroline, cielo –le dijo casi al oído–. No pasa nada, ¿sabes?, la torre es muy segura. Y yo no le voy a contar a nadie que estás ahí.

María le acompañó hasta la puerta.

–Hay que llamar a Debra –dijo–, no te olvides. Hoy es uno de septiembre.

–No lo olvido, pero no la pienso llamar. Me aburre. Y, además, ¿para decirle qué? ¿Que seguimos sin noticias? Con eso lo único que adelantamos es que se ponga cada vez más histérica.

–Estás imposible hoy, guapo. A ver si te alivia la psiquiatra. ¿Es la del año pasado?

–No, más fea.

–Da igual. Te dirá lo mismo, lo del complejo de Edipo. Dinero tirado.

Se despidieron sin darse un beso.

Pero, ya en el ascensor de bajada, Jeremy comprendió que su hermana tenía razón, dinero tirado. Mientras no se metiera a maquinista de su propio tren, nunca saldría de la vía muerta; tenía que decidir las cosas por sí mismo, no para darle gusto a la chica con cara de liebre, que además tampoco disfrutaba, soltaba consejos sin fijarse en qué terreno caían, a él tardaba cuatro parpadeos en reconocerlo tras consultar la ficha, *¿how are you feeling today, Jeremy?* En el mismo vestíbulo del hospital buscó un teléfono público y la llamó. Le dijo a su secretaria que cancelara la cita de hoy, que le había surgido un viaje urgente. ¿Le apuntamos hora para otro día? No se moleste, creo que no voy a volver nunca. Y colgó.

En la calle hacía bastante frío. Pronto se pondrían amarillos los árboles de Central Park. Anduvo un rato largo y luego tomó un autobús que llevaba hacia el Bronx, pero él no lo sabía. Cuando se apeó, ya estaba anocheciendo. Mientras no me atreva a rodar una película que se desarrolle en el Bronx –se dijo–, no habré roto con los tabús familiares.

Contra la pared de un antiguo hotel de ladrillo completamente destartalado había tres negritos de la edad de Caroline haciendo una hoguera pequeña. Trató de imaginarse dónde dormirían, cómo serían sus madres, vio que le sonreían y se quedó un rato con ellos. Sacó de la cartera unos papeles viejos de la abuela Ramona que encontró en un cajón después de morir ella y que la noche anterior había estado revisando por si traían algo que pudiera darle pistas a la psiquiatra. Eran cartas de una amiga de España y se referían a gente que él no conocía. Se puso en cuclillas y las fue tirando despacio a la hoguera, los niños negros se reían mucho. La amiga de la abuela tenía mala letra y bastantes faltas de ortografía. La última carta tardó en quemarse.

«Me da mucha pena, Ramona», decía, «tener que morirme sin ver a mis hijos casados, a Agustín no se le ha conocido novia nunca, Tarsi cuando era muy jovencita tuvo uno que la dejó...»

Alrededor del papel consumido se vio una especie de halo naranja.

¡Cuantas vidas que se cruzan y se consumen! –volvió a pensar Jeremy–. A ver si dejo de una vez de mirarme el ombligo.

VEINTIUNO

La muerte de Manuela sumió a Tarsi en un enredo de perplejidades. Era temprano. Se enteró por la radio, mientras estaba preparándose el desayuno, y le pareció que la cocina entera se desplomaba dejándolos a ella y a su hermano sepultados bajo el escombro. Mientras Manuela vivía, mientras podía seguir telefoneando desde un motel de carretera, aquella referencia argumental, por inquietante que se le antojase, le servía de brújula en sus laberintos mentales. Y sobre todo –ahora le resultaba raro pensarlo– de lazo de unión con Agustín. Manuela los había dejado huérfanos. Cuando la boda le pasó algo parecido, aunque diferente. Cerró los ojos para entenderlo: de las cosas parecidas y al mismo tiempo diferentes era de donde ella sacaba jugo para pensar, pero requería cierta gimnasia mental y le daba pereza. Diferente lo de la boda, en que aceptó la situación inmediatamente aunque sin entenderla, porque respaldaba su orfandad. La madre se había muerto con la pesadumbre de no verlos casados a ninguno de los dos, y el hecho de que Manuela perteneciese a una familia de las «de toda la vida», por mucho que a Agustín pareciera traerle sin cuidado, significaba un ascenso de categoría social que la alcanzaba a ella también. Nadie en la ciudad, ni aun los peor intencionados, encontraron fundamento para sugerir que su hermano había dado el braguetazo; más bien se comentó lo contrario, que fue ella quien le puso cerco y que Agustín había impuesto la separación de bienes. Estoy orgullosa de él, solía decirle Tarsi a Pepa, su colaboradora más antigua en La Favorita; y la otra la miraba como a un extraterrestre. Porque en el fondo le pasa lo mismo que a mí –leía Tarsi en los ojos de la amiga–, que le parece absurdo y no me lo dice para no ofenderme, pero sabe que yo tampoco le veo explicación a que Agustín, no siendo por dinero, se haya casado con una mujer que ya no puede darle hijos y encima fea, porque fea es un rato, para qué vamos a andar con paños calientes. Yo tampoco soy guapa, pero tengo buena facha, se decía otras veces, iniciando por ahí aquel resbaladero de las comparaciones del que se arrepentía luego como de una herida leve que se infecta a fuerza de hurgar en ella. Se iba a mirar en el álbum de la boda, donde aparecía de madrina con su traje largo de seda azul, más alta que los novios y menos encogida, porque la gracia para pisar la había heredado de la madre.

También esa mañana, antes de decidir qué hacer, antes de que vinieran las empleadas, fue a buscar el álbum de la boda, desplazó los enseres del desayuno, limpió el mármol de la mesa, y se enfrascó en la contemplación de aquellas estampas que ya no significaban nada, porque Manuela había muerto. Hubo poca cordialidad, casi todos los invitados venían por parte de Manuela, pero ella fue la madrina alta vestida de azul, avanzando del brazo de su hermano, detrás de la novia y el padre de la novia, un señor con cara de pocos amigos y paso cansino como si le violentara llegar a una meta irremediable. Pero iban unidos por lo mismo, por los lazos del nuevo parentesco. ¿Y ahora? ¿Por qué he pensado que lo de ahora es parecido? ¿En qué es parecido? Apretó más los ojos, procurando escaparse de ese ayer borrado. Bueno, ahora los Roca y nosotros –decidió– estamos unidos por el dolor. Ni siquiera se paró a considerar lo discutible que era aquel aserto. Al aceptarlo como artículo de fe lograba no sentirse aún desplazada del núcleo familiar, la tibieza de ese consuelo ficticio era una monedita de sol colándose en día invernal por los cristales sucios de la claraboya a una buhardilla sin calefacción. Así, al mirar de nuevo las fotos de aquella procesión hacia el altar, el corazón de Tarsi se desentumecía y el divorcio, la aparente indiferencia de Agustín, su propia envidia de cuñada dejada al margen se fundían cual nieve al sol. Solamente quedaban en pie las seis palabras que habían arrancado lágrimas y estropeado el maquillaje de la madrina vestida de azul: «Hasta que la muerte nos separe», ésa seguía siendo la monedita de oro.

Y de pronto le pareció que Agustín y Manuela se habían querido de verdad, los vio sonrientes y felices. Hasta con lupa había llegado a mirar otras veces el rostro de su hermano en esas fotos, como si quisiera investigar las razones secretas de su compromiso, pero nunca leyó felicidad ni pena en su expresión, se tropezó con una máscara impenetrable. Llegó a pensar que Manuela se había enamorado de él porque no lo entendía, los hombres herméticos atraen, ésa debía de ser la explicación del enigma. Se acordaba de los protagonistas de algunas novelas y películas, aparentemente fríos, pero que esconden en lo más profundo un misterioso fuego, como el señor Rochester de *Jane Eyre,* y el brusco viudo de *Rebeca,* los dos enamorados de mujeres insignificantes. Bueno, en eso no era igual, porque Manuela era mandona y más rica que su novio, pero ¿y en las relaciones íntimas? ¿Quién mandaba ahí? Agustín, sin ninguna duda. Incapaz de hacerle una sola pregunta que se acercase ni aun veladamente a rozar ese tema, Tarsi, durante los tres años que duró el matrimonio de su hermano, se vio obligada a paliar el crescendo de su curiosidad mediante excursiones de la fantasía por terrenos fangosos donde sufría más de un descalabro. Las revistas del corazón, tan abundantes en La Favorita, proporcionaban a través de encuestas y tests alguna pista para facilitar la exploración de ciertas preferencias sexuales y del influjo de los astros en el acoplamiento de seres divergentes. Su hermano era Cáncer, Manuela Escorpio. No parecía fácil. Devoraba aquella sección de los horóscopos, deseando hallar algún dato fiable sobre la vida de alcoba de las Escorpio, espiaba a su cuñada tratando de adivinar en su expresión la marca del vicio, y en más de una ocasión tuvo que ir a confesar sus fantasías eróticas. Cruzaba la ciudad de punta a cabo buscando en iglesias desconocidas el bulto oscuro de un sacerdote anónimo. Lo que más vergüenza le daba era concluir reconociendo que sus tocamientos deshonestos no estaban fomentados por recuerdos personales ni imágenes del cine, sino por el deseo voraz de convertirse en diablo Cojuelo y colarse en el dormitorio donde su hermano y su cuñada se entregaban a excesos salvajes. El cura, que hasta ese momento parecía escuchar distraído, solía espabilarse y ella veía a través de la rejilla cómo cambiaba de postura y acercaba el oído, contagiado de la enfermiza curiosidad y el sobresalto encendidos por la hoguera de un caso tan atípico. Pero dime, hija, ¿es que tú duermes cerca de ellos y los oyes? No, padre, yo vivo en otra casa, y delante de mí no se han cogido nunca ni una mano. Pero por Dios, mujer, eso es rarísimo. Pues ya ve. Era humillante, pero mentirle a un confesor no se puede. Vivía por delegación aquella historia lateral y turbia, que unas veces venía a enriquecer el caudal de su río y otras le sorbía hasta la última gota de la ya exigua corriente y dejaba el lecho de piedras clamando por una lluvia poco previsible. Se sentía continuamente en pecado.

A las ocho y media empezó a reaccionar y a darse cuenta de que había que tomar alguna determinación, como si Manuela estuviera de cuerpo presente en la habitación de al lado y le tocara a ella amortajarla y disponerse a recibir las visitas de pésame. Cuando murió Társila del Olmo, Agustín, a pesar de ser hombre y tener acabada la carrera de medicina, se derrumbó y era incapaz de decidir nada ni de moverse de una silla de la cocina, con los ojos fijos en el calendario, sin el menor asomo de su habitual entereza. Solamente ella acertó a confortarle, que –como decía Pepa– encima de todo lo que has venido soportando, que no sé ni cómo te tienes de pie, una agonía tan larga, y tú al pie del cañón, atender a la clientela, pagar facturas, recoger trastos, noches y noches sin dormir, todo sin una queja, pues bueno, ahora encima te toca ateclar a tu hermano. Chica, que se espabile, tanto «pobre Agustín», ¿y tú qué? Los hombres son unos inútiles, perdona, a la funeraria que llame él. Se levantó. Lo primero que tenía que hacer era cerrar la peluquería, eso por supuesto, y enseguida salir a buscar a su hermano, aunque fuera debajo de las piedras. Se necesitaban mutuamente, entre los dos soportarían mejor este trance tan abrupto. «Hasta que la muerte nos separe.» Cerró el álbum, Manuela ya no vivía más que en las fotos, recogió la cocina y trajo una cartulina cuadrada donde, con un bolígrafo negro de trazo grueso, escribió en mayúsculas CERRADO POR DEFUNCIÓN, incluso se entretuvo en ponerles sombra a las letras y enmarcarlas con una orla negra, usó el metro amarillo de carpintero que estaba en el cajón de los cubiertos para guiar la línea y que no dejara rebaba; sobre una bandeja de cartón con papel que se fingía rematado por puntilla, había quedado un trocito de tarta de almendra; se lo comió antes de tirar los restos del desayuno a la basura; a Manuela le encantaba la tarta de almendra y Tarsi la hacía bien, se la llevó tres o cuatro veces en alguna de aquellas visitas no demasiado cordiales, mujer, ¿para qué te has molestado?, pero la probaba enseguida, los Escorpio son golosos, ponía los ojos en blanco, ¡qué cosa tan rica, por Dios!

Antes de entrar en su cuarto para vestirse de luto, miró el teléfono, la última vez que había sonado fue para traer su voz desde un lugar incógnito; dile a Agustín que me perdone, debió de preguntarle de qué o por qué, pero tenía sueño y el enigma quedó en el aire, Manuela había muerto. Por mucho que cambie una persona o imagines o te digan que ha cambiado, son leves minucias en tu cuadro, porque también vas siendo otra tú cada día que pasa y no lo notas. Las variaciones visibles o imaginadas del otro se hacen imperceptibles en comparación con el esqueleto oculto que prestan como sostén al propio argumento. Te enteras de que esa persona ha muerto y también de cómo y cuándo, y es como si te despertaras habiendo dejado la televisión encendida y de pronto sólo vieras ese hueco al vacío, estallidos sin significación.

En aquel mismo saloncito de paso había una cómoda pequeña con su ropa interior, eligió unas medias negras muy finas que sólo se había puesto un par de veces y, después de comprobar que no tenían carreras, se puso unos guantes y se sentó en el sofá para metérselas sin que se le engancharan. Ella las piernas las tenía largas y muy bonitas. Se puso de pie y se acordó complacida de que el pelo se lo había teñido Pepa ayer, que hubo poco público, y le había dejado un corte gracioso. En ese momento es cuando cayó en la cuenta de que el guiñoteo rojo del contestador marcaba una llamada archivada allí. Le dio al botón correspondiente poniendo atención para no equivocarse, porque otras veces había apretado el de borrar y era como ver esfumarse un helado de fresa ante las propias narices. Notó que la inteligencia y la capacidad de concentración se le habían afilado, en las grandes ocasiones le pasaba siempre igual. Correcto. Sonó un pitido. «Tarsi», dijo en un tono sereno la voz de su hermano, «son las tres de la madrugada. Acabo de enterarme de que Manuela ha muerto en accidente, sé lo mucho que te afectan estas cosas y prefiero darte yo la noticia a que la leas en la prensa. Mañana tengo que ir sin falta al ambulatorio, pero a la hora de comer, sobre la una y media, ven al bar Guayana, y así charlamos, más íntimo que en casa, y además así no tienes que molestarte en preparar nada. Si llegas antes que yo, me esperas. Tengo ganas de verte. Hasta luego.»

Cuando llegó Pepa a las nueve y cuarto, se encontró a su jefa en el pasillo vestida de luto riguroso y con los ojos llenos de lágrimas. Llevaba un bolso negro imitación cocodrilo que casi nunca usaba y se disponía a salir. Pepa ya se había enterado por la televisión local de la noticia que, según el locutor, estremecía a la ciudad entera, pero no pudo evitar un gesto de extrañeza ante la aparición de aquella mujer transfigurada, pálida y presa de una verborrea incontenible.

–La peluquería se cierra, como comprenderás –le dijo–; mi hermano está hecho polvo y me voy para allá a hacerle compañía. En cuanto termine con un caso urgente que le reclama en el ambulatorio, porque ya sabes cómo es él y la entereza que tiene para sobreponerse al dolor, iremos juntos a casa de los padres de Manuela, donde supongo que se instalará la capilla ardiente. En esta bolsa le llevo ropa de luto y unos zapatos buenos; y por la tarde el funeral, yo ya aquí no vuelvo, cerráis y punto, es un día de prueba, pobre Manuela, imagínate qué horror, y pensar que sólo hace tres días estuvo hablando conmigo por teléfono, tan cariñosa, tan desorientada; pensaba volver con mi hermano, no sabes lo arrepentida que se la veía de haberlo dejado, y además yo lo sé por Rufina, su doncella, arrepentidísima, ya te digo, la otra noche, no sé si hace tres o cuántas, porque me patina la cabeza, pidiendo perdón como si se lo pidiera al aire, no se aclaraba, y yo: Manuela, por favor, no te pongas así, errores los cometemos todos, y también que en mí encontraría siempre a una amiga, se echó a llorar, ya ves, por el teléfono, a saber si sería o no la última vez que le estaba abriendo el corazón a alguien, o entreabriendo, porque de par en par esa puerta no la abrimos nunca. El trámite del divorcio por lo visto está sin concluir, eso no lo sé por ella, me lo ha contado Rufi, dice que queda la firma de no sé qué papel.

–¿Qué papel? –se extrañó Pepa–. De eso no me habías dicho nada, ¿lo has comentado con tu hermano? Pero, además, ¿cómo haces caso de Rufi –añadió al ver que Tarsi negaba con la cabeza y empezaba a llorar más de verdad– sabiendo como sabes que es Antoñita la Fantástica? Claro que algunas veces tú tampoco tienes arreglo. Y tanto que te patina la cabeza.

–Bueno, da igual –argumentó Tarsi con los ojos bajos y la boca fruncida por un pliegue de niña testaruda–, el caso es que habrían acabado por arreglarse, ganas las tenían los dos, pero cuando estamos más descuidados y empiezan a arreglarse las cosas, ¡zas!, viene la de la guadaña y se acabó. ¡Qué trago, por Dios!, yo no hago más que pensar en ese padre.

Sacó un pañuelo del bolso para sonarse, y le parecía estar viendo las espaldas un poco encorvadas de don José Manuel, cuando caminaba delante de ella, con su hija colgada del brazo, a los sones del órgano. Al parecer era su predilecta. El llanto le arreció. Pepa la miraba con auténtico pasmo.

–Pero, Tarsi, tú deliras –estalló al cabo–. ¿De dónde sacas esa pena inconsolable y esa comunión con una familia que no ha parado de hacerte feos? Tú ni a Manuela ni a su familia los podías ver, y ellos a ti menos, todo el mundo lo sabe, creí que te iba a encontrar diciendo «Muerto el perro se acabó la rabia», bailando no digo porque te pasas de noble, hasta alguna lágrima, pase, pero, en fin, como quien se ha quitado un peso de encima, que tu cuñada, Dios la perdone, era más pesada que un burro en brazos, y el padre igual, y todos, hija, todos hacen honor al apellido Roca, de piedra berroqueña es esa familia. Bueno, quitando la sobrina que habla por la radio, esa morenita que ha venido alguna vez por aquí a depilarse las piernas, tan simpática, tan llana, un sol, ésa es la única que se salva.

Tarsi daba paseos cortitos arriba y abajo por el pasillo, sin levantar la vista de los baldosines mientras enrollaba y desenrollaba una cartulina grande, en la que de repente su amiga reparó.

–Pero ven acá, mujer, siéntate y vamos a hablar con calma, que tampoco te corre tanta prisa echarte a la calle –dijo empujándola suavemente hacia la salita y cerrando la puerta, aunque no consiguió que Tarsi se sentara–, las chicas no llegan hasta las diez. Recapacita. ¿De verdad quieres que pongamos en la puerta ese cartel de «Cerrado por defunción» que llevas en la mano hecho un barquillo? La gente se va a reír, te lo aviso, yo misma me reiría, si no fuera porque creo que has perdido algún tornillo de los que sujetan la memoria de lo ocurrido antaño con la chapa donde se graba lo que va ocurriendo cada día.

Tarsi miró el reloj, se dirigió a la puerta, puso la mano en el pestillo, y preguntó seca:

–¿Has terminado ya?

–Pues no, queda una cosa. Lo de la entereza de tu hermano ante el dolor es otra mentira que te metes, perdona. Acuérdate de cuando murió vuestra madre, un guiñapo, cuatro días metido en la cama y a los enfermos que les dieran bola, porque a ella la adoraba, claro, ahí está la diferencia. Y tampoco sé si le va a hacer mucha gracia esa ropa de pontifical que le llevas; no se puso luto ni cuando tu madre, acuérdate, que para eso están las amigas, para recordarnos la verdad de las cosas, fue por lo único que reñisteis, porque decía que eso son patrañas, y no le lograste convencer. Estaba yo delante. En lo de cabezotas, desde luego, sois iguales.

Estos últimos comentarios sobre Agustín fueron para su hermana como el resultado de una biopsia; él se lo había explicado muchas veces: Hay enfermos, Tarsi, que se niegan a ir al médico aunque estén hartos de notar síntomas sospechosos, el subconsciente se encarga de tapar esos síntomas, de impedir que se relacionen entre sí y que su gas inocuo tome la fuerza de la unión y salga a flote como un globo maléfico; ése es el efecto de los análisis de sangre, de orina, de un tumor, de lo que sea: allí viene escrito el dictamen ajeno e inapelable; no cabe cerrar los ojos, y el enfermo llora, entre otras cosas, porque se avergüenza de leer lo que ya sabía.

Se había mantenido en sus trece; el cartel lo colocó ella misma sujeto a la madera de la puerta con unas chinchetas y se despidió de Pepa fríamente, pero luego, una vez sentada en el autobús con el bolso de cocodrilo sintético apretado contra las rodillas, se sentía ridícula y humillada. Llovía bastante, pero entre las prisas del final y el amor propio que le aconsejaba hacer un mutis digno, no se atrevió a volver en busca del paraguas. Había estado a punto de coger un taxi pero no lo hizo porque en las palabras de Pepa había captado el veredicto de un tumor de mala índole y necesitaba rumiarlas, darse tiempo para aceptar el enfoque de la nueva situación. ¿De qué le servía llegar lo antes posible al ambulatorio y desplegar delante de su hermano un proyecto ilusorio basado en la simbiosis de luto oficial con la familia Roca?

En cuanto caen cuatro gotas, la gente se apretuja en

los autobuses como sardinas en banasta. Tarsi no sabía si mirar por la ventanilla, que reflejaba entre regueros de agua sucia su imagen enlutada, o hacia el pasillo; eso era todavía peor, porque a cada parada subían grupos nuevos cerrando el paraguas, sacudiéndose el pelo, hablando muy alto, y le espantaba la idea de que alguien pudiera reconocerla y extrañarse de verla a aquellas horas vestida así. La gente se va a reír, había dicho Pepa, y esas risas amortiguadas como burbujas sin estallar iban inflando el globo que le subía tripas arriba, que iba a salirle por la boca de un momento a otro y a estallar disparando su gas letal a todos los ocupantes del autobús, visto y no visto, ¿pero qué es lo que pasó?, yo no sé qué decirle –contaría luego por la tele un superviviente–, algo dantesco, yo oí como un pistoletazo y, ¡pum!, todos patas arriba, una señora de negro que llevaba un paquete salió corriendo, yo la vi, alta, delgada, es a la que está buscando la policía.

Mientras miraba desdibujarse a través de la ventanilla unas calles movedizas y extrañas, Tarsi intentaba reproducir palabra por palabra el recado de Agustín y analizarlo a la luz de esa clarividencia que se impone tras las catástrofes, único cabo de cuerda al que agarrarse para sobrevivir. Era un mensaje de atención y afecto hacia ella, después de varios días de silencio, tengo ganas de verte, ya sé que estas cosas te impresionan mucho, prefiero que te enteres por mí, pero ni el más leve dato acerca de lo que estaba sintiendo él. La voz controlada, que no parecía corresponder al Agustín hecho polvo descrito ante Pepa, solamente informaba de que lo supo a las tres de la madrugada, no de dónde, ni de si lloró o qué hacía despierto a esas horas. Y luego aquella alusión absurda a que sería más íntima una comida en el bar Guayana, que ella recordaba ruidoso, bastante sucio y con intenso olor a calamares fritos. Para Tarsi la intimidad de un encuentro, caso de desestimar la propia vivienda, requería un decorado de lujo como los que se ven en las películas siempre que dos personas se han dado cita para ventilar asuntos de carácter privado, ya sean políticos, económicos o de amor, a veces incluso se trata de un reservado con paredes de madera donde el camarero pregunta ¿se puede? antes de entrar con la bandeja de los manjares; pero en fin –concluyó Tarsi–, sin llegar a estas fantasías (que Pepa tiene razón cuando me dice que esta mañana deliro), lo que nunca se puede oír es una voz estridente gritando detrás del mostrador: ¡Marchen dos de patatas a la brava y una de boquerones! Con lo de «más íntimo en el bar Guayana que en casa», Agustín no sólo insinuaba que prefería estar entre desconocidos que cerca de las señoras y las empleadas de la peluquería, sino también daba por supuesto que La Favorita no había motivos para cerrarla. Era inútil, por lo tanto, hacerse ilusiones de que fuera a ponerse la ropa de luto que ella le traía y presentarse a visitar a la familia Roca.

Cuando se bajó en la parada del ambulatorio eran las diez y seguía lloviendo. Se detuvo en un kiosco a comprar el diario local. La noticia venía en primera página, y dentro la esquela, que buscó con avidez. Muy grande, media plana. Traía la edad, cincuenta y tres años, los nombres del padre y de todos los hermanos y luego la coletilla de cuñados, sobrinos, primos y demás familia. A los Sánchez del Olmo no los mencionaba ni para bien ni para mal.

Estaba parada de pie junto a un árbol escuálido y siguió un rato inmóvil hasta que notó que su pelo chorreaba y que en el centro de la sábana de papel desplegada entre sus manos se iniciaba una hondonada a modo de charco. Echó a andar sin rumbo, plegó el periódico y lo tiró en un contenedor de escombros que había a pocos pasos. El rostro de Manuela, surcado de goterones, se arrugó bajo el asiento desfondado de una silla.

Tarsi rebasó el edificio del ambulatorio y tiró cuesta abajo por una callecita que hacía esquina con el bar Guayana. Recordaba haber visto tiendas por allí. Lo primero que necesitaba era comprarse un paraguas.

VEINTIDÓS

–¿Y por qué estabas tan seguro tú de que en provincias fueras a encontrar la panacea de tus males? Es lo que no entiendo.

–¡Si no estaba seguro de eso ni de nada, hombre! Se acababa de morir mi abuelo, y yo tocando fondo, sin saber si seguir de electricista o acabar la carrera, a punto de meterme a gigoló, viviendo con unos yonquis en el Rastro, aburrido de mí mismo, y todos los días igual: esto se tiene que acabar, no soy ni mi sombra; me tiraba a la calle con varios proyectos y nada, de esas veces en que la voluntad va por un lado y el asco por otro, pero enfilas el callejón del asco; y justo ahí es cuando se me cruza el trabajo este. ¿Panacea? Pues no sé, tampoco lo vi al principio así, más bien me agarré como a un clavo ardiendo. Son giros de la vida que ni te das cuenta. Un encuentro con un conocido de mi abuelo en la plaza de Tirso de Molina, cincuenta años y un corazón de oro, tiene una imprenta, llovía casi tanto como hoy, que si quería tomarme un café con él, claro, Matías, ¿cómo no? Supe que me estaba mirando porque es de esa gente de bien que te busca los ojos hasta que se los enseñas; que cuánto había sentido lo de mi abuelo y que me encontraba flaco; y yo distraído, revolviendo el café en la barra de aquel bar, las manos me temblaban un poco; y no sé el tiempo que llevaba hablándome ni cómo sacó a relucir lo del trabajo de la zarzuela, sólo por el tono de la voz entendí que aquella propuesta tan extravagante tenía algo que ver conmigo; le miré atontado, porque cuando andas como yo andaba tardas en captar y ni sabes si te están hablando a ti o a otro, todo te parece ciencia ficción. Y dice: El único inconveniente es que hay que contestar enseguida sí o no, porque la compañía sale a provincias el martes. Yo me encogí de hombros, eso da igual, como si es trece además de martes, pero él insistía porque debió de darse cuenta de lo mal que coordinaba, romper es bueno, ¿no?, a ti siempre te han gustado las aventuras, montarte en marcha, y con esa cabeza tan lista que tienes para todo, o bueno, la tenías, anímate, Marcelo, hombre, ¿qué pintas aquí?, nada. Y en eso salió el sol. Miro por la ventana del café y, partiendo en dos una tormenta que parecía que no iba a amainar nunca, lo veo allí arriba aparecer, y las nubes enemigas retrocediendo, yo en esas cosas veo prodigios, comprendo a los santos cuando caen de rodillas, es que es muy fuerte, tú, tal como te lo digo, un escudo brillante haciendo frente él solo a un cerco de lanzas negras, ni lo dudé, una señal de que el abuelo me quiere ver fuera de estos líos en que ando metido, y le digo a Matías: Pues sí, pues venga, y esa misma tarde conocí a don Facundo. En fin, ya sabes, el azar y la necesidad. ¿Has leído a Monod?

–Pues no –dijo Agustín–, yo tengo poco tiempo de leer. Pero vamos a centrarnos, ¿cuánto hace que no te pinchabas?

Marcelo se quedó mirando a la pared con los ojos un poco perdidos. Había un calendario de la casa Bayer. Apartó la vista.

–Oye, a veces es horrible cuando miro un calendario, se me caen las fechas encima como bichos muertos, ¿a ti no te pasa?

–Sí –dijo Agustín–, también me pasa.

–Pues verás, desde que me encontré a Matías, que era junio hasta..., ¿te acuerdas de esa tarde cuando te conocí en la frutería?

Agustín asintió, se acordaba perfectamente, pero con ese tipo de evocación nítida y repentina que sólo produce lo muy lejano. Y sin embargo no hacía tanto tiempo, o tal vez sí, ¿quién iba a ser capaz de delimitarlo? Se puso a pensar en ese espacio de tiempo como en un baúl grande pero escaso para contener la ropa sin doblar de todo lo que a él le había pasado, ropa suya, de Olimpia, de Tarsi, de Alicia y desde la noche anterior la ropa también de Manuela, ropa ensangrentada, pegada a un cuerpo semicorrupto que durante tres años había dormido junto al suyo. Fue Olimpia quien le dio la noticia, estaba despierta esperándole. Como dices que te dan pena los perros callejeros –entró diciendo él de buen humor–, he estado a punto de traerte a una niña flaquita para que le des albergue, tiene perrera pero no le gusta. Ella le abrazó, seria. Manuela ha muerto, dijo. Pasaron juntos al salón, estuvieron hablando hasta el amanecer y se amontonó mucha más ropa para meter en el baúl. Ropa que a él le parecía sucia, pero que Olimpia se encargó de limpiar y alisar sólo con pasarle por encima la plancha de sus metáforas. Al final era un montón pequeño y olía a la hierba del campo escondida en sus repliegues; todos nos hemos enamorado por primera vez tendidos en el campo, antes de soñar con darle gusto al cuerpo, decía Olimpia, el objeto del amor es indiferente a esos años, lo que gusta es un motivo para llorar mirando las nubes, yo de niña me enamoré de un chófer de mi padre, y luego de una amiga a la que idealicé durante años porque era pobre y guapa, lo contrario que yo, vivían ahí enfrente, tu madre la conoció, era hija de su jefa, luego se fueron, me quedé como si me hubieran robado la juventud, ¿tú nunca te has enamorado de otro chico? Y Agustín, asombrado de la naturalidad con que se lo contaba, le dijo que sí, que su gran pasión de juventud había sido un compañero del instituto que escribía versos y que luego murió tuberculoso, que nunca se había atrevido a decirle nada, pero daban paseos por el campo y a Agustín aquellos poemas de su amigo se le grabaron para siempre, a fuego lento, hablaban de lo efímera que es la vida y de lo triste que es el amor; era muy pálido, tenía una voz como jamás había vuelto a oír ninguna, seguía acordándose siempre de él, ¿por las noches?, sí, por las noches sobre todo, igual que yo, dijo Olimpia, somos homosexuales vergonzantes. Y más cosas dijo, muchas más, tú por lo menos no has tenido que llegar a odiar a la persona con la que vivías, no sabes el infierno que es odiar durante años a un marido, desear que se muera, ¿tú a Manuela le deseabas la muerte? Y Agustín dijo rotundamente que no, que había tratado de entenderla y que era víctima de su educación, como lo somos todos, pero buena persona, mejor de lo que parecía; y al decirlo lloraba imaginándose el cuerpo destrozado de Manuela, pero tampoco sentía remordimientos de nada, ni siquiera de haberle hablado a Olimpia de su amor de juventud, y se encontraba a gusto, hubiera querido que la noche no se acabara nunca, en una noche ¿cómo puede caber tanto?, no tiene las paredes de goma.

Porque además ahora, mientras oía hablar a Marcelo, se imaginaba arrodillado frente a aquel equipaje de memorias y ponía encima de todo la foto de Társila del Olmo con su jefa y una niña delgadita de calcetines, apoyadas las tres contra una pared de la calle del Olvido, y se acordaba, como si lo hubiera soñado, de algo que, sin embargo, decidió su destino: gracias a esa niña de los calcetines era médico y se enteraba de los padecimientos ajenos. Pero el baúl estaba atiborrado esta mañana. ¡Qué difícil hacer sitio para que entraran también los recuerdos de otro!

–¿Te acuerdas de aquella mujer que pasó cuando estábamos sentados en una placita y me levanté a saludar? Ya venía yo mal desde hacía días, pero aguantando, te lo juro, ni un porro me había fumado, y ella fue el desencadenante, estoy seguro..., que tú me preguntaste que si era de la compañía, ¿te acuerdas?

Sí, se acordaba, una silueta vaga e irreal a modo de música de fondo. Para Agustín la aparición de esa imagen coincidió con su fulminante decisión de cambio, se puso de pie, Olimpia brillaba como un astro errático de los que no vienen registrados en la cartografía celeste, yo esta noche a casa no vuelvo, tengo que irme de casa.

–La había conocido en el tren, te lo dije, y mi necesidad de deslumbrar se agudizó, estuve seductor, pero luego pensé que ella me había hecho caso sólo porque se aburría, que yo a donde ella está no puedo llegar. Cuando leo historias de aventuras me pasa igual, son amores imposibles los míos con el protagonista, necesito suplantarlo, ya que de vencerlo no soy capaz, y me parece que se está riendo de mí, me quita el aire...

–No te dejes quitar el aire por nadie, ni por los vivos ni por los muertos. Es lo único que nos dan gratis –dijo Agustín, mirando hacia la ventana.

Seguía lloviendo. Y se dio cuenta de que se limitaba a repetir palabras que Olimpia le había dicho, a recoger un eco que sólo a él le rebotaba por dentro.

–En el fondo –proseguía el otro–, mi problema es que necesito ser mayor, ¿sabes?, tener experiencias reposadas y secretas, pero sin dejar de ser yo, una especie de excursión al futuro, aunque a salvo de los estragos de la edad, una cosa muy rara, sed de infinito, de transgredirlo todo...

El doctor Sánchez había dejado de atender el discurso

de Marcelo, era lluvia pertinaz contra los cristales de la ventana, pero se quedaba fuera, sin mojarle. Tampoco a Alicia sabía ya anoche cómo quitársela de encima, pero se quedó contento porque se dio cuenta, al menos, de que la había ayudado. Para este chico no le quedaban fuerzas, y tampoco se atrevía a decirle: Vete, por favor, estoy pensando en otra cosa. Era él mismo quien le había dado hora por teléfono la tarde anterior, cuando estaba a punto de salir. El de las cerezas, ¿te acuerdas? Sí, hombre, claro. Pues no sabes lo que me importa en este momento que alguien se acuerde de mí. Pero no te reconocía, tienes una voz distinta. Ya, como que estoy hecho polvo, ¿me puedes recibir? Ahora no, me he citado con una paciente; mañana sin falta.

Pero también tienes que dormir –había opinado Olimpia cuando, tras aquella especie de velatorio por Manuela, corrió las cortinas para que entrara la luz del amanecer–. Llamas al ambulatorio y en paz, nunca faltas, al fin y al cabo estás bajo un choque emocional, tus compañeros lo comprenderán y tu hermana lo mismo. Pero no consiguió convencerlo, ni lo intentó tenazmente tampoco, Olimpia era así, podía dar un quiebro imprevisto y convertirse en pájaro que echa a volar a otra rama. Bostezó y dijo: Lo que más me molesta del siglo que viene, que date cuenta, lo tenemos ahí a la vuelta de la esquina, es que dicen que se van a acabar los libros. En fin, mientras dura, vida y dulzura. Café tienes más en la cocina. Yo me voy a la cama. Pero tampoco ha sido una noche desaprovechada, ¿verdad, hijo? Contigo, ninguna, dijo Agustín, me ayudas a espantar los malos espíritus. Lo que se espanta hablando –dijo ella–, es la amenaza de la muerte; yo por eso hablo sola, como para dar fe de cada día ante mí misma, menos mal que luego viene la escoba del sueño, porque si no estarían las calles imposibles de palabras pudriéndose; y al día siguiente otra vez a inventar tarea, los libros ayudan mucho, y recitar. Bueno, hombre, ahí te dejo, que se te dé el día lo mejor posible. Por cierto, está lloviendo. Coge un paraguas. Siento lo de Manuela. Se inclinó a darle un beso y se fue a dormir.

Lo más difícil de acomodar en el baúl eran las conversaciones con Olimpia, por lo mucho que abultaban, ¿cómo es posible que de ninguna se pudiera prescindir? De noche, siempre de noche. Aunque no tenía sentido decir siempre porque llevaba pocas de huésped en la calle del Olvido, y además la primera él había caído dormido sin desnudarse...

–Las noches son veneno, ahí pasa lo mejor y lo peor –estaba diciendo la voz de aquel muchacho que, aunque parecía llegar de otra galaxia, incidía en la propia–, las caídas de bruces y los éxtasis, yo el idealismo lo heredo de mi abuelo...

–Oye, ¿cuántas noches? –le interrumpió Agustín–... Quiero decir –añadió al reparar en la extrañeza del otro– que cuántas han pasado desde que vimos a esa señora que tanto te altera.

–Bueno, las drogas estimulan las facultades místicas. Cuando estás sobrio, calculas el tiempo y te pesa, te drogas precisamente para huir de ese peso y para romper los límites. Particularmente la heroína te arranca de la periferia de las cosas y te lleva a una hoguera donde todo se funde y el tiempo deja de existir, eso es lo que pasa, que se nos derrite el tiempo. Hay un libro de William James... Pero bueno, da igual, no sé cuántas noches hace que volví a ver a lady Drake y necesité soñar que la poseía, que vivía su juventud.

Agustín se había quedado enganchado en la frase «se nos derrite el tiempo», algo parecido le pasaba a él cuando hablaba con Olimpia. Le hacía creer que estaban tocando el «siempre» con las manos, se había convertido en su droga.

–Cómo me iba yo a imaginar que por los pueblos de España hubiera tanta mierda como en las ciudades grandes, la culpa la tuvo mi abuelo, que llevaba cincuenta años trabajando en Madrid, pero idealizando la provincia y me lo metió en el coco desde chico, aunque yo de Madrid hasta ahora apenas me había movido, un ebanista fetén mi abuelo, artesano de los que ya no quedan, claro que él se acordaba de unos años en que no había televisión ni droga ni esa manía de irse de los pueblos a la conquista del paraíso; hablaba de las cigüeñas, de los ríos, de los vecinos que se conocen y se ayudan, de los trenes de vía estrecha, de vendimias, de fiestas, del sonido de las campanas. Oía campanas y no sabía dónde, porque ¿de dónde llegan las campanadas de la juventud?, buscaba lo que nunca vuelve. Yo este viaje lo emprendí como un homenaje a la juventud de mi abuelo, y de eso a verlo como providencial no hay más que un paso. Paso en falso, como casi todos los que doy en busca de una gloria incombustible. Pero fui capaz de cambiar, tenía un estímulo. Todo lo que elijo o me elige a mí lo veo durante un tiempo como providencial, me embalo, ¿sabes?, y hasta que me digo a mí mismo «el rey va desnudo», que eso es el final del espejismo, pues pueden pasar días o meses, incluso años, pero con los golpes no aprendo, al revés, necesito hacerle pagar a otro los vidrios rotos de mi propio destrozo. De pequeño las desilusiones me engrandecían, me sentía un águila volando, y cuando estaba triste lo mismo, es en lo que más cambia crecer.

Agustín se había olvidado momentáneamente de su propio equipaje desordenado y miraba con ojos cansados pero atentos a aquel muchacho que se debatía entre los barrotes creados por su delirante quimera. Lo miraba vivo allí delante, moviendo las manos grandes y expresivas, enhebrando argumentos coherentes, y mientras escuchaba su voz bien timbrada, era capaz de ver también, como a través de una radiografía, su corazón latiendo, la sangre circulando por sus venas, el hígado vulnerable, los pulmones acaso ya dañados; le angustiaba imaginar una invasión de gérmenes malévolos abriéndose camino imperceptiblemente por los vericuetos de un organismo cuya geografía le resultaba de sobra conocida, mucho menos inconcreta que la del alma, porque los cuerpos por dentro son todos iguales, para explorar los cuerpos había nacido él, para eso sobre todo, son los que dan los sustos.

–Estar triste cuando eres mayor se vuelve un túnel en el que te metes por tu propio gusto, se va estrechando, y al salir, si es que sales, no respiras mejor, lo único que quieres es contaminar a los demás, pringar de hollín a la gente que mejor te ha tratado. Yo ayer le he dicho a Don Facundo las cosas que más le podían herir, un tío cabal que no se lo merece, le he insultado, hasta le he hecho llorar, encima de haberle robado dinero, que él ni se lo sospecha, todo por la maldita droga...

–¿Y qué piensas hacer?

–No sé. Romper de nuevo. Quiero querer algo. ¿Crees que podré?

–¡Claro que podrás! Por lo menos, se intenta.

–Yo ahora ya tengo que dedicarme a otra cosa, pero mañana es mi última actuación, por favor ven a verme. A lady Drake también se lo he pedido. Quiero quedar como Antonio Bienvenida en su despedida con seis miuras en Las Ventas, el año sesenta y ocho creo que fue, mi abuelo tenía recortes de periódico. Se lo brindaré a mi abuelo y a don Facundo; de vuelta al ruedo quiero quedar.

–Oye, tú siempre estás con las comparaciones –dijo Agustín–, eres un poco mitómano.

–¿Un poco? ¡La tira! ¿Cómo lo sabes?

–Bueno, te estoy oyendo, y además me lo dijiste el día de las cerezas, me quedé preocupado con aquel remate que soñabas para tu escena en *Luisa Fernanda,* morir en el escenario.

–Me gusta que te acuerdes de lo que te conté –sonrió Marcelo complacido, mientras sacaba una entrada amarilla de butaca de patio y la ponía sobre la mesa.

Pero luego se quedó callado, porque había vislumbrado angustia en la mirada del médico, seria, dubitativa, como de alguien que no se atreve a enfrentarse al peligro ni tampoco a retroceder.

–Te prometo ir a verte, pero pídele perdón a tu jefe y no te pinches más.

Marcelo le tendió por encima de la mesa una mano cuadrada y firme que Agustín estrechó. No le sudaba. Y en cuanto al rostro tampoco parecía el de una persona en proceso de deterioro. No tenía ojeras. El blanco de los ojos era limpio.

–¿Has tenido hepatitis B alguna vez?

–Que yo sepa, nunca.

Agustín tragó saliva.

–¿Y las pruebas del sida te las has hecho?

–Sí, esta primavera me atreví. No soy seropositivo. Pero ¿qué te pasa?

Agustín se había levantado, rodeó la mesa y se puso en cuclillas junto a él.

–¡Chico, bendito sea Dios, qué peso me has quitado de encima! Acuérdate, por favor, de la gente que ya no lo puede contar. Estás vivo y sano, eres inteligente, tienes veintidós años. Vive tu juventud, con todo lo difícil que sea, pero no la de tu abuelo, ni la de esa lady como se llame, ni la de nadie. Yo te ayudo, cuenta conmigo, hasta algo de dinero te puedo prestar, aunque no tengo mucho. Pero no te hundas ahora, hazlo por mí. Yo tampoco puedo más. No me arrastres contigo, muchacho.

Escondió la cabeza entre las manos y Marcelo escuchó un sollozo ahogado. Notó que en el corazón se le encendía esa leña menuda que a veces recogemos a toda prisa para calentar a otro en nuestra pobre hoguera. Le pasó los dedos por el pelo escaso, le separó las manos frías que cubrían su rostro insomne.

–Soy un hijo de puta. Por favor, no llores. ¿Por qué estás llorando?

Agustín se levantó, se limpió la cara con un pañuelo que sacó del bolsillo del pantalón, miró el reloj y dijo con voz débil:

–Me acuerdo de un amigo mío que murió tuberculoso, y de muchas más cosas, una enormidad, no me las hagas recontar ahora. Pero sobre todo pienso en ti. Te voy a dar unas pastillas tranquilizantes para que las tomes esta noche. Mañana por la mañana me llamas sin falta. Y perdona, se me ha hecho tarde. Mi hermana me debe de estar esperando.

Tarsi, efectivamente, estaba esperándole hacía largo rato en el bar Guayana. Iba por su tercer vermú. Antes estuvo circulando sin rumbo fijo por arrabales que apenas conocía, bajo el techo de un gran paraguas negro, y también se había metido en una iglesia a rezar. Un rezo transido de desorientación y piedad por sí misma, donde la ficción de cuñada inconsolable había desaparecido y ni siquiera sabía muy bien qué pedirle a Dios. Dijo entre dientes «acógela, Señor, en tu seno» y sus palabras eran una burbuja de jabón que se rompía sin eco contra las paredes desnudas de la iglesia. Era una iglesia inhóspita de extrarradio con forma de carpa de circo pero de cemento, y una cruz arriba afilada y delgaducha a modo de pararrayos. Dentro no había nadie, Dios tampoco, ni Dios; le pareció más absurda que nunca su persistencia en invocarle.

Entre el paseo, el rezo poco edificante y los vermús, los recodos de su cerebro se fueron despejando de bruma y ahora se dedicaba a contemplar desde otro punto de vista los perfiles de la realidad, algunos no tan amenazadores ni tan tristes. A su hermano no le había pasado nada, aunque bien hubiera podido ir él en aquel coche, por ejemplo para tomarse unas vacaciones y hacer las paces con Manuela. La idea de que hubieran sido encontrados juntos y abrazados sus cadáveres le produjo un pavor momentáneo, aquejada como estaba aquella mañana por el equívoco de confundir lo imaginado con lo sucedido. Pero no. Agustín, además de no haberse muerto, no estaba enfadado con ella, puesto que le había dado cita allí. Miró en torno, respiró hondo el olor a calamares fritos y el bar Guayana se llenó de luz.

Había elegido una mesa del fondo y miraba la puerta cada vez que se abría. El paquete con la ropa de luto le había pedido al camarero que se lo guardara detrás del mostrador. No tenía prisa ni estaba tensa. Gozaba de la espera.

Y de repente él estaba allí de pie, al otro lado de la mesa. Se levantó y se abrazaron muy fuerte, en silencio.

Luego él, sin separar un brazo de sus hombros, se dirigió al camarero.

–Pepe, dame la carta. Vamos a comer dentro.

–De acuerdo, don Agustín. Tenemos unos callos superiores.

Al comedor se accedía por una puerta de muelles. Tenía luz fluorescente y no había nadie. Agustín colgó el abrigo de Tarsi y su cazadora juntos en una percha, mientras se excusaba de haber llegado con retraso. Un enfermo difícil.

–¿Qué tenía? –preguntó Tarsi.

–Nada concreto. Sed de infinito. Son los peores, si se les queda crónico –contestó Agustín, mientras le apartaba la silla para que se sentase.

–Tienes mala cara –dijo ella–. ¿Qué tal estás?

–Un poco cansado. Pero muy contento de verte. A ti también te encuentro pálida. El negro no te sienta bien. Me gustas más de color.

–Es que pensaba ir al funeral de Manuela, ¿tú no vas a ir?, parece un desaire.

–Yo no, ya sabes que soy poco de iglesia y que rezo a mi manera. Y tú haz lo que quieras, pero no debías ir tampoco.

–¿Por qué?

–Porque no. ¡Quién habló de desaires! Ninguno de los Roca te ha tratado nunca como te mereces, no te llegan ni a la suela del zapato. Y a ella la malmetía la familia, pobre Manuela, sufría mucho. Tampoco se merecía ese final.

Tarsi le miró con ojos llorosos.

–Yo siempre estuve dudosa con ella, sin saber qué actitud tomar, un poco a la defensiva, la culpa seguramente fue mía.

–Mira, déjalo, hermana, no hablemos de culpas ahora, por favor. Nadie tiene la culpa de nada. Yo tampoco, no hay más que dos cosas, vivir y morirse. Por desgracia, ella ya se ha muerto. Pero ¡quién sabe!, tal vez lo deseaba. Y queda mucha gente que nos necesita. No llores, anda, ¿tienes hambre?

–Mucha.

Se sonó y se limpió los ojos, mientras su hermano, que se había puesto las gafas, consultaba la carta.

–Pues aquí la especialidad son los callos. Les salen casi tan bien como a madre.

–Eso lo veo difícil.

–Si no los pruebas, no puedes comparar. ¿Te animas?
–Me animo, sí.
–Yo también. Gracias por haber venido.

VEINTITRÉS

La película podría empezar ahora, se dijo Amparo Miranda, mientras subía las escaleras de la Catedral. Esa mujer que hemos visto deambular por parajes desiertos e irreales mientras se suceden los títulos de crédito está llegando a un templo donde hay mucha gente, pero nadie la mira ni la reconoce. Ha sobrevolado mares, ciudades y montañas para asistir al entierro de una amiga o tal vez de un pariente cercano, eso mejor que lo decida Jeremy. Lo importante es que, como han pasado tantos años, nadie sabe quién es ella, ni ella quiere que lo sepa nadie.

La Catedral estaba atiborrada cuando entró, y se apoyó en una columna, detrás de la última fila de bancos. Aquel hormiguear de cabezas que se mueven en todas direcciones, de cuerpos que se arrodillan, aquel avanzar inquieto de personas que no se perdonan haber llegado tarde y parecen culpar a los demás exigiendo un hueco, mientras los ya acomodados contemplan sus evoluciones con superioridad y fastidio, se correspondía con el atropellado ir y venir de los pensamientos de Amparo, enhebrados unos con otros por hilos que se enmarañaban. Llevaba todo el día con la cabeza como un molino. El insomnio de la noche anterior había disparado en ella una aguda conciencia de superviviente. Comprendió que se imponía hacer un inventario porque el viaje tocaba a su término, y el sonámbulo acarreo de ropas que se presentó ante su vista al despertar acabó desaguando en la decisión de marcharse al día siguiente. Terminó de hacer la maleta y el encuentro con el joven Marcelo lo descartó; dar alas a las confidencias apasionadas de aquel muchacho, cuya vida le resultaba indiferente y ajena, no dejaba de ser un ejercicio narcisista, una ostentación de poder a cambio de sentirse adulada y desgranar cuatro consejos mientras se dejaba coger una mano en un restaurante con velitas. Era un final barato y ventajista.

Se detendría tres días en Madrid, como ya hizo a la venida, y entre visitas a museos y paseos por el Retiro dejaría posarse armoniosamente todas sus impresiones de la ciudad, muchas de las cuales se entretejían ya con el guión de Jeremy, aunque faltaba ese raro golpe de azar que las hiciera encontrar su sitio, si lo tenían; tampoco se puede forzar a las cosas para que entren si no pegan con el conjunto. De momento, rematar el día de su cumpleaños asistiendo al funeral por Manuela Roca no dudó en considerarlo acertado cierre para el borrador de su excursión anónima a un lugar desenfocado.

Hay tres puntos clave en ese borrador –se dijo–, uno el encuentro con mi armario de luna, otro la entrada en una casa donde se han demolido todos los tabiques que oprimieron mi infancia, y el tercero la voz desgarrada de Olimpia invocando al vacío una respuesta sin esperanza, ¡respondedme!, mientras yo me escondía tras un árbol. Semejante imprecación –siguió pensando– también podría resonar aquí, alzándose y rebotando contra las bóvedas de la Catedral, y nadie la escucharía, también yo vengo preñada de preguntas que piden eco, y este sitio se presta, pues la divinidad habita en él y hay un féretro ante las gradas del altar. En América todo me resbalaba, odiaba las preguntas, había dejado de hacérmelas y de pedir consejo a nadie, el lugar donde se albergan las dudas estaba tapiado; y este viaje ha sido como cascar una alcancía y que se derrame todo el caudal de pensamiento cautivo, los argumentos del pasado, del presente y del futuro se han echado a rodar como monedas vertiginosas y no puedes, aunque te empeñes, seguirle la pista y darle alcance a cada una, y menos colocarlas como estaban y preguntarte por qué estaban así, en eso consiste pensar. Y pensar cansa, produce agujetas cuando no tienes costumbre. Esta noche me voy a acostar pronto. Tomaré un somnífero.

Amparo sigue de pie con la espalda apoyada en la columna y el órgano lleva unos minutos sonando; a ti que no te vean, le dice Amparo a Jeremy, que se oculta con su cámara en el coro, pero sácalo todo. Fíjate bien en los gestos de las señoras, deténte en los rostros que se miran con pasmo, cada una puede estar recordando una anécdota de la difunta y entre todas compondrían una historia que tal vez no coincidiera con lo más escondido de su persona; tampoco quienes recuerden mi adolescencia –si queda alguien que no haya hecho almoneda definitiva con esos trastos– podrían adivinar la radical diferencia entre mi comportamiento y mi rebeldía interior, Abel entendió algo de aquello, el único. Mira, ahora avanzo yo, esa figura de mujer joven que se arrodilla en primera fila con aire de fingida devoción ha sido enviada a este templo por la señora Ramona, que, aunque atea redomada, quiere que su hija aparezca en misa de una todos los domingos, bien vestida y sin pararse a hablar con nadie, una joven seria, pero que destaquen sus andares por el pasillo adelante, la espalda bien recta y los pasos armoniosos, como una modelo, hasta con libros encima de la cabeza me hacía andar en casa para ensayar, y el balanceo de los brazos controlado. Tú, Jeremy, idealizas a la abuela, porque no la padeciste en la época de miseria.

Y sin embargo –pensó de pronto, y fue como si el aire se parara– yo también he exigido sacrificio a mis hijos, me he empeñado en que lo consigan todo con esfuerzo y sin ayuda; Gregory no estaba de acuerdo, déjalos que elijan –decía–, aunque nosotros, por supuesto, los ayudemos a llevar a cabo esa elección. No hagas de la pobreza un mito, ellos no son pobres. No lo son.

El sacerdote acababa de emprender un discurso del que no era capaz de desenredarse, exaltando las virtudes de la difunta y recomendando conformidad a su familia, se iba por las ramas y no era capaz de volver al tronco principal, citaba mucho a San Pablo, el micrófono estaba mal ajustado y pitaba de vez en cuando, la gente se revolvía en sus asientos. Luego continuó la misa y los asistentes contestaban en castellano, porque ya no se coloca el oficiante de espaldas ni habla en latín, como cuando Amparo iba a misa de una; se pretende zanjar el misterio –pensó–, poner al alcance de nuestra comprensión lo que sólo fascina por ser incomprensible, vulgarizar hasta ese féretro cubierto con ropón de terciopelo, volverlo tan tangible y cotidiano como la imagen de un coche destrozado en una página de sucesos. Y sin embargo la mujer encerrada ahí ha dicho «ese árbol de la vida lo llevamos por dentro y nos están serrando el tronco y no nos damos cuenta», hace poco lo dijo. Amparo, entre los devaneos de su pensamiento, se detiene en esa frase y se le clava como la única verdad. No sé cómo podría sacarse eso en cine, tal vez una nubecita surgiendo por debajo de los pliegues de terciopelo a modo de tufo de brasero, y luego enlazar con el cuadro del árbol y la señora que resucita para mirarlo otra vez, por última vez. Nos hemos metido en un berenjenal, Jeremy, pero me necesitas. Estos días de estancia en Madrid lo voy a ordenar todo, se me ocurren ideas continuamente y tengo ganas de verte, de trabajar contigo. Mandando tú, de acuerdo, mandando tú, no empieces a poner condiciones antes de escucharme. Déjame hablar. Lo de la chica desconocida que descubres por la calle no lo admito, tiene que ser una actriz ya consumada, pero que en alguna toma pueda dar de jovencita, se me ocurre Jessica Lange.

Se enzarzaron en una discusión imaginaria, donde prevalecía el tema del dinero y del miedo a arriesgarlo. O sea que sólo se atrevía a apostar por los negocios seguros, que para ella *La calle del Olvido* era una inversión. Mira, madre, abrirse camino desde la pobreza requiere aguante y valentía, méritos que a ti nadie te quita, pero ¿qué fue, dime, de aquel idealismo tuyo? ¿Cuánto tiempo hace que eliges siempre la solución más rentable? Te has convertido en una rica mandona que impone su ley. La abuela, por lo menos, quería para ti lo que no tuvo para ella, pero tú ¿qué quieres para María y para mí? ¿Nos preguntas alguna vez lo que necesitamos? Yo, por ejemplo, intervino María, necesito un abrigo, y tú tienes aquí por lo menos seis que nunca te he visto puestos. Mira, éste todavía tiene la etiqueta con el precio, ¡está sin estrenar! Acababa de salir de una habitación pequeña atiborrada de barras con ropa colgada y se estaba probando un abrigo verde, se puso a dar vueltas por el pasillo agitando los brazos como si volara, ¿has visto, Jeremy? Me está genial, me lo quedo, el cuarto de armarios despedía olor a naftalina mezclado con un tufo a aguarrás que venía del fondo del pasillo, Amparo se acordó de que había encargado que durante su ausencia le pintaran la cocina, y toda la inutilidad de la lujosa vivienda de Nueva York se le vino encima como una condena, era estar ya allí rodeada de asuntos pendientes, volver a hablar con Debra, otra vez lo mismo, se asfixiaba.

Notó que la iglesia daba vueltas y que estaba a punto de desvanecerse, tal vez un bajón de tensión o la falta de sueño, así que se despegó despacio de la columna y, haciendo acopio de voluntad, avanzó unos pasos y se aferró con las dos manos al respaldo del último banco de la derecha. ¿Qué pintaba ella allí? Pero era tanta la gente que se interponía entre su cuerpo y la puerta de salida que decidió esperar un poco antes de irse. No quería llamar la atención. La ceremonia había terminado y algunos asistentes iniciaban un conato de desplazamiento hacia la primera fila de bancos, donde se suponía congregada a la familia y dispuesta a recibir el pésame. En el banco donde Amparo estaba apoyada, una chica joven lloraba abrazada a otra algo más alta. Casi rozaba sus espaldas y podía escuchar su cuchicheo.

–Yo creo que ahora es el momento de ir, Valeria –le dijo la que no lloraba a la otra–. Yo te acompaño, vamos. Cuanto más tiempo dejes pasar, más te va a costar luego. No vas a esperar a verlos en el cementerio. ¿No te parece, papá?

Se había vuelto de perfil hacia un señor que las acompañaba y Amparo reconoció a la dueña de Defectos Especiales, donde compró la muñeca bailarina.

–A mí me parece que es ella quien tiene que decidir, no la fuerces –dijo el hombre en voz baja–. Al fin y al cabo es su familia.

Valeria se secó los ojos.

–Venga, pues vamos –decidió–. Usted nos acompaña, ¿verdad?

–Al cementerio no –dijo el hombre–. Pasaré con vosotras ahora a saludar a tus padres, eso bueno.

–¡Pero yo no me quedo con ellos!

–Tranquila, mujer, ese asunto ya está hablado. En casa te puedes quedar todo el tiempo que necesites. Vamos saliendo, Rita, hija.

Se volvieron y la chica alta reparó en Amparo, agarrada a aquel respaldo de madera como si formase parte de su existencia misma. La había reconocido y la saludó con una sonrisa a la que ella correspondió brevemente. Pero sus ojos, captados por otro campo magnético, se habían desviado hacia la figura del padre. Llevaba un chaquetón de ante y sombrero de lluvia. Se miraron con idéntica intensidad, casi paralizados, como si no existiera nadie más en toda la iglesia. Amparo resistió menos rato el desafío de aquel lenguaje indescifrable escondido en la mirada que se colaba dentro de la suya, a pesar de llegar desde tan lejos. Le inyectaba sombra y luz, ayer y ahora, era un estilete clavado en la frágil membrana de sus disimulos.

No pronunció una sola palabra. Hizo una imperceptible inclinación de cabeza, puso en fuga sus ojos y dio la espalda bruscamente a aquellas tres figuras. Luego, empujando sin miramientos a la gente aglomerada, inició una batalla de codazos y se precipitó casi corriendo hacia la salida.

Después de una tarde despejada y plácida, estaba empezando otra vez a llover. Gruesas gotas humedecían las coronas de flores que tapizaban el techo del coche fúnebre.

Amparo cruzó la plaza en zigzag, con paso al mismo tiempo acelerado y vacilante. No tenía meta fija. Le gustaba mojarse.

VEINTICUATRO

–¿Dónde se ha metido tu padre? –preguntó Valeria cuando volvió a atisbar la cabeza de Rita, de quien momentáneamente la había separado un grupo de señoras que comentaban lo largo que se había hecho el sermón.

Rita la cogió de la mano y se apartaron hacia la capilla de la Milagrosa.

–No le he entendido muy bien. Me parece que se ha acordado de que dejó mal aparcado el coche. Pero vuelve enseguida. Que le esperemos aquí. A ver si esto se despeja.

Dentro de la capilla, la imagen de la Virgen con los brazos caídos, rematados por rayos tiesos que le salían de los dedos, irrumpía de la penumbra, y el resplandor intermitente de las velas acentuaba la opacidad de su mirada ausente. No incitaba a pedirle: vuelve a nosotros esos tus ojos misericordiosos, con lo bonito que debe de ser pronunciar esas palabras ante alguien que da muestras de su disponibilidad para escuchar quejas ajenas.

–Parece que está en hibernación –dijo Valeria–. A mí los santos no me dicen nada. ¿Tú les rezas?

–Alguna vez –dijo Rita–, pero desde que murió mamá cada vez con menos convicción. Me parece que no hacen caso de nadie. Van a lo suyo.

–¿Y qué es lo suyo?

–Pues eso, el trono, recibir homenajes, como los dioses del Olimpo. Claro que al menos aquellos se vengaban, sentían celos, provocaban tormentas, ¿te acuerdas de la *Odisea*?, eran más humanos, no ocultaban sus simpatías ni su crueldad. Pero estos nuestros, donde los dejas ahí se quedan, de azúcar cande, sonriendo como si las desgracias del mundo no fueran con ellos, yo los veo más hipócritas. De vez en cuando, un milagrito para que no se diga, pero pasa igual que con la lotería, raro que le caiga a quien de verdad lo necesita. Son caprichosos. Un poco como los políticos, dice mi padre.

Valeria se tapó la boca como si le diera apuro reírse.

–Si te oyeran mis padres dirían que he salido de Herodes para meterme en Pilatos; no se lo podrían creer. Por lo menos a Pedro ya lo tenían excomulgado, pero a una hija de Carmela Pardo cómo se les iba a ocurrir tacharla de mala compañía para mí. Tu madre misma, ¿qué diría si nos oyera?

Rita se quedó seria, luego afloró a sus labios una sonrisa.

–Bueno, yo a ella se lo explico por las noches, es mi manera de rezarle, ¿sabes?, discutir las cosas sin que nos tengamos que enfadar. A ella las filosofías de papá nunca le hicieron gracia, y menos que me las metiera a mí en la cabeza, en eso no se llevaban bien; pero ahora, fíjate, me parece que lo entiende todo mejor. Porque de querer a la gente sabía muchísimo, y desde luego que papá y yo nos llevemos bien le encanta. Es lo que más le importa.

–Tu padre es maravilloso –dijo Valeria con calor.

–Bueno, también tiene sus manías... Oye, ¡qué follón! No creí que tu tía Manuela tuviera tantos amigos.

–Yo tampoco. Pero es que los Roca somos muchos, y quitándome a mí, que ya llevo el letrero de oveja negra, todos están enterados de las historias, amistades y prole de los demás. Pero con pelos y señales, no te vayas a creer, quién ha tenido un niño mongólico, quién ha sacado una beca para estudiar en Suiza, quién sufre de reuma, incluyendo a las familias colaterales, claro, y van a los entierros, a los bautizos, a las bodas, a los hospitales, a las primeras comuniones, y cada vez son más, porque no toman la píldora. O sea que estar al tanto sería como leerse entero el Espasa. Yo a veces sueño con ellos, los veo parecidísimos, como estatuas en un jardín. Es una pesadilla que se me repite bastante, me veo allí encerrada en ese jardín, obligada a adivinar los nombres y parentescos de cada uno, y es la misma angustia de un examen cuando te toca una lección que no has mirado y sabes seguro que te van a suspender.

–Oye, debes de estar rendida –dijo Rita, al darse cuenta de que Valeria había acabado su perorata con un bostezo–. Anoche no dormiste nada, pobrecita.

–No dormí, pero me sentía tan a gusto, como a salvo; te lo juro, lloraba de puro consuelo. Oye, ojalá no tarde tu padre, dijo que volvía, ¿verdad?

–Sí, eso dijo. Vamos a desplazarnos un poco hacia la puerta. Igual ha entrado y nos está buscando.

–¡Qué jubileo, chica! Menos mal que estoy contigo, yo no conozco a nadie. Casi nos van a encontrar peor por aquí.

Efectivamente, dentro de la Catedral no cabía un alfiler, pero la aglomeración que estaba empezando a formarse a la salida no le iba a la zaga. Mucha gente, que no había venido al funeral, llegaba ahora para asistir al entierro, y se congregaban bajo el porche buscando a alguien con la mirada, avanzando a codazos, saludándose unos a otros. La plaza de la Catedral empezaba a parecer un garaje.

A Abel Bores le había costado trabajo salir, sobre todo porque varias personas le pararon para hablar con él, y no sabía cómo desprenderse de su conversación. Ahora te veo, ahora vuelvo, perdona voy con prisa, decía, pero le interceptaban el camino y le impedían la visión panorámica de la plaza. Es el coche. Es que he dejado mal aparcado el coche. Durante unos instantes, al principio, había creído distinguir una figura solitaria de mujer que se alejaba bajo la lluvia, pero el abrazo efusivo del alcalde de la ciudad, un tipo muy corpulento, le eclipsó aquella borrosa imagen el tiempo suficiente como para que cuando sus ojos consiguieron salir de nuevo a flote ya no quedara de ella más certidumbre que la alimentada tras un espejismo en el desierto.

¿Pero el coche dónde lo has dejado? No sé, eso estaba mirando, creo que por allí, contestaba distraído. A tu hija la acabo de ver ahí dentro. Ya, gracias. Está con la chica de Andrés Roca.

Lo vieron bajar las escaleras, sin sostenerle la mirada a nadie, abrir el paraguas, quedarse dudando y perderse al fin entre el caos de los automóviles. Ni siquiera la voz parecía la misma. Algo raro le pasaba. Estaba como pensando en otra cosa, ¿no? Lo achacaron a la impresión de aquella muerte tan horrible. Ni Abel Bores era hombre de iglesia ni se le conocían lazos profundos de amistad con ningún Roca; pero de todas maneras, oye, ¿a quién no le va a afectar una cosa así? Ha sido espantoso. Pobre Manuela.

Mientras tanto, la lluvia había arreciado y Amparo Miranda subía por una calle estrecha que no recordaba haber transitado nunca, ni siquiera en sueños. En todo caso, podría parecerse a ciertos decorados descritos en el guión de Jeremy, porque algunos balcones tenían forma de vitrinas, aparadores o armarios. Entre el empedrado desigual de la calzada asomaban restos de unos raíles de tranvía. Tiendas no se veían por ninguna parte, ni gente. A la altura de un palacete apuntalado y cubierto parcialmente por una lona donde podía leerse: «Hotel Vélez, próximo derribo», se tropezó inopinadamente con una mujer que venía en dirección contraria y que le preguntó en inglés si sabía por dónde se iba a la Catedral. Amparo, casi sin mirarla, le contestó en italiano que lo sentía pero que no la había entendido, y apretó el paso sin atreverse a volver la cabeza. Había creído percibir con horror que la mujer se parecía a ella, que era ella misma. Ya no cabía echarle la culpa a la falta de sueño ni a nada, algo falla, me estoy volviendo loca, pensó. Y realmente sentía como si por dentro de su relojería mental, que siempre imaginó compuesta por una red de muelles, ruedecitas y palancas minúsculas perfectamente coordinadas, se estuviera operando un desbarajuste, una desintegración total que amenazaba con dejarla tirada en aquel decorado absurdo sin defensas, sin sentido de la orientación, sin memoria, incapaz de contestar, si alguien se lo preguntaba, por dónde se había metido allí, cómo se llamaba, qué estaba buscando. Pasó corriendo por delante del viejo Hotel Vélez y torció por otra calle igualmente desierta y desconocida. No se percibía más rumor que el de la lluvia cayendo pertinaz y monótona.

Por eso, cuando al cabo de un rato creyó oír a sus espaldas un ruido de pasos que seguían los suyos, empujó la puerta del primer edificio que encontró a la derecha y se apoyó contra la pared con la respiración entrecortada. Era un portal lujoso con herrajes, espejos y columnas. Al fondo, tras una ventanita encendida, una mujer vieja sentada a la camilla estaba haciendo un solitario. No existo, nadie me puede encontrar, no he hecho este viaje, no he estado en la Catedral, no he visto a Abel Bores, seguro que voy a despertarme en otro sitio.

Se volvió de espaldas contra la pared y cerró los ojos muy fuerte cuando oyó que la puerta se abría y entraba alguien. Desde que era muy niña, nunca había tenido tanto miedo. Ahora, un paraguas que se cierra y unas manos de hombre que se posan en sus hombros y la obligan a volverse.

–Pero, Amparo, por favor, ¿qué te pasa?, ¿por qué huyes de mí? Mírame, sólo te quiero preguntar una cosa.

–Perdone –tartamudeó ella sin alzar los ojos–, creo que me está usted confundiendo con otra persona.

Ahora una risa que rasga las alucinaciones y lo convierte todo en paisaje tangible. Al cabo de los años, reconocer una risa ofrece mayor garantía que reconocer una voz, casi pertenece al mundo de los prodigios. Porque la gente, a partir de cierta edad, ya no se ríe o se ríe de otra manera. Abel no. Por su risa corría el aire.

–¿Has perdido la cabeza? ¿Quién te va a confundir a ti con otra persona?... Pero estás temblando. Y empapada, además. A ver esa cara.

Amparo se alegró de no haberse puesto ningún maquillaje, porque así la caricia del pañuelo de Abel secándole los ojos, la frente y las mejillas no dejaría secuela de ninguna mancha. Se quedó quieta y callada, dejándole esmerarse en su labor. Le oyó decir entre dientes: ¡Mira que eres calamidad!, y notó complacida que le estaba pasando los dedos por el pelo mojado. Casi estaban abrazados contra el rincón.

La portera asomó por el ventanuco una cara de pocos amigos.

–¿Se les ofrece algo? –preguntó con voz destemplada–. ¿A qué piso van?

Abel se volvió con sorpresa.

–A ninguno. Estamos resolviendo asuntos personales. Pero creo que nos hemos equivocado de portal –dijo avanzando unos pasos hacia ella.

Y le seguía tiñendo la voz aquella ironía despegada e inconfundible de quien disfruta con las situaciones absurdas, con las polémicas donde lleva uno las de ganar.

–¡Y tanto que se han equivocado! Ese tipo de asuntos se ventilan en la calle. ¡Ésta es una casa decente!

–No lo pongo en duda, señora. Y le ruego que acepte nuestras excusas. La culpa ha sido de la lluvia. Buenas tardes. Buscaremos otro cobijo.

Abel salió primero, abrió el paraguas y echaron a andar cogidos del brazo.

–El tiempo ha dado un retroceso de cuarenta años, ¿no te divierte? Debíamos celebrarlo. Ahora a los novios no los echan violentamente de los sitios. Tienen miedo de que lleven navaja.

Amparo se detuvo. Estaba seria. Se desprendió de su brazo.

–Dijiste que nada más querías preguntarme una cosa.

–¡Es verdad! Gracias por recordármelo. Es urgente, y sólo hay que contestar sí o no: ¿Tienes algo que hacer a partir de este momento que te impida cenar conmigo?

–No.

–Estupendo. Pues mira, éstas son las llaves de mi coche, aquel Opel azul que está allí, ¿lo ves?

–Sí, lo veo.

–Pues espérame dentro. Bueno, mejor te acompaño para que no te mojes más, aunque tengo ya cierta prisa. Vamos.

Llegaron hasta donde estaba el coche, le abrió la portezuela y le entregó las llaves.

–No creo que tarde más de diez minutos. Tengo que volver a la Catedral. Puedes escaparte, desde luego, aunque yo no te lo aconsejaría.

–No lo pienso intentar –dijo ella–. Estoy perdida hace mucho rato y es un consuelo haber encontrado un guía. Por favor, no tardes.

–Si miras el edificio que tienes a tu derecha, a lo mejor te orientas. No tardaré. Hasta ahora.

Lo vio salir corriendo, resguardado bajo el paraguas,

y la sensación de haberle oído hablar y reír era como una lengua de fuego que hacía presa en el remolino de todas sus reservas y temores. Saltaban las pavesas rojas, encendían la lluvia como soles minúsculos y fugaces. Y va a volver –pensó–. Va a volver ahora.

Luego, al cabo de un rato, miró la fachada que tenía a su derecha y experimentó el placer infantil de ir viendo configurarse poco a poco perfiles conocidos bajo la membrana de una calcomanía. Le pareció que volvía a subir por aquellas escaleras. Estaba junto a la Biblioteca Municipal, donde había consumido tantas horas de su juventud para llegar a saber lo que sabía y a ser lo que era. La sala de lectura tenía forma de ele. Una mañana de abril, en una de sus salidas al corredor para fumar un pitillo, había hablado por primera vez con Abel Bores, a quien estaba harta de conocer de vista y de haber notado que también él la espiaba a hurtadillas desde su pupitre.

VEINTICINCO

La geografía del tiempo está surcada por caminos de memoria y grutas de olvido. En las grutas se esconde Amparo niña.

Cuando muera, seguirá escondida ahí, tan dentro que será como si se hubiera ido. Tal vez algún explorador arriesgado pueda encontrar huellas de su paso en la arena de los senderos que se bifurcan al azar como las rayas de la mano, especialmente en encrucijadas donde se detuvo más, en algunos vértices desde los que ya no se veía nada y rezó a la luna: ha escrito cartas, aunque nunca muchas, ha dejado caer piedrecitas, se ha entrelazado con otros cuerpos que llevaban su infancia soterrada o a cuestas, ha contado cosas que pudieron quedar albergadas en oídos atentos, se ha desdoblado en perfiles abultados por la sombra dejada a sus espaldas, ha cambiado de rumbo. Y hubo ojos que la vieron pasar. Ya andaba hacia algún sitio y el paisaje, al igual que los puntos cardinales, era referencia real, no adivinanza oscura.

Pero si alguno de estos caminos conduce al explorador hasta la gruta donde se escondió de niña y se atreve a entrar, la encontrará vacía a modo de concha de caracol, cuyos cuernecillos vulnerables salieron al sol pocas veces y siempre cuando nadie merodeaba por esa guarida.

Jeremy, que durante diez años fue hijo único, tenía un cuarto lleno de libros y juguetes, de brújulas, de mapas, montaba en patines, iba al cine, sabía nadar y jugar al ajedrez, se embarcaba en el yate que los Drake tenían en Cape Code, viajaba en avión con su padre, pero ninguna excursión le parecía tan atractiva como la de avanzar a tientas hacia aquel lugar recóndito donde una niña, de la que ni siquiera quedaron fotografías, había aprendido a leer a la luz de una lámpara pequeña. Ella le sentía llegar, se hacía un ovillo y apagaba la luz.

–¿A qué jugabas?

–No me acuerdo. Creo que a los secretos. A buscar un tesóro que nadie sabe dónde está.

–Pero eso, ¿antes o después de leer *La isla del tesoro*?

–Antes y después, supongo.

–¿Y cómo era ese juego?

–De muchas maneras, no sé, según el día. Coleccionar secretos, inventarlos.

–¿Era para jugar con amigos o sola?

–Sola. Eran secretos de verdad, no de hacer ruido, hacía falta pensar mucho para entender lo que estabas buscando. Me fijaba en las hormigas; por la puerta de atrás de la cocina se salía a un patio triangular con un poquito de verde, y había muchas hormigas, y arañas también. Me sentaba allí las horas muertas. Se veían ventanas de otras paredes.

–¿No venían niños a tu casa?

–No. A la abuela la molestaba, ella siempre estaba trabajando. Algunas señoras de las que llegaban a probarse trajes ni siquiera sabían que allí vivía también una niña, de tan poco ruido como hacía yo. Pero no me aburría nunca. Porque era igual que no estar.

–¿Y no te contaba cuentos alguna vez la abuela?

–Pocos. Cuando era muy chica; no se entendían bien y daban algo de miedo. Cosas de su pueblo.

–Ella dice que no sabe ningún cuento.

–Se le habrán olvidado.

–¿Y cuarto de jugar no tenías?

–Pues no. Era una casa pequeña, con muchos tabiques; yo jugaba a cambiar de sitio los tabiques y nadie lo notaba. Otras veces los tiraba todos, casi siempre por la noche, eso era lo más divertido. No sonaban al caer ni levantaban polvo, y yo me paseaba en camisón por la casa mayor y diferente. Bueno, casa no era ya, porque había dejado de tener techo.

–Explícamelo mejor. ¿Habías salido afuera?

–Sí, pero sin moverme.

–¿Y cómo lo notabas?

–Lo notaba y era verdad, corría el aire. Pasa igual en el teatro, que aunque la decoración casi no cambie, se sabe que los actores, metidos hasta hace un momento entre cuatro paredes, ahora están en la calle, o en un bosque o a la orilla de un río, que se han ido de casa, ¿entiendes?

Los ojos insaciables de Jeremy niño siempre pedían más preguntas. Pero una vez dijo:

–Sí, eso lo entiendo muy bien, porque yo también juego a que me voy de casa. Me gustaría que pudiéramos jugar juntos a eso. ¿Tú ya nunca te quieres escapar ahora?

Ella se encogió de hombros y se agachó para descalzarse. No quería mirarle. Era verano, estaban en Cape Code, cerca del mar. Ya no le costaba trabajo enfrentarse a los Drake pero era un triunfo de estrategia bélica, no pertenecía al mundo de lo sagrado ni de lo misterioso.

–A veces escaparse es peligroso –dijo.

Pero era consciente de estar poniendo distancia entre ella y el niño que le hacía la pregunta. Se estaba refiriendo a algo que Jeremy no podía entender, a que apuñalar el propio pasado y luego huir, tras haberlo dado por muerto, es crimen que no siempre queda impune.

De pronto, en el atardecer del uno de septiembre, dentro de un Opel azul parado en la calle en cuesta de una ciudad que hace poco le resultaba desconocida, Amparo sabe que puede fugarse para no volver nunca a ningún lugar que le recuerde nada, pero aprieta en el cuenco de la mano las llaves que le abrirían la posibilidad de esa aventura y sabe que el verdadero talismán consiste en no usarlas, en que se las haya entregado alguien de quien quiere huir y al mismo tiempo no, en quedarse y esperar a ver lo que pasa ahora. Y ese talismán, que tanto podía simbolizar cepo como libertad en todos los dilemas de la mitología infantil, no solamente se lo ha puesto en las manos un hombre de su edad que la ha llamado por su nombre, sino también Jeremy, cuya ficción está suplantando y corrigiendo. Le ha dicho a la actriz principal: lo de la lluvia, muy bien, y también que te metas en el coche y esperes, aquí el guión flojeaba, la cámara te está enfocando, haz lo que se te ocurra, di lo que se te ocurra, la expresión del rostro, perfecta, has rejuvenecido. ¡Cómo te pareces en este momento a Caroline cuando se pone a dibujar porque tiene miedo!

Amparo percibe con intensidad estar viviendo uno de esos raros intervalos donde se adivina que un tramo de la conciencia se está desgajando del siguiente. Da un salto y desde el nuevo territorio hace señales a Jeremy y a Caroline, que le contestan con banderas. Están en dos islas distintas, la han oído. No le extraña que no aparezca María, porque ella nunca añoró las historias contadas a media voz ni interpretó las cosas que veía más que como las veía. Ellos, en cambio, aman lo secreto, lo indescifrable, y tienen miedo; Amparo niña ha salido de su gruta para hablarles del suyo y de cómo se las ingeniaba para espantarlo. Las señas que les hace no son de madre ni de abuela, tienen los tres la misma edad; hace frío, se han metido en una cama grande y cuchichean debajo del embozo, abrazados, buscando el calor que les faltó por no tener hermanos.

Ha apoyado la cabeza en el respaldo del asiento y cierra los ojos. Necesita recobrar cierta perspectiva. Ojalá tarde Abel, hay que buscar por la infancia, también para no tartamudear cuando él aparezca tiene que seguir los hilos que segregan las arañas y la ruta tenaz de las hormigas yendo y viniendo por el pequeño patio triangular de la calle del Olvido, acordarse de lo que aprendió allí.

Que lo difícil ayuda a aguzar el ingenio más que lo fácil fue uno de los escasos artículos de fe imbuidos en la mente infantil de Amparo por una madre tan descreída como poco explícita. La enseñanza de que sólo aguantar el miedo puede contribuir a ahuyentarlo (entretejida en los cuentos crueles y lacónicos que le contaba) llevaba implícita la noción de exilio. Tanto aguantar el miedo como buscar soluciones a lo difícil eran tareas solitarias, y pedir ayuda recurso de cobardes. Su madre misma, pues, puso los cimientos de todas las edificaciones donde la niña se refugiaba a escondidas para estudiar sus estrategias de defensa. Aprendió muy pronto a no llorar, a obedecer y a mostrarse impasible. Pero a ser buena no, sólo a fingirlo.

La señora Ramona hablaba con desdén de los intrusos, no des explicaciones ni confianzas a nadie, absolutamente a nadie, lo único que quieren es fisgar. Y Amparo, a medida que fue creciendo y aficionándose con pasión a leer, a estudiar y a meterse por túneles subterráneos que llevan al mundo de la fantasía, la miraba como desde otro sitio, como a un celador equivocado que hace advertencias inútiles ante una cárcel de donde ya se han escapado todos los presos. Pero si a mí no me importa nada de nadie, madre, ¿cuántas veces quieres que te lo diga?, los oigo como quien oye llover, como tú a tus clientas, ¿no las acompañas a la puerta y les sonríes y oyes todos los chismes que te cuentan y vas a probarles un abrigo a veces a su casa?, pues yo igual, yo estoy a lo mío, en cuanto dejo de hablar con los compañeros de la Academia, o con Olimpia Moret y sus amigas, me olvido de que existen, te lo juro. Intruso es sólo alguien a quien dejas entrar, ¿no?, pues estáte tranquila.

Era todo verdad, menos una cosa. De tanto oír hablar de los intrusos, Amparo, en sus fantasías solitarias, los veía más que como enemigos temibles como personajes de chiste esgrimiendo espada de palo y siempre resbalando o despistados. Y el secreto más inconfesable es que tenían la cara y la voz de su madre cuando le preguntaba ¿dónde has estado?, ¿qué has hecho?, ¿en qué estás pensando? Le contestaba cualquier cosa y no necesariamente había que mentir. Pero la clave del puente levadizo para entrar en su fortaleza no podía exigírsela a quien se había pasado la vida predicándole el encierro y el disimulo, comparando la vida con un baile de máscaras donde el único que gana es el que se ajusta bien la propia careta. Además llegó un momento en que Amparo comprendió que su madre preguntaba por rutina, como cuando se dice «no te olvides de echar el cerrojo», quería eso, cerrojos, certidumbres, y se le notaba en el tono con que se dirigía a ella, no intentaba tender puentes que las unieran ni abrir ventanas que ventilaran su relación; los resultados cada vez más satisfactorios de Amparo en sus estudios los consideraba fruto de la educación estricta a la que la había sometido, pero que esos estudios aumentaran la maraña de preguntas que el niño-adulto tiene que desbrozar a solas todos los días para alcanzar su territorio secreto, eso la señora Ramona ni se lo imaginaba. Así que cuando le preguntaba ¿en qué estás pensando? y ella le contestaba que en nada, no sentía remordimiento, sólo un poco de pena.

Hasta que conoció a Abel Bores.

Para esas fechas, la imagen de joven orgullosa, independiente y de inteligencia privilegiada que puso en circulación Olimpia Moret sobre la hija de la modista había tenido consecuencias favorables para la señora Ramona, que se reflejaron (y ella misma lo reconocía) en la calidad de su clientela.

–Lo único que me molesta un poco –le comentó a Amparo un día– es que anda diciendo por ahí que eres su amiga íntima.

–Que diga misa, madre –contestó Amparo con impaciencia–, y no vuelvas con la monserga de las intimidades. Si apenas he salido con ella media docena de veces, y, además, ¿qué le voy a contar?, tú sabes mejor que nadie que me paso el día estudiando idiomas, taquigrafía, metida en la Biblioteca Municipal o echándote una mano a ti, que no tengo vida privada, lo que no entiendo es cómo no se aburre conmigo, yo desde luego con sus amigas, las pocas que conozco, me aburro de muerte

–Bueno, pero que tampoco te lo noten mucho, no ostentes superioridad, que ya sabes cómo es aquí la gente.

–¡Ay, madre, por favor, déjame en paz, me vas a volver loca! Disécame de una vez y ponme de maniquí a la puerta de Ramona-Modas, con distintas ranuras del escote al ombligo para meter monedas según que se quiera oírme hablar inglés, francés o italiano, verme sonreír, bailar el charlestón o echar pestes contra los intrusos, cada día vestida con un modelo nuevo, te ibas a hacer de oro.

La señora Ramona, algunas veces, se desahogaba con Társila del Olmo, la única persona a quien le había contado cosas del padre de Amparo. Le decía que había salido a él en el carácter, que no soportaba que le sacaran defectos.

–Pero, Ramona, si es que tú la agobias demasiado, perdona que te lo diga, y no le ves ni una cosa buena. Tienes una hija de bendición, trabajadora, responsable, desde niña metida aquí, entreteniéndose con cualquier cosa y sin quejarse de nada, costeándose los estudios a fuerza de becas. ¿Qué más quieres? No le metas de esa manera en el cuerpo el miedo a vivir, jolín, que está en lo mejor de la vida. Te contesta mal porque la hartas. En esta casa, si quieres mi opinión, lo que falta es un poco de risa.

Las palabras de aquella joven oficiala cariñosa, alegre y sincera eran las únicas que hacían recapacitar a su jefa.

–Puede que tengas razón. Pero yo lo hago por su bien, para que siempre pueda llevar la cabeza alta y no tenga que sufrir lo que yo he sufrido.

–Desengáñate, Ramona, lo que tenga que sufrir lo sufrirá igual, que de eso no nos libramos nadie en este mundo. Ni lo podrás evitar ni te enterarás siquiera, ojalá sea poco lo que le toque, pero será lo suyo. Y en el aguante no te podrás quejar de que te haya salido una discípula poco aventajada. Conque ya sabes: ayuda no te la va a pedir, descuida.

Muchas veces, a lo largo de su exilio en el extranjero, recordó Ramona Miranda aquel diagnóstico inquietante de su amiga del alma y se fue considerando culpable del abismo que se abría progresivamente entre ella y la hija que nunca la abandonó, le dio disgustos ni dejo de llevar la cabeza alta. Su tardía sed de cariño la volcó entera en su nieto Jeremy, a quien inculcó la curiosidad por una patria idealizada y brumosa. A María solamente consiguió enseñarle a pronunciar el nombre del territorio dejado atrás, con tanto mar de por medio, España, y le gustaba oírla repetir esas tres sílabas hasta que las dijo correctamente.

Tenía dos años la niña cuando se llevaron al hospital a aquella señora silenciosa vestida de oscuro que nunca volvió. Luego, durante algún tiempo le estuvo preguntando a Jeremy que dónde estaba España, y a él no se le ocurrió sacar ningún mapa, porque había entendido que para María el nombre de la abuela era aquél. Y Jeremy se acercaba con su hermanita en brazos a la ventana del cuarto de costura, apartaba los visillos y señalaba hacia arriba con la nariz pegada al cristal. España se ha ido –le decía–, voló al cielo.

Aquí el cielo se ve poco porque los edificios son muy altos –le escribió a Társila la señora Ramona en su última carta–. Y salir casi no salgo, no me apetece. Con decirte que una finca que tiene mi yerno en un sitio precioso cerca del mar sólo la conozco por fotos y por lo que me cuenta mi nieto, con eso te lo digo todo. Y ellos insisten en que vaya, no creas, pero qué pinto allí, ese mundo no es el mío. No quiero ser un estorbo para nadie. Mi nieto es el único que ha conseguido enseñarme un poco de inglés, porque quiere que me entienda con su padre, que salga al cine, es un encanto, y a su padre lo adora. Pero yo me he vuelto cada día más rara, y ni sé lo que quiero. Amparo me recuerda que cuando vivíamos ahí tampoco salía casi nunca, y que amigas, quitando tú, no tenía. Me lo dice seria, con ojos de reproche, y yo misma no entiendo cómo puedo echar de menos una patria de la que apenas disfruté, una pobreza de la que tanto renegaba. Me acuerdo de un domingo que fui a pasarlo contigo al pueblo de tu novio para que la familia de él me conociera. Tú les habías dicho que tenías una jefa muy buena. Hacía sol, merendamos en una alameda cerca del río, corría un aire fresco de primavera. Me acuerdo de lo rico que estaba el embutido y el queso y el vino, de que tu suegro había llevado un gramófono y de las canciones tan preciosas que cantaste tú cuando el cielo se estaba poniendo ya color de rosa. De Imperio Argentina, me parece. Tu novio tenía un hermano que se llamaba Genaro, muy guapo, más joven que yo, me dijo que era una real moza y que si tenía novio, de qué cosas se acuerda una cuando se hace vieja, al volver al pueblo me cogió del brazo y me iba diciendo el nombre de las estrellas. Luego tú me quisiste arreglar algún otro encuentro con él, pero me negué siempre, terca como una mula.

Y ahora lo siento, ya ves, haberle sacado tan poco partido a la vida, terminarla así sin pena ni gloria.

En fin, Tarsi, me da hasta vergüenza estarte escribiendo para quejarme de nada, cuando en esta ciudad hay tantos viejos sin techo, durmiendo por los parques, y a los que nadie mira. Vivo en una casa que tiene de todo, mi yerno me respeta y está enamoradísimo de Amparo, ahora tienen otra niña. Puede que discutan alguna vez, cuando hablan en inglés, que yo no los entiendo, pero la voz a mi hija nunca se la levanta. Sale a mí, no me puedo quejar, ya me lo avisaste un día, si sufre nunca te va a pedir ayuda, me acuerdo tanto de eso que me dijiste. A mí me parece que con la familia de Gregory se lleva regular tirando a mal, pero no me cuenta nada. A veces estoy triste, Tarsi, debe ser la vejez. Yo la enseñé a ser como es, me moriré con ese remordimiento.

Se murió, efectivamente, sin intuir la índole ni el origen de los sufrimientos de Amparo. Y desde luego, lejos de sospechar que se iniciaron dos años antes de abandonar definitivamente la ciudad, cuando conoció a Abel Bores. Entre otras razones, porque ese nombre jamás lo pronunció Amparo ante su madre ni ante nadie. Era un nombre secreto. Ella misma, aunque recordaba haberlo oído en casa de Olimpia, tardó en adjudicárselo a aquel muchacho delgado de ojos oscuros que en la Biblioteca Municipal (generalmente frecuentada por gente mayor que venía a leer el periódico) pedía libros de filosofía y compartía con ella silencios cargados de voltaje desde un pupitre lejano.

Y por primera vez en su vida Amparo Miranda deseó ardientemente ser descifrada por los ojos negros de aquel intruso, abrirle la puerta de acceso a sus secretos laberintos. Pero siguió aguzando el ingenio para enfrentarse a una estrategia que proponía leyes diferentes. Y mucho más difíciles.

De pronto, encerrada en el Opel azul, esperando a alguien que ya no sabe muy bien quién es, vuelve a tener miedo. ¿Qué va a decirle? ¿De qué va a hablar con él?

Le parece tener sobre las rodillas el tablero de un juego interrumpido hace mucho tiempo, condenada al suplicio de recordar en qué términos quedó la partida, quién iba ganando y a quién le toca ahora mover ficha. A poco que le tiemblen las rodillas, todo se habrá borrado definitivamente.

Da igual –dice Jeremy, que sigue enfocándola con su cámara–, lo único que necesitas es improvisar. Partir de ahora mismo. Corrige ese gesto de angustia, me gustaba más el de antes, entre soñador e ingenuo. Te lo he dicho muchas veces, madre, podrías ser una estupenda actriz. Estás esperando a un desconocido, piensa en lo aburrido que sería estar esperando a Ralph, que nunca supo darte una sorpresa. Estás muy guapa. ¡Acción!

Amparo cruza las piernas y las fichas del tablero se descolocan y ruedan por el suelo. Ya viene el desconocido por la callecita arriba, con el paraguas cerrado porque ha dejado de llover. Se ha parado a saludar a unas señoras que se están metiendo en otro coche. Amparo cierra los ojos, espera. Ahora el ruido de una portezuela que se abre.

–Gracias por no haber huido. Aquí la gente es que no te suelta, ¿se te ha hecho largo?

–No sé, no he mirado el reloj, he estado pensando.

–¡Qué peligro! A mí no me ha dado tiempo. Juegas con ventaja. ¿Y no me puedes adelantar algo?

–Si quieres te daré los titulares. Trampas de la memoria. Falsos escondites. Mentiras para sobrevivir. Dirás que parece del Reader's Digest.

–Ni mucho menos. Son temas muy sabrosos para una tertulia. Dame las llaves. ¿O quieres conducir tú?

–No, porque no sé adónde vamos.

Abrió las manos y Abel recogió el manojo de llaves, metió la de contacto. Amparo miró su perfil y reconoció en aquel rictus irónico de la boca al enamorado de las paradojas, al interlocutor que a veces se ausentaba o quebraba la discusión con una broma. Seguía teniendo una voz joven y estimulante. Y no dejaba traslucir inquietud ni prisa.

Bajaron por la calle en cuesta que desembocaba en los alrededores de la Catedral. Todavía había mucho barullo de coches y de gente que se despedía. Abel torció a la derecha con un volantazo brusco como los que se ven en las películas cuando el perseguido quiere despistar a la policía.

–Te voy a llevar a un sitio que creo que te gustará –dijo–. Abróchate el cinturón.

VEINTISÉIS

Olimpia durmió todo el día hasta muy tarde. Luego, se pasó un rato largo paseando por todas las habitaciones de la casa sumida en una mezcla de amnesia y estupor. Los ojos de las muñecas, estatuillas de bronce y animales de porcelana desperdigados por las estanterías la miraban pasar mudos y estáticos. Abrió los cristales de la galería de atrás, y del jardín subía un olor a tierra húmeda. Pero ya no llovía. Miró al cielo. Había grupos de estrellas chapoteando en los charcos dejados por unas nubes espesas que perdían consistencia al cabalgar hacia metas invisibles. Dos de ellas, unidas por el vientre y rematadas por flecos, se descorrieron a modo de telón de teatro y apareció la luna en lo alto de una escalera como una vieja vedette empolvada. ¿Hasta cuando vas a seguir ahí, diosa de pacotilla, celestina embaucadora?, la increpó Olimpia. Y pensó en los enamorados que pudieran estarla invocando, en las lágrimas de nácar de los insomnes, en el cabrilleo de su luz sobre el mar Egeo, la misma luna que contempló Safo. Y recitó entre dientes, mirándola:

> Al mar bajo las silenciosa luna,
> altas van las cabrillas por el cielo,

pasó la media noche,
y, sin embargo, sola me acuesto.

Tenía la boca seca y algo de hambre también. Cerró los cristales del ventanal y, sin entender aún de qué sueño salía ni ser capaz de vincular su paseo noctámbulo con argumento alguno del pasado inmediato, se dirigió a la cocina y sacó de la nevera una botella de Coca-Cola. La asistenta había venido y había dejado preparada una menestra bastante apetitosa. Cuando se disponía a calentarla, vio encima del mármol de la mesa unas llaves sujetando un papel doblado. Lo desdobló. Era una hoja de cuaderno cuadriculado. Decía:

Querida Olimpia, he venido a dejarte las llaves, pero no te he querido despertar porque estabas durmiendo con cara muy feliz. Yo también necesito una cura de sueño, estoy agotado y saturado de esta ciudad. He pedido vacaciones en el ambulatorio. Creo que me iré con Tarsi a pasar una semana al pueblo de nuestro padre, que en paz descanse. Un hermano suyo, el tío Genaro, viudo sin hijos, tiene una casa de piedra con una huerta hermosa y siempre se está lamentando de que no lo vamos a visitar. Seguro que me va a sentar muy bien y también a Tarsi, que anda bastante deprimida y últimamente la he descuidado mucho. A la vuelta, ya veré cómo organizo mi vida, una casa para mí solo, por modesta que sea, la necesito como el comer, cada vez lo veo más claro. Pero qué pereza da todo. Te llamaré en cuanto vuelva. No te imaginas, Olimpia, lo que me has ayudado estos días y particularmente anoche. Cuando te dé la ventolera de pensar que no pintas nada en este mundo, acuérdate de que a mí me salva del naufragio saber que existen seres como tú. Gracias por todo, y cuídate, Agustín.

Mientras la menestra se iba calentando a fuego lento, Olimpia apoyó los codos en la mesa y se quedó inmóvil mirando a la pared. Temía la noche de insomnio que se le avecinaba y se dio cuenta de que ella también echaba de menos a Agustín, que se había acostumbrado a oír sus pasos por la escalera. Todos se van yendo –pensó– y yo me quedo como una roca en medio del mar, donde vienen a estrellarse las olas que no paran. A él esa hermana peluquera no le sienta bien, y no va a quitársela de encima ni con agua caliente. Ojalá encuentre un tío brutote que le haga feliz, igual en ese pueblo hay alguno dispuesto, aunque no creo.

Se comió la menestra de la cazuela directamente, sin poner mantel ni nada, mojando bien de pan. Estaba buena, aunque un poco grasienta. Agustín le decía siempre: Mastica despacio, comer con ansia es malísimo para la salud, pero no lo podía remediar. No quedó ni rastro del guiso. Luego se trasladó al saloncito de la televisión y sacó del aparador pequeño una botella de Cointreau y una caja mediana de bombones. Los mejores eran los que tenían guinda por dentro.

Eran las once. Se sentó en la butaca que había junto a la mesita del teléfono y marcó un número.

–¿Es casa de don Abel Bores?

–Sí, tía Olimpia, soy Rita. ¿Qué tal estás?

–Bien, hija, vamos tirando.

–Te suena una voz rara.

–Es que me estoy comiendo un bombón. ¿Se ha acostado ya tu padre?

–No. Pero no está. Le ha dejado recado a Josefa que no le esperáramos a cenar. Creí que a lo mejor había ido a verte.

–Dijo que vendría una de estas tardes, sí, pero igual se ha pasado por aquí y no he oído el timbre, llevo más de doce horas durmiendo, lo mío ya es de preocupar. Debe ser falta de riego. Y luego, en cambio, las noches de claro en claro.

–¿Y qué te dice el médico?

–Que me compre un chándal y salga por las mañanas a correr al parque, ya ves qué ridiculez. Claro que él mismo se ríe al decírmelo. ¿Y tu padre no sabes dónde habrá ido?

–Ni idea. Bueno, hasta las siete o así ha estado con nosotras en el funeral por Manuela Roca.

–¿Con vosotras, quiénes?

–Conmigo y con Valeria, una sobrina de Manuela que ahora vive aquí, se ha ido de casa.

–¡Chica, qué manía tenéis todos con iros de casa!

–No lo dirás por mí. Por cierto, a ver cuándo bajas a verme a la tienda. Total es cruzar la calle.

–Si es que estoy harta de antiguallas, hija, y de mí la primera. Bueno, dile a tu padre que me llame, que voy a estar despierta.

–Llámale tú, lleva un móvil. ¿Quieres que te dé el número?

–A mí qué me vas a dar –se indignó Olimpia–. Parece mentira que hasta tu padre, una mente privilegiada, haya caído en semejante cepo. Por la televisión sale uno en una especie de Finisterre, sólo mar, rocas y pájaros, y de repente una voz que dice: Aquí también te pueden encontrar o algo por el estilo, y lo ves al tío con el aparatito en la mano, pues vaya un chiste marcharse al fin del mundo para eso, los niños bien, en el colegio, ¿qué hora es ahí?, ha venido a comer la prima Antonia... Ya no se respeta ni la naturaleza. ¡Qué diría Robinson! Oye, ¿habéis comprado el periódico?

–Sí, por ahí debe andar. ¿Para que lo necesitas?

–Para saber lo que ponen en la dos.

–Pues espera un momento. ¡Valeria! ¿Tienes tú el periódico? Mira, por favor, a ver qué programa dan por la dos.

–¿Y esa Valeria, qué tal es?
–Muy maja y muy lista.
–¿Lee bien en alta voz?
–Precisamente es una de sus especialidades.
–¡No me digas! Pues yo le podría dar trabajo. Estoy perdiendo vista y necesito alguien que me lea textos serios y emocionantes, de esos que te hacen navegar por el infinito, la *Odisea,* la *Divina Comedia,* el *Rey Lear,* el *Persiles,* cosas así. Pero sin prisa, y vocalizando como Dios manda. Le pagaría bien.
–Lo siento, no va a poder ser. Tiene un trabajo muy bueno en la radio.
–¡Vaya por Dios! ¿Y no puedes decirle que me busque a alguien? Oigo decir que hay mucho paro. Pero pasa igual con los carpinteros, llamas a uno y nunca vienen. Claro que yo, como duermo tanto, igual no oigo el timbre.
–Será eso.
–Oye, por cierto, ¿tú a tu padre no lo notas raro?
–Yo no. ¿Por qué lo dices?
–No sé, como resignado. Creo que se está aburriendo de pensar, y eso en él me preocupa.
–Pues a mí no. Ya va siendo hora de que descanse un poco. Además, yo lo veo trabajar como siempre.
–Pero sin ganas, Rita, sin ganas, los jóvenes no entendéis de eso, porque os parece normal vivir sin ganas. El otro día me dijo que la inteligencia es algo inseguro para vivir siempre con ella a cuestas, ya ves, y que la verdad siempre zozobra.
–¿Eso te dijo? Bueno, tampoco es para tanto, tendría una mala tarde... ¿Cómo dices, Valeria?... Ah, ya, dice Valeria que dan un reportaje sobre la India. ¿Te interesa?
–No sé qué decirte. Saldrán niños famélicos.
–Supongo.
–Les temo a las noches, Rita. Tengo un ardor de estó-

mago horrible. Y dolor de cabeza, un clavo en las sienes todo el día, me tupo de aspirinas y como si no.

–Yo creo, tía, que es de no salir. No te digo que te vayas a comprar un chándal, pero tomar el aire te vendría bien. Vas a criar moho.

–Cada una es como es –dijo Olimpia tajante, mientras cogía otro bombón–. En fin, buenas noches. Y dile a tu padre que me llame sin falta. Creo que voy a ver lo de la India.

VEINTISIETE

Te mueves, por poco que sea, y el cambio de postura provoca un desmoronamiento interior y enturbia el agua que parecía tan clara, tan fácil de beber. Han sido total veinte minutos, pero Abel con las manos al volante recuerda como algo ya irrecuperable la cercanía de Amparo en el rincón de aquel portal, temblando, con la cara mojada de lluvia. Te encuentras con momentos así y hay que andar de puntillas para que no se esfumen, ahora somos otros dos –piensa–, y el abismo se instala bajo la tentación de adivinar de qué manera me estará ella viendo, qué pensamientos la han entretenido mientras yo atendía a un compromiso necio, ¿qué esperará que voy a hacer ahora? Y mira su perfil sereno de donde la razón ha apartado toda marca de angustia y le pregunta que qué ha venido a hacer a la ciudad después de tantos años, mientras trata de recordar unas notas que estuvo tomando por la mañana sobre el concepto de azar en Bergson, pero las palabras azar, destino y mudanza son como hilos de una alambrada donde se enganchan sus afanes por acceder de nuevo a la zona de milagro, y Amparo dice que ha venido para localizar exteriores de una película que va a rodar su hijo, pues yo había oído decir a alguien que te dedicabas al diseño de modas, y ella dice que sí, que también, pero que toda creación consiste en lo mismo, en saber coser los elementos dispersos, y entender cómo se relacionan entre sí, da igual que sean historias o pedazos de tela, en el fondo es cuestión de quitar y poner, de prescindir a veces de lo que desentona, pero no siempre, tampoco vienen mal las estridencias en alguna ocasión. Y con el olvido y la memoria pasa lo mismo, lo importante es acertar con la combinación y atreverse a dar entrada a lo que aparece sin esperarlo, este viaje –dice– le ha servido para darse cuenta de muchas cosas, por ejemplo de que el pasado no tiene por qué ser un tumor maligno. No habla todo seguido, como si recitara una lección, ni mucho menos con la intención de parecer brillante, las palabras, por el contrario, van brotando de sus labios, entre pausas y titubeos, como si ella misma se asombrara de lo que va descubriendo a medida que lo formula. Y Abel piensa que le ha llovido por el rostro toda la sabiduría del mundo. Y le pregunta de qué trata la película de su hijo. Precisamente de alguien que llega a una ciudad y no sabe para qué ha ido. Pero bueno, resume, es difícil de explicar, porque tienen que salir también otras historias. ¿De la ciudad? Claro, de la ciudad. Ya me marcho mañana. Llevo recogido mucho material. ¿Y has venido sola? Sola, sí.

Han llegado a la meta del viaje: una casa antigua, convertida en albergue de lujo a quince kilómetros sobre una colina. Abel le dice que la casa perteneció a los abuelos de la dueña, que es amiga suya. Tiene arriba cuatro habitaciones, pero es famosa sobre todo por la exquisitez de su cocina, ha venido recomendada en el suplemento dominical de *El País*. Suben unas escaleras de piedra. Amparo se detiene.

–Si me presentas a alguien –le avisa–, yo me llamo Miranda Drake.

–¿De profesión?

–Costurera de todo lo que salga.

–De acuerdo, lady Drake.

El sitio es precioso. Abel se dirige a una mujer joven y muy elegante a quien llama Marina: se tutean. No hay nadie. Les ha reservado una mesa junto al ventanal. Se preguntan por las respectivas familias. Amparo aprovecha para pasar al tocador pero antes advierte que a ella le gusta todo, se inclina hacia Abel, pide tú, ya sabes que me encantan las sorpresas. Prefiero vino tinto, eso sí.

Ante el espejo del tocador se frota con la toalla el pelo, aún un poco húmedo, se lo peina, se perfuma y se da un poco de rouge. Los ojos le brillan, como si tuviera fiebre. Se toma el pulso y se asusta de la velocidad de los latidos. La frente le arde. Decide pedir un taxi en cuanto vuelva al Excelsior y viajar a Madrid esta misma noche. Se lo jura al espejo. Descansará un par de días en el Ritz. Han sido demasiadas cosas. Pero ahora necesita beber un poco.

Cuando la ve volver, Abel se levanta, le empuja la silla y le sirve vino. En la mesa ya hay varias cazuelitas con especialidades de la casa. Él dice que luego ha pedido una lubina a la sal para repartir. Brindan por las casualidades. Están solos en el comedor pequeño, y a través del ventanal Amparo ve aparecer la luna entre dos nubes densas. Hay una música de fondo muy agradable, una voz que parece la de Teresa de Noronha está cantando: «Garda as palavras contigo / deixa falar aos teus olhos», pero ella ahora no se atreve a perder el control de sus ojos.

–O sea –dice Abel– que llevas aquí ocho días, te marchas mañana, y ni siquiera se te había ocurrido indagar si seguía vivo.

–Te equivocas –dice ella–, el mismo día que llegué te vi retratado en el periódico ejerciendo de gloria local en un foro extranjero. ¿De qué estabas hablando?

–Del concepto de la felicidad en Bataille. De los que conciben la felicidad desde el punto de vista de la adquisición, como un bien de consumo.

–Sí, pero un bien de consumo un tanto raro, se da por hecho que nunca se tiene que gastar ni alterarse. Oye, este vino es buenísimo, Villa Tondonia, en los Estados Unidos no se encuentra.

Abel le sirve más.

–¿Y cuando me viste en el periódico, no tuviste ganas de buscarme?

–Lo confié a la casualidad, por la que vuelvo a brindar. Ésas fueron siempre las reglas de nuestro juego, ¿no?

Siguen picando un poco de todas las cazuelitas. A Amparo le duele la garganta, le cuesta trabajo tragar. En cambio el vino le entra bien.

–¿Y no te ha reconocido nadie más que yo?

–Pues no, ya ves, son cuarenta años. Y he notado que el desconocimiento es mutuo, supongo que por la calle me habré topado con alguien a quien pude tratar, no se habrán muerto todos, pero me he movido entre extraños, la ciudad tampoco me ha reconocido ni yo a ella, es lo que ya intuía antes de emprender el viaje, ha sido un experimento de comprobación.

–Y yo he venido a ser el elemento perturbador que altera los inventos. Capaz serás de lamentarlo.

Amparo sonríe, le mira y resucita, depurada por el tiempo, una complicidad llena de claroscuros, esa que jamás alcanzan quienes llevan una vida entera espiándose a diario y apostando por la felicidad eterna.

–¿A ti qué te parece? –le pregunta.

–No sé. Que la película esa de tu hijo va a tener que terminar de otra manera. Desafinando un poco.

–Ya te he dicho que el argumento está sin concretar. Se admiten sugerencias. ¿Se te ocurre alguna?

–Que saquéis a un filósofo de la tercera edad, harto de ser el bicho raro oficial y el padre comprensivo, que lleva mal envejecer pero no lo confiesa. Por la mañana ha estado meditando sobre el azar y por la tarde ese mismo azar, pero no el de los libros, le mete en una Catedral llena de gente aburridísima. Ah, porque además presume de ateo. Yo creo que en todas las provincias hay algún ejemplar de esas características. ¿No crees que le daría peculiaridad al ambiente?

–No es mala idea. Lo consultaré con Jeremy. Incluso podríamos llamarte para el rodaje. Tú como elemento perturbador siempre has rayado a gran altura.

Mientras la camarera recoge las cazuelitas y prepara el pescado en una mesa cercana, la dueña viene, les pregunta que si está todo a su gusto y descorcha otra botella de vino. Esta vez blanco. Amparo alaba la decoración del local, el ambiente íntimo que se ha conseguido, la música de fondo tan acertada. Marina dice que puso como condición que se respetara la estructura antigua de la casa. Los planos y la decoración son de Óscar Torres, el mismo arquitecto que se encargó de la tienda de Rita, ¿la conoce usted? Sí, claro, Defectos Especiales, una preciosidad –dice Amparo–, y ese espacio sí que era difícil de aprovechar. Y Abel la mira con fascinación y pasmo mientras ella, que ya empieza a notar los primeros efectos de la embriaguez, vuelve a ver circular a las hormigas y tejer su hilo a las arañas por aquel palmillo triangular de su infancia, tal vez ahora convertido en pequeño almacén de muñecas sin ojos y mesas sin cajones. La cabeza le echa humo de tantas cosas como se le están juntado en ella.

Ya tienen delante los platos de lubina. Marina les desea buen provecho y se va.

–Oye, bruja, ¿tú cómo sabes que mi hija tiene una tienda de antigüedades? –le pregunta Abel.

–Me acerqué el otro día. No sé si te acuerdas de que yo viví muchos años en ese sitio cuando era la hija de la modista. Esa chica tan encantadora no sabía que fuera hija tuya hasta que os he visto juntos hace un rato en la Catedral.

Le pregunta que si tiene más hijos, sobre todo porque empieza a costarle mucho llevar la batuta de la conversación. Sí, tiene otro que es médico y dos nietas. Rita vive con él, es muy independiente pero a su manera, ya sabes, los hijos sin madre necesitan doble ración de cariño, llevo diez años viudo. Amparo se pregunta cómo sería esa mujer, dice que ella también tiene una nieta y una hija separada, y de repente se acuerda de cuando María era niña, de cómo la miraba con ojos de maldad, qué difícil es resumir una vida, yo a mi hija nunca supe tratarla; se le ocurre, de pronto, y piensa que ver cambiar a alguien a tu lado es no verlo cambiar; y todo sin dejar de seguir el discurso de Abel, le da envidia oírle decir que siempre ha ayudado a sus hijos, que le necesitan mucho.

–Supongo –dice– que también a ti los tuyos.

Ella se encoge de hombros. Se ha puesto triste.

–Supongo. Yo he cometido en mi vida muchas equivocaciones. Pero siempre se puede rectificar. En estos días he pensado mucho en mis defectos especiales. Tengo agujetas de tanto pensar, te lo juro, había perdido la costumbre. En América se piensa poco.

Abel hace un esfuerzo por contemplar a la mujer que tiene enfrente como si la acabara de conocer. Le llega su perfume, repara en su atavío, en la delicada forma de manejar los cubiertos, de acercarse a los labios la copa de vino, en la tersura de una tez sin duda sometida a quirófano, en las uñas ovaladas e impecables. Un atractivo ejemplar de la *beautiful people* neoyorquina con quien podría iniciar una aventura fugaz e inconsistente, si no adivinara a través de una voz sin aderezos y de los esporádicos titubeos de su mirada lo que pueden haber sido para ella esos cuarenta años. Por el borde de la manga derecha aparece un modesto fulgor que Abel reconoce. Alarga la mano y le acaricia la muñeca delicadamente.

–Veo que sigues llevando la pulsera de tu padre –dice.

Amparo nota un nudo en la garganta. Y asiente.

–Nunca se lo dije a nadie, te lo juro. ¿Me crees?

–Sí, y te lo agradezco. Pero ya ves, a nadie le impresiona ya ese tipo de secretos. Hoy día ser hija de madre soltera tiene poco de folletín. Y menos en los Estados Unidos tan unidos y tan lejos unos de otros que nadie sabe a ciencia cierta dónde tiene su raíz familiar.

Ha tratado de hablar sin que la voz le tiemble, pero no sabe dónde poner los ojos. Piensa que están terminando el segundo plato, que luego vendrá el postre y que se despedirán sin haber llegado a hurgar en lo que más duele. Abel retira los dedos de la muñeca de su amiga. El silencio, de pronto, se ha enrarecido.

–¡Qué difícil ha sido siempre acercarse a ti, Amparo!

Ella le mira con sorpresa.

–¿De veras? Yo creí que era al revés. Olimpia me había dicho que eras un seductor profesional, y conmigo no sé lo que buscaste.

–Bueno, creí que no te gustaban los hombres; la verdad es que me desorientabas. Estaba acostumbrado al trato con chicas más frívolas. Me atraían tus súbitos ataques de hermetismo, tus fugas. Sin saber por qué, echabas la barrera de un momento a otro y era difícil adivinar en qué estarías pensando.

Amparo traga saliva.

–¿Me lo preguntaste acaso alguna vez?

–No me atreví, te lo confieso. ¿Te molesta si te lo pregunto ahora?

–¿Lo de entonces? ¿O lo que pienso en este momento?

–A poco que divagues, saldrá todo mezclado.

Ella sonríe y hace un gesto casi imperceptible de quitarse la careta. Piensa que a Jeremy le gustaría filmar una escena como ésta.

–A lo largo de la vida, Abel, me he mentido muchas veces a mí misma. Pero ha llovido el tiempo suficiente y ya todo da igual. Pensaba siempre en ti, en lo que nos separaba, en lo difícil que era estar a la altura de tu humor y tu ingenio.

–Pues lo lograste con creces. Siempre me sorprendías.

–Pero no sabes lo que me costó. Tenía menos margen de maniobra que tú, menos experiencias, vivía en otro mundo. Me ayudó, eso sí, la técnica que había adquirido en juegos solitarios de escondite. La dominaba y, hasta que te conocí a ti, me divertía ganar. Luego aborrecí el juego, aunque lo siguiera practicando. No sé si me entiendes.

–A medias.

–Pues con eso basta. Mi hijo suele decir que no hay que explicarlo todo, sino casi todo.

–Bueno, según los casos. Pero tenemos que hacer un alto, porque falta el postre. Hay una sorpresa. Cuando vuelva, seguimos. Por cierto, eres maravillosa.

Amparo ve extrañada que Abel se levanta y va hacia la cocina. La camarera se cruza con él, recoge la mesa, trae una botella de champán, la deja entre hielo y se va. La señora Drake se repliega en sí misma, consciente de estar disfrutando de una especie de amnistía del tiempo. Nota que la música ha cesado, que la luna se esconde y reaparece, que la fiebre le galopa por el cuerpo. Ya no teme al futuro porque sabe que siempre podrá recordar esta noche. Pobre Ralph, dice entre dientes. Y, sin embargo, también existió. Forma parte del tejido.

De repente la luz se hace más tenue y en un tono vibrante irrumpen en el comedor los primeros acordes de *Yesterday* en una grabación antigua de los Beatles. La puerta de la cocina se ha abierto y da paso a Abel, que avanza despacio sujetando una bandeja sobre la cual resplandece una tarta con velas encendidas. La coloca en el centro de la mesa.

–Felicidades, Amparo. Yo también puedo dar alguna sorpresa.

Ella se pone de pie y le abraza, necesita hablar inglés para poner distancia.

–I can't believe it, honey...

–Piensa un poco.

–No puedo, todo me da vueltas.

–Nos llevamos un mes justo, yo soy del uno de agosto, ¿va estando claro?

–Sí, es verdad, no me acordaba.

Le ve abrir la botella de champán y servir las copas.

–He encargado que pongan treinta y dos velitas. El doble resultaría difícil de apagar. Y además no es ésa la edad que representas.

–De verdad, no sé qué decirte.

–No digas nada. Basta con soplar. Yo te ayudo desde este lado. ¿Preparada? Una, dos y... ¡tres!

Se han apagado las velas y sigue oyéndose la voz de Paul McCartney.

Suddendly,
I'm not half the man I used to be;
There's a shadow hanging over me.
Oh, yesterday came suddenly.
Why she had to go,
I don't know:
She wouldn't say.
I said something wrong,
Now I long for yesterday.

Chocan las copas.

–Salud, lady Drake.

–Salud, profesor Bores.

La tarta es de naranja, muy suave.

–Te has apuntado un tanto insuperable –dice ella–. ¿La música la ha escogido Marina?

–Oye, guapa, no ofendas. Te he concedido el honor de suponer que, a pesar de los años que llevas viviendo en los Estados Unidos, si arranco con el *Happy birthday to you* me habrías tirado, y con toda razón, la tarta a la cara.

Yesterday es ahora el año pasado, pobre Ralph. Vuelve a cruzarse su rostro con una tarta estrellada en sus mejillas rubicundas. Hace un esfuerzo por recordar de qué hablaron. No ve nada. Un borrón. Y burbujas bailando.

Luego, por un rato, el borrón lo ha invadido todo. Amparo no sabe cómo se despidieron de la dueña, cómo salieron. Se recuerda ya en el coche con las ventanillas abiertas y su acompañante ajustándole el cinturón de seguridad. Esta escena resucita de otra película pero ha cambiado algo, él se llamaba Gregory y bajaban hacia el sur de Manhattan bordeando el East River. La vida es como un nudo ferroviario. Amparo recuesta la cabeza en el asiento, cierra los ojos y tararea bajito, como para sí misma.

> *Yesterday,*
> *Love was such an easy game to play;*
> *Now I need a place to hide away.*
> *Oh, I believe in yesterday.*

Abel conduce aprisa, asaltado inesperadamente por fragmentos de su propio pasado. Se acuerda sin saber por qué de sus discusiones con Carmela. Era celosa y había identificado la felicidad con el esfuerzo cotidiano por conservarla y sacarle lustre. Pero por las noches le gustaba llegar a casa y encontrarla despierta esperándole. No dice nada. De repente le pesa como una losa imaginar que se tendrá que levantar al día siguiente y seguir ordenando sus notas sobre el azar. Sufre la resaca anticipada de una ristra incalculable de otoños e inviernos, ejerciendo de intelectual provinciano que a veces va al café para llevarle la contraria a todo el mundo, esgrimiendo argumentos envejecidos, llamando por teléfono a Olimpia. Ya se ven a lo lejos las luces de la ciudad. A la entrada de un camino vecinal, detiene el coche.

–Amparo, de verdad, ¿quieres irte mañana?

Ella se ríe.

–Se lo he jurado al espejo. Fue Olimpia la que me enseñó a hablar con el espejo. ¡Por favor, a ella no le digas que me has visto!

–No te preocupes.

–Gracias. Pero no sé dónde estamos. Es el peligro de los laberintos. ¿Te acuerdas? De laberintos hablábamos mucho. Pero no entrabas en el mío, y de tanto esconderme me perdí... No sabía salir para encontrarte... ¿Dónde se habrá metido hoy?, ¿cómo será su laberinto?, ¿estará pensando en el mío? ¡Cuánta palabrería, ¿verdad?, cuanta saliva en balde! Tíreme a la cuneta, profesor.

Abel le acaricia la cabeza.

–Habla de lo que quieras. He parado un momento porque me da pena que te vayas. ¿Te encuentras bien?

–No. Se me ha clavado el *Yesterday,* lo veo como un electrocardiograma caducado, con altos y bajos que se tragó el sumidero. Olimpia me sonsacaba. ¿En qué piensas? Y yo pensaba en ti, sólo en ti. En las muchachas de familia rica altas que llevabas a la grupa de tu Vespa y a las que acompañabas en el parque, yo te veía y volvía la cabeza, no aguantan una conversación de fuste, decías, sólo piensan en pescar novio, sí, pero yo era la hija de la modista y no sabía si me ibas a echar de menos cuando me fuera y te odiaba. Me acuerdo de la única vez que bailé contigo en el Casino porque Olimpia se empeñó, no sabía bailar y todos me miraban, tú estabas violento, nunca me ha pesado tanto la cabeza, llevarla alta, cuando lo que me apetecía era esconderla en tu hombro y decirte sácame de aquí.

Se ha tapado la cara con las manos. Abel le desabrocha el cinturón de seguridad y la atrae hacia sí. Nota contra su pecho durante un rato largo los sollozos entrecortados que le vienen desde muy atrás, de la cueva del olvido donde ocultó su infancia. Parece el llanto de una niña huérfana.

Así lloraba Rita, acurrucada en sus brazos, cuando murió Carmela. Solía ser de noche, al salir de alguna pesadilla, cuyo argumento no recordaba pero que la dejaba temblando de miedo.

–Estoy aquí, vamos, estoy yo aquí.

Amparo se pone de rodillas en su asiento para abarcar mejor la evidencia de este bulto tangible, que no se retrae ni se convierte en sombra de algún sueño, lo nombra, y flota agarrada a ese nombre que persiste contra los embates de la tormenta.

–Llora, llorar es bueno –le dice él–. No te dé vergüenza dejar de ser valiente por un rato.

Ella sigue escondida contra su solapa, se deja acariciar, la piel le arde. Agárrate a mí, no tengas miedo, se están librando juntos de un naufragio que pudo ser mortal. Pero ya se ve tierra. Y las estrellas brillan. Tranquila, ya llegamos.

Se desprende de él poquito a poco. Suspira hondo. Ha sido como un parto. Ya pasó lo peor, señora Drake, es usted muy valiente. Y nació Jeremy, y ella pensó que nunca tenga miedo a la libertad, que sepa crecer por sí solo y que se enfrente a mí cuando haga falta.

–¿Estás mejor, Amparo?

–Sí, sí... ¿Mejor qué cuándo?... Perdona, Abel, es que

he bebido mucho –dice mientras hurga torpemente en su bolso, buscando un pañuelo.

Él le ha tendido el suyo.

–No, preciosa, no te mientas a ti misma otra vez. Es que has llorado poco.

VEINTIOCHO

La ausencia de la señora que ocupaba la suite B del último piso dejó entre los empleados del Hotel Excelsior una huella al principio apenas perceptible, pero que fue ampliando su mancha con el paso de los días, a medida que los comentarios sobre su estancia en la ciudad se iban superponiendo y desmintiendo unos a otros a manera de rayas de un dibujo que se revelaba bastante reacio a ser procesado por ninguna computadora. Llegó a parecer que estaba más presente desde que se había ido.

Yáñez, el recepcionista de la noche, que fue el último en hablar con ella, contó que había llegado a primeras horas de la madrugada del dos de septiembre, que traía mala cara y que venía acompañada por un caballero de buena presencia. Nadie recordaba que la hubiera visitado o venido a buscar anteriormente ninguna persona cuyas señas coincidieran con las que aportó la descripción de Yáñez, por otra parte no demasiado precisa. Se limitó a decir que extranjero no era, desde luego, y que su cara le sonaba, ¿de aquí, lo habías visto alguna vez por aquí?, pero Yáñez no llevaba mucho tiempo trabajando en el Excelsior y puso un gesto dubitativo, tal vez le haya visto por la televisión local, ¿edad?, pues los sesenta ya no los cumple.

Subió con ella a la habitación, aunque estuvo poco rato, y al bajar me dijo que la dejáramos dormir, que estaba muy cansada y tenía algo de fiebre. Luego hubo una llamada y estuve a punto de no pasársela, pero lo hice porque era el mismo señor, por la voz lo reconocí, y estuvieron hablando media hora por lo menos. Pues vaya una manera de dejarla dormir. Eso mismo pensé yo. Pero lo más raro de todo es que al poco rato, ya estaba yo dando cabezadas, ella misma comunicó con recepción para pedir la cuenta y un taxi. Que las maletas –dijo– ya las tenía cerradas. ¿Un taxi a estas horas? Pues sí, llamé a Colás, le dije: Oye, Colás, que te van a pagar bien, que es un viaje a Madrid, espera, se ve que lo consultó con la mujer y enseguida que sí, que para acá venía. O sea, lo que tardó el taxi en llegar y yo en revisar la cuenta, que ella ya había pedido por la mañana que se la tuviéramos preparada porque se iba al día siguiente, y en realidad, si lo piensas, el día siguiente era, pero ni claridad se veía; las cinco. Le dije que si tenía alguna consumición de bar y dijo que no, ni conferencias. Bueno –comentó la telefonista al escuchar la historia–, conferencias ni ese día ni ninguno, que no llamar absolutamente a nadie de España ni del extranjero en todo el tiempo que ha estado aquí ya me diréis si no es raro, a mí me daba pena cuando lo pensaba, tanto cambiarse de trajes, la suite mejor del hotel y total para vivir más sola que la una. Yáñez contó que bajaba bastante abrigada, como si tuviera frío, y los ojos muy brillantes. No me atreví a decirle que aquel amigo suyo me había advertido que tenía fiebre y que necesitaba descansar, lo primero porque quién soy yo para meterme en la vida de los clientes y luego porque vaya usted a saber si lo que hablaron después tendría que ver con un cambio de planes. Sólo le pregunté que si se encontraba bien y dijo sonriendo: Sí, muy bien, muchas gracias, educadísima como era ella, pero sin dar confianzas, llevaba una rosa roja en la mano. Dejó unas propinas estupendas, la mejor para la camarera que le arreglaba el cuarto, ¿Susana?, le pregunté, y dijo que una chica delgada con el pelo muy negro, que el nombre no lo sabía.

Las conjeturas más delirantes acerca de la posible vida secreta de lady Drake en la ciudad corrieron precisamente a cargo de Susana, que, además de su enfermiza afición por las novelas policiacas y de espionaje, estaba enamorada locamente de Ricardo, el barman de la cafetería, aunque él no la correspondía en absoluto. Y sin embargo en varias ocasiones le había pedido con insistencia que le dejara subir a fisgar cómo eran las dos suites del último piso, que se quería ambientar para una novela que estaba pensando. Ella, aunque consciente de que aquella proposición infringía totalmente las normas, acabó accediendo con la esperanza de que tuviera algo de deshonesta, pero se llevó un chasco tan ofensivo como sospechoso. Ricardo se negó en redondo a visitar la suite A, que estaba desocupada, él quería ver la otra. ¿Qué dices, chico?, tú estás loco, no podemos, ahí vive una señora. Ya lo sé, pero ahora no está, acaba de salir, anda, abre, replicó él con voz segura y arrogante. Porque hay que ver cómo era Ricardo, qué mando, qué persuasión, que desprecio del peligro, ni en el cine se ha visto a un duro igual. Pero ¿y si vuelve? ¡Qué va a volver! ¡Te he dicho que abras, Susi!, va a ser sólo un momento y fuera. Por fin entraron y a ella le temblaban las piernas cuando cerró la puerta a sus espaldas, madre mía, si los pillaban allí. Pero, total, nada entre dos platos. Ricardo casi la ignoró tanto como lady Drake cuando entraba a abrirle las cortinas por la mañana. Avanzó hasta el centro del dormitorio, se asomó un poco a la otra habitación y estaba como ausente, recorriendo con la vista todos los objetos personales desperdigados por butacas, mesitas y sobre la cama, acercándose a ellos pero sin tocar ninguno, con un gesto entre detectivesco y sensual de perro que olfatea. Es muy desordenada esta señora –dijo Susana, por hablar de algo–, y debe padecer de insomnio. Yo también –dijo él–, eso es de cavilar demasiado. Y eso fue todo, que ya se podían ir, que gracias, Susi, y que qué bien viven los ricos. Ni cinco minutos llegarían a estar.

Cuando ya bajaban en el ascensor, ella le preguntó ¿es qué conoces tú a esa señora? Y él dijo que un poco, de verla en el bar, y dio al botón del primero. Yo me bajo antes que tú, si no te importa, así no te comprometes. Y nunca, aunque cruzaron la palabra, volvieron a aludir a aquella tarde. Pero fue un episodio demasiado raro como para que se le pudiera borrar de la cabeza a una enamorada fantasiosa. De momento se tragó el despecho, y aunque no dijo nada a nadie, empezó a odiar secretamente a lady Drake.

Cuando recibió la estupenda propina que había dejado para ella, el odio se le pasó un poco, pero en cambio se redobló su sospecha de que aquella extranjera tenía más conchas que un galápago y, a fuerza de prestar oídos a cuanto se decía sobre ella y de atar cabos por su cuenta siguiendo pautas novelescas, fue urdiendo una versión donde quedaba de relieve su papel de testigo de cargo. La divertía mucho, antes de dormirse, imaginarse ante un tribunal de jueces con peluca blanca, que comparezca la testigo Susana Domínguez Rey, y ella avanzando hasta esa especie de burladero donde se suben los que juran decir la verdad y nada más que la verdad. Por desgracia, al volver por las mañanas a trabajar al Excelsior y ponerse el uniforme azul de limpieza, esa escena de cine en blanco y negro desaparecía y Charles Laughton venía a ser sustituido por Maritere, otra camarera amiga suya que la escuchaba sin demasiado interés.

De aquella rosa roja que aparecía como un flash en el relato de Yáñez, Susana se acordaba perfectamente. Se la había subido ella con el último desayuno que le sirvió, y venía pegada con celofán a un sobre de esos acolchados. La señora, que tenía ya las maletas a medio hacer y el cuarto muy revuelto, le preguntó con voz inocente que quién había traído aquello y que qué tal estaba el día, pero no dijo que tuviera intención de irse. Cuando Susana, al día siguiente, subió a arreglar la suite ya vacía encontró un florero con agua un poco turbia y comprendió que allí es donde había tenido puesta la rosa; al principio supuso que sería un regalo del mismo amigo descrito por Yáñez, pero luego hizo indagaciones y vino a saber que no. El paquete y la rosa habían sido entregados a uno de los botones por un hombre que ni siquiera llegó hasta recepción, como si le diera vergüenza entrar, y el botones le dijo a Susana que no era ningún señor maduro sino un chico de veintipocos años, normal, como los que te puedes encontrar en el Oriente, guapísimo, por cierto, que le dejó cien pesetas de propina, y que además, Susi, por si lo quieres ver, viene hoy retratado en el periódico. Y eso era ya el día tres. Miraron juntos el periódico y resultó que se trataba de un actor de zarzuela que había tenido un éxito escandaloso representando *Luisa Fernanda* porque se había atrevido a meter muchas morcillas, aunque de gran calidad, como esos espontáneos que saltan al ruedo sin venir anunciados, y para colmo terminó su perorata fingiendo que se moría de verdad, cosa que levantó mucho revuelo. Unos decían que en eso consiste la verdadera renovación del teatro, incapaz ya de dar ninguna sorpresa, otros lo tachaban de petulante, pero el caso es que la gente le había aplaudido puesta en pie. ¿Y estás seguro de que era éste el mismo que te dejó el paquete con la rosa?, preguntó Susana sin apartar los ojos de la foto. Tan seguro como de que me llamo Maximino. Pues vaya un tío de bandera, jolín, las hay con suerte.

O sea que fíjate con qué gente andaba, le comentaba

Susi a Maritere, si ya se sabe, todas las millonarias de más de cincuenta años lo que andan buscando es un gigoló, acuérdate de *El crepúsculo de los dioses*. Hija, qué pesada te pones con la señora de la suite B, encima de la propina que te dejó, quién la pillara, eres una desagradecida, y además a ti qué te importa si le gusta o no la carne fresca, el de la noche era mayor. Pues por eso, la tal mosquita muerta se ve que no le hacía ascos a ninguno. Y lo dijo con un tono tan agresivo que ahí ya Maritere no se pudo contener. ¿Quieres que te diga una cosa?, a ti lo que te escuece, perdona, es lo de Ricardo. ¿Qué de Ricardo, qué? Ay, hija, pues vaya detective que estás hecha, lo de la carta, ¿o no te has enterado de que le dejó una carta? Bueno, ya, un sobre con una propina, como a mí. ¿Pero el tuyo venía cerrado? El mío no. ¿Y con el nombre puesto? Tampoco. Ah, pues es diferente, guapa, muy diferente.

A Ricardo, que libró todo el día dos, le fue entregado dicho sobre la tarde del tres, cuando el recepcionista de turno lo vio llegar para incorporarse al servicio. Oye, ¿tú te tratabas mucho con la señora de la suite B? ¿Por qué dices «tratabas»? ¿Es que le ha pasado algo? No, nada, toma, que se ha ido. Ricardo dijo que era una clienta muy amable, con mucha clase, y que sentía que se hubiera marchado. Luego se guardó el sobre en el bolsillo de la chaqueta sin abrirlo ni mirarlo casi, pasó a cafetería y nadie logró sacarle una palabra más.

Y sin embargo aquella tarde esperó con especial ansiedad a las señoras del coro griego, que llegaron a la tertulia, según anunció una de ellas, «con la trompa llena de noticias». Llevaban sin reunirse varios días. Pidieron el té con pastelitos y canapés, como siempre, y el primer tema que salió a relucir fue el de *Luisa Fernanda*. Las que no habían estado en la función se encogieron de hombros desdeñosas; seguro que no había sido para tanto.

–Yo, desde luego, de ese personaje no me acuerdo siquiera, y mira que es una zarzuela que me la sé de memoria.

–Pues tan de memoria no te la debes saber si no te acuerdas de Aníbal, a mi padre se le quedó una frase suya y la decía mucho: «La flor de los generales que están en la emigración aguarda con emoción el grito de sus leales»; claro que este chico le ha dado un relieve al tipo como nunca en la vida.

–¿Pero en qué acto sale?

–Cuando Vidal se mete en política por rivalidad con el caballero del alto plumero, que los dos pretenden a Luisa Fernanda, eso sí lo sabrás.

–Claro, mujer, qué cosas dices.

–Pues Aníbal es uno de los que conspiran contra el trono de la reina y se hace amigo de Vidal.

–Ya, bueno, ¿pero qué reina?

–Yo me figuro que debe de ser Isabel II, la tatarabuela del de ahora, pero eso da lo mismo. Aníbal es un anarquista total, por casta, por temperamento, lo dice: «Yo complicado, porque sí, donde haya líos», y a partir de ahí es cuando se puso a inventar el chico ese y fue como meterse en otra función, sus propios compañeros le miraban y no daban crédito, estuvo maravilloso, que lo diga Sole.

–Genial, nos dejó sin respiración, pero más todavía en la otra escena, eso ya fue de arrebato, cuando las barricadas, cuéntalo tú, Feli, que lo cuentas mejor.

–¿Barricadas? Eso no sale.

–No, pero lo explican hablando, es que hay que atender también a lo que dicen sin cantar. Ha habido barricadas en la calle de Toledo y llega herido Aníbal, con la cabeza envuelta en un pañuelo, lo sacan a rastras, se revuelve, «o me sueltan o los mato», y ahí es cuando avanza dando traspiés, tira el trabuco, saca una cuchilla y le empieza a salir sangre de las muñecas, que luego se vio que era fingida, que traía el mejunje preparado, pero todo el público con el alma en un hilo, ¡ay, Dios mío, se ha abierto las venas!, os podéis imaginar qué susto, y él diciendo que se moría por un ideal y por el arte que está agonizando en una época donde no hay más Dios que el dinero, unas cosas preciosas, y en verso todo, pegando estupendamente con lo otro, bueno el teatro dentro del teatro como dice el artículo del periódico, y que se acordaba de su abuelo, y que pusieran en su tumba: Aquí yace Aníbal, y a punto de bajarse el telón porque alguien había pedido a gritos un médico y él cayó casi al borde de las candilejas, con las venas sangrando, cuando de pronto se levanta, saluda, muchas gracias, que siga la función, y el teatro se venía abajo, se los ha comido a todos con patatas, ya lo han dicho a las tres en la tertulia de la radio, que le van a llover ofertas para el cine. Porque encima es guapísimo.

–Lo malo es que se volverá un engreído.

–Es que los jóvenes de ahora ya no saben cómo llamar la atención, a ver quién hace la extravagancia más gorda.

–Pues claro, por lo mismo que él dijo, porque estamos viviendo en una época sin heroísmo y el ser humano necesita inventarse ideales. Bueno, no sé cómo lo dijo, estuvo sembrado, un actorazo, a mí se me saltaron las lágrimas. Y es a lo que va una al teatro, a emocionarse, ¿no?

–Ya, pero se expone a que le metan un pleito los herederos del libretista, y lo podrían hacer con toda la razón del mundo.

–Peor es sacar al *Quijote* con música de vodevil, y los dejan. Aquí lo que se da es brillo a un personaje que nadie se había fijado en él, tú misma dices que de Aníbal ni te acordabas, ¿no? ¡Pues toma Aníbal!

–Ahora lo siento, fíjate, yo estuve a punto de ir, me ofrecieron entradas, pero me dio pereza. Y luego, no sé, no tenía humor, se queda una revuelta después de muertes tan horribles como la de la pobre Manuela. Total ni hace diez días estaba ahí fuera tirándose desde el trampolín, y anteayer echándole la paletada de tierra encima y las coronas de flores, tan preciosas, qué pena, no somos nadie.

–Por cierto, lo de echar esa barbaridad de flores encima del ataúd dicen que no es bueno, que fermentan con la tierra y quitan sitio para el que viene luego. Toda la vida de Dios se han puesto las coronas encima de la lápida.

–Ya, pero ahora hay mucho listo, y las roban. Están a la que salta. La mitad de los ramos que se venden fuera del cementerio son de flores robadas.

–¡Chica, pues que las roben!, con que adornen un rato ¿para qué más?, si todo dura un soplo, hasta el recuerdo. Muchas letras de oro poniendo tus parientes no te olvidan, y luego llegas a casa y, lo natural, con la paliza de las noches sin dormir y el papeleo y los lloros, quien más y quien menos deseando tomarse un chocolate.

–Pues el pobre don José Manuel no creo que esté para chocolates, yo lo he visto fatal, deshecho. No parece ni sombra de lo que fue.

–Es que, también, ¡vaya fin de verano para un padre!

–Bueno, el bajón le venía de atrás. A Manuela ya la tenía más que perdida desde lo de la boda con el médico.

–Pues que se prepare para el disgusto que le queda, que es de los gordos.

Hubo un silencio. La voz de Margarita Arce había sonado como un aldabonazo y consiguió el silencio casi religioso que sucedía al anuncio de sus posibles revelaciones. El barullo de frases interfiriéndose unas a otras desapareció como por ensalmo.

–Oye tú, ¿qué disgusto? Suelta lo que sea.

–Es verdad, te encanta dejar lo más emocionante para

el postre. No sé qué más disgusto puede haber ya para ese hombre.

–El testamento de Manuela. Ya sabéis que estaba heredada de su madre. Un fortunón.

–Bueno ¿y qué? Volverá a los Roca. No ha dejado hijos, estaba divorciada y el marido pactó la separación de bienes. Que, dicho sea de paso, ni aparecer por el funeral, os fijaríais.

–Yo lo veo lógico. La familia nunca le quiso, y él tendrá su orgullo.

–¿Y también ves lógico que estuviera anoche en el teatro? Que lo diga Feli.

–Nos pareció, no estamos seguras. Cuando preguntaron si había un médico en la sala, saltó uno por el lateral que se daba un aire al doctor Sánchez. Pero estábamos lejos, Sole, y con tanto barullo se puede confundir una. Además, luego ya no lo volvimos a ver.

Margarita Arce tamborileaba sobre la mesa con sus dedos llenos de sortijas, con el aplomo de una reina. Esperó a que se apaciguara la charca de tan necios comentarios y se sirvió otra taza de té. Permanecía inmóvil, digna y paciente, como un experto pescador de caña. No tardaron, efectivamente, en volver a acercarse a su anzuelo los peces alborotados.

–Pero bueno, ¿tú qué estabas diciendo del testamento de Manuela?

–Yo nada. Que puede ser una bomba. Y si no, al tiempo. Pero no os digo más porque mi marido si se entera me mata.

Su marido era Francisco Arce, el notario con mayor clientela de la ciudad. Ella se hizo rogar un rato, pero al fin, tras haberles arrancado la promesa firme de no irse de la lengua, Ricardo vio que todas las señoras acercaban sus sillas pendientes del ansiado relato. A él, en cambio, aquel asunto del testamento le empezaba a aburrir un poco. Siguió atendiendo, sin embargo, a pesar de que Margarita Arce había bajado la voz, y consiguió enterarse de que la difunta había dejado todo su dinero para fundar un centro de rehabilitación de toxicómanos, con la condición de que se llamara Fundación Sánchez del Olmo, de que dicho doctor la dirigiera y se construyera para él una vivienda aneja al hospital. Ya tenía elegidos los terrenos y encargado a un arquitecto que dibujara los planos.

–¿Pero todo eso, cuándo?

–Hija, queréis saber demasiado. Yo, por lo que ha dicho Paco, creo que Manuela debió de ir a visitarlo a poco de pedir el divorcio.

–Pues no entiendo nada.

–¿Es que a Manuela se la ha entendido alguna vez?

–¡Pero tuvo que dibujar los planos! Si no, no se muere tranquila, eso es lo que le encantaba, jugar a los pleitos y a las casitas. Genio y figura hasta la sepultura. Dios la tenga en su gloria.

A Ricardo el sesgo que iba tomando la conversación de aquella tarde le estaba decepcionando bastante y temió verla deshilacharse sin que saliera a relucir ni para bien ni para mal la hija de la modista. Pero de pronto apareció por donde menos lo esperaba, mezclada en un aluvión final de comentarios intrascendentes sobre la lista de personas que habían asistido a aquel funeral tan famoso.

–Sí, un gentío como se ha visto pocas veces. Y, por cierto, la que estaba, que no sé lo que pintaría allí, es la señora esa tan elegante que se alberga aquí, la extranjera.

–Se albergaba, porque creo que se ha ido. ¿Y estaba en la Catedral?

–Como lo oyes, en las últimas filas, al fondo.

–¿Ella sola?

–Sola. Pero luego me han contado los Freire que al

acabar el funeral vieron a Abel Bores en un coche con una señora desconocida, ya no muy joven, pero guapa.

–¿Y por qué tenía que ser ella?

–No sé, yo lo digo por si acaso. Como aquí están pasando cosas cada día más raras.

–Bueno, raro lo del chico de la zarzuela, pero que Abel Bores vaya con una señora en el coche no tiene nada de raro. Tú es que siempre le estás buscando tres pies al gato.

Hubo un silencio. A Ricardo le pareció que iba a ver entrar por la puerta de la cafetería a la señora de la suite B, guiñándole un ojo con gesto cómplice. Y era de verdad como si hubiera entrado.

–Pues bien misteriosa ha sido esa señora; se fue (si es que se ha ido) sin pena ni gloria. Y lo que nos da rabia es el poco pie que nos ha dado al cotilleo. A saber cuál será su vida.

–Siempre te quedas con las ganas de saber más de la gente, te enteras de las cosas sólo a medias, y raro es el final que no se queda en suspenso.

–¡Todos! Es que para asistir al final de las historias una por una tendríamos que llegar a la edad de Matusalén, hija, no puedes, nos morimos primero, y eso sin contar con el Alzheimer.

–Tienes razón, sólo en las novelas nos enteramos del final.

–¿Qué dices? En las novelas tampoco, ni siquiera en las que se acaban con uno que se muere. Queda la familia, las cartas, los amigos que no salen más que un rato, las mentiras que se dicen luego de esa persona. A no ser que el autor se líe a tiros y los mate a todos.

–O que se casen.

–Ya, pero casarse tampoco es un final.

–Y que lo digas.

Hubo otro silencio más prolongado y una de las señoras suspiró ruidosamente.

–¡Ay, chica! –sentenció Margarita Arce–. Estamos hoy

como si nos hubiera mirado un tuerto. ¿No queréis otra ronda de canapés?

Todas dijeron que no, que no tenían ganas.

–Pues vamos un rato al bingo, a ver si nos espabilamos. ¡Ricardo, hijo, la cuenta!

Cuando se marcharon, Ricardo puso la radio un poco más alta, en la emisora donde daban canciones en inglés. Sólo había en el local dos hombres mayores que parecían estar hablando de negocios, a los que acababa de servir café por segunda vez. Miró alrededor y no venía nadie más. Sacó de dentro de un libro que tenía guardado en el mostrador la carta de Amparo Miranda y se puso a releerla, aunque ya casi se la sabía de memoria.

> Querido Ricardo, siento mucho tener que marcharme sin despedirme de ti. Estaré dentro de tres días en Nueva York y te dejo mis señas de allí y mis dos teléfonos, para que me llames cuando quieras a cobro revertido. No dejes de estar atento a las señoras del coro griego. Mi hijo va a empezar a rodar una película que tiene por escenario una provincia española y necesitamos una persona de buen oído y olfato literario como tú para que colabore en los diálogos. No pierdas ripio de nada, no sabes hasta qué punto me fío de tu capacidad de secreto. Cuando me llames te daré más detalles y hablaremos de las condiciones económicas, porque tu colaboración, por supuesto, la vamos a pagar bien. Dijiste que tenías pensada una novela. Caso de que coincida con este tema, tú verás si prefieres guardar para ti las notas que tengas tomadas. Todo esto se me ha ocurrido a última hora, pero lo veo tan claro como todas las ideas que se me vienen a la cabeza cuando tengo fiebre. Espero sin falta tu llamada. Nunca olvidaré a la primera persona que, al cabo de cuarenta años, reconoció en mi ciudad a
>
> Amparo Miranda

APERTURA A OTROS PÓRTICOS

Eran las cinco de la tarde y Jeremy estaba tumbado en un sofá en casa de su amigo Tom. No tenía ganas de nada, y menos de pensar. Pero no se puede –decía Caroline–, si dejas de pensar vuelas, por eso no volamos, porque los saquitos que tenemos por dentro de la cabeza pesan mucho, aunque tengas ganas de tirarlos no se puede. Y acordarse de lo que decía Caroline ya era estar pensando, no sólo en ella sino en todos los saquitos con la marca Miranda-Drake que le atascaban la cabeza.

Enfrente del sofá se veía un arco sin puerta que daba a otra estancia bastante aglomerada, la madriguera de Tom. Había una cama en el suelo y una mesa alargada y espaciosa, tan ocupada por chismes electrónicos que no cabía ni un alfiler. Ordenador conectado a Internet, fax, teléfono, contestador automático y una televisión pequeña. Tom se pasaba las horas muertas navegando por Internet, con la misma pasión con que se lanzaron al mar los piratas de Salgari, tan aislado del mundo y sus servidumbres que, cada dos meses a lo sumo, a Sally, la chica que vivía con él, le daba un ataque de nervios, rompía algún cacharro, hacía la maleta y se iba de casa. Tom, como despertando de una anestesia, aseguraba que la echaba muchísimo de menos, que no aguantaba vivir solo, y es cuando llamaba a algún amigo para que le hiciera compañía hasta que Sally volviera, porque era de las que vuelven.

Jeremy llevaba dos días viviendo en aquella casa, que tenía un pasillo largo y era mucho más espaciosa que su apartamento de la calle 121, pero no lograba entender a Tom ni el cariz de sus sufrimientos ni qué concepto podría tener de la compañía que hace un amigo, porque apenas le dirigía la palabra, y su entrega a los juegos y viajes ofrecidos por la mágica pantalla se había intensificado, como pasa con todos los vicios cuando llega una mala racha. Las veces que no estaba en casa, como ahora, ni siquiera dejaba un recado para Jeremy, cuya estancia allí, marcada de antemano por la provisionalidad, se había convertido además en algo inútil.

Y sin embargo, tumbado en aquel sofá a las cinco de la tarde, con los ojos fijos en el techo, mientras escuchaba una canción desgranada por Ella Fitzgerald y Louis Amstrong, *Learning the blues*, saboreaba ese conocido ingrediente de nostalgia que añaden al hastío los refugios ajenos.

Desde que se fue de casa de su madre, había vivido en tantos sitios que se le confundían unos con otros; su incapacidad para dejar huella en ninguno los pulverizaba y reducía en el recuerdo a una serie de paredes idénticas por donde resbalaron sus ojos ansiosos de escapar a otro sitio. Hubo un tiempo en que atribuirse a sí mismo el calificativo de nómada le contagiaba una ilusión de perpetua disponibilidad siempre en camino hacia algo inesperado, libre de esclavitudes domésticas. Pero con el pasar de los años había empezado a surgir de uno de aquellos saquitos inventados por Caroline una pregunta aparentemente ingrávida, pero que llevaba plomo en las alas: ¿Por qué era tan difícil aprender a «hacer casa»? La psiquiatra con cara de liebre, cuyas visitas decidió cancelar, había sometido a su consideración otra aún más retorcida: ¿No cambiarás continuamente de lugar, Jeremy, precisamente por miedo a enfrentarte con esa espinosa pregunta?

Se quitó los zapatos con gesto de mal humor y uno de ellos lo tiró contra un póster de Paul Klee que había en la pared.

–¡Pues bueno, puede ser, déjame en paz! Lo que quiero es dormir, dormir, dormir. Sin saquitos.

Y quitó el elepé de *Learning the Blues* justo cuando Louis Amstrong estaba hablando de lo que es llegar a casa y quitarse los zapatos y no saber a quién llamar.

Cerró los ojos y cambió de postura. Estaba aburrido del trabajo de doblaje, de haber perdido la fe en llegar a dirigir su propia película, harto de rodar por viviendas de quita y pon, incapaz de soltar el lastre que llevaba consigo a todas partes, aunque creyera haber dejado el equipaje en otro sitio: aquellos saquitos cerrados por la boca. Aunque no los abriera, tan sólo al tacto revelaban su contenido: recuerdos de su madre y de su padre, de María, de Caroline, de la tía Jessica y de aquella abuela lejana de la mirada amarga. Quiero ser yo, volar, quiero dormir.

Tal vez estuviera empezando a conseguirlo, pero a volar no, porque era un sueño plagado de imágenes y voces conocidas. De pronto el gesto contraído que cercaba sus labios y sus párpados apretados se aflojó y una expresión más dulce le espolvoreó el rostro. Porque no amenazaba ni contenía repulsa la voz que estaba oyendo, tan joven, tan alegre. Una voz conocida que le tendía los brazos. ¿Estás ahí, Jeremy? Por favor, no te escondas, que soy yo.

Iba a volverse contra la pared agarrado a un almohadón, mientras le amanecía una sonrisa como de niño, pero intempestivamente cambió de actitud, dio un salto y se dirigió a la madriguera de Tom. Porque la voz aquella se había vuelto mucho más consistente y ahora estaba diciendo:

–Bueno, ya sabes que no me gusta hablar con estos chismes, pero el de tu casa me ha mandado a éste. Así que te vuelvo a dejar el recado, por si lo coges, estoy en Madrid, ahora son las once...

–¡Madre! ¡Qué alegría oírte! Estaba medio dormido. ¿Dónde dices que estás?

–En Madrid, pero a punto de salir para el aeropuerto. Escucha...

–Escucha tú primero, ¿cuándo vienes?, no sabes cómo tienes a Debra de enfadada, bueno, y yo no te digo las ganas que tengo de verte. ¿Pero por qué no has llamado en todo este tiempo? Has estado allí..., ¿verdad?

–Sí, tengo muchísimas cosas que contarte. De la película, ¿sabes?

–¿De qué película?

–De la tuya, de cuál va a ser.

–No entiendo nada. ¿Por qué estás tan contenta? ¿De verdad que vienes?

–Sí, escucha. Ahí deben ser las cinco, ¿no? Pues ya sabes, mi vuelo es por Airlines y sale dentro de dos horas. Calcula, y espero verte mañana en Kennedy. Tengo prisa. Son muchas cosas para contarlas por teléfono, hijo, supongo que estaréis todos bien.

A Jeremy no le pareció oportuno hablarle ahora de Caroline, que además se encontraba mejor. No hacía más que mirar el reloj, como si no diera crédito a lo que estaba oyendo.

–Sí, muy bien. Claro que estaré allí sin falta. ¿Te parece que se lo diga a Debra? Está preocupadísima.

–Deja en paz a Debra. Seguramente voy a cambiar de profesión, ¿no te alegra saberlo? Siempre me estabas diciendo que a ver cuándo salía de mi rutina.

–Sí, me alegra muchísimo, pero sobre todo oírte esa voz que tienes, ¿qué te ha pasado?

–Nada que se pueda resumir, Jeremy. Ya sabes que las

cosas que valen la pena llevan tiempo y cavilación y mucho cambio de impresiones.

–¿Pero por qué lo dices? ¿Cambio de impresiones con quién?

–Contigo. Tenemos que hacer juntos mucho trabajo de mesa. Porque he decidido meterme a productor de cine. Nos estrenaremos con *La calle del Olvido*. Te quiero mucho, pero no me puedo entretener porque tengo un taxi abajo.

–*¿La calle del Olvido?* ¿Mi guión? ¿Es que de repente te gusta?

–Me encanta, porque ha sido el germen de todo. Pero, eso sí, hay que meterle más cosas. Muchas más cosas.

–¿Cosas de qué tipo?

–De las de verdad. Hasta mañana, *honey*.

Empecé a tomar las primeras notas para el personaje de Olimpia en diciembre de 1994.

Redacción definitiva: el Boalo, Bayona la Real, Washington, Madrid, septiembre de 1996-marzo de 1998.